Le théâtre

Marie-Claude Hubert

Le théâtre

3e tirage

ARMAND COLIN

Le problème du théâtre... c'est comme un jeu
de miroirs où l'image initiale s'absorbe et sans cesse
rebondit, si bien que chaque image reflétée est plus
réelle que la première et que le problème ne cesse pas
de se poser. Et la dernière image emporte toutes
les autres et supprime tous les miroirs.

ANTONIN ARTAUD,
mai 1923.

© Armand Colin Éditeur, Paris, 1988
ISBN 2-200-33029-4

Armand Colin Editeur, 103 Bd St-Michel 75240 Paris cedex 05

Avant-Propos

Le théâtre, art de l'éphémère, ne s'accomplit vraiment que dans la représentation, dans cette rencontre privilégiée entre une troupe de comédiens et un public. Il repose sur le jeu des acteurs, sans lesquels il n'aurait pas d'existence. Ils sont, au théâtre, « de convention », comme le fait remarquer Diderot, dans le *Paradoxe sur le comédien* ; « c'est une formule donnée par le vieil Eschyle, c'est un protocole de trois mille ans ». *Le texte, lui, n'est qu'une partition.* Sa lecture nécessite une réflexion, qui est, pour le lecteur, la plupart du temps sans qu'il s'en doute, une tentative de mise en scène, de reconstruction intérieure de ce monde en mouvement. Molière était bien conscient de cette difficulté inhérente à la lecture du texte dramatique, lorsqu'il écrivait, dans l'avertissement « Au lecteur » placé en tête de *L'Amour médecin :* « On sait bien que les comédies (terme synonyme, au XVIIᵉ siècle, de pièce de théâtre) ne sont faites que pour être jouées ; et je ne conseille de lire celle-ci qu'aux personnes qui ont des yeux pour *découvrir dans la lecture tout le jeu du théâtre.* » C'est à cette découverte que nous convions nos lecteurs, négligeant délibérément ici les problèmes de représentation.

« Il y a bien de la différence entre peindre à mon imagination et mettre en action sous mes yeux », s'écrie Dorval, le porte-parole de Diderot dans le *Troisième Entretien sur « Le Fils naturel »*, soulignant par là le fait que le roman et le théâtre appartiennent à deux univers irréductibles. Le théâtre occupe une place à part au sein de la littérature. Les outils critiques utilisés pour rendre compte des autres genres littéraires, roman, nouvelle ou poésie, sont souvent inadéquats pour son étude. Art du spectacle, son domaine est vaste ; il intègre des éléments de mime, de danse, de musique, qui, loin d'être simples ornements, fioritures superfétatoires, font partie intégrante du jeu, au même titre que la déclamation, et fonctionnent comme des signes, parfois difficiles à déchiffrer au stade de la lecture, tant qu'ils ne sont pas situés dans l'espace de la représentation.

Cet ouvrage mêle une approche formelle et une perspective historique. Dans le premier chapitre, nous analysons le fonctionnement du texte dramatique dans son invariance, afin de définir la théâtralité. Dans les chapitres suivants, nous examinons les divers types de fonctionnement du théâtre français selon les époques, nous référant à des œuvres étrangères lorsqu'elles ont exercé une influence sur la production française. Chaque période, du Moyen Age à nos jours, a résolu à sa manière, à travers des formes différentes — farce, comédie, tragédie, drame, pièce contemporaine —, les problèmes de la scène. Nous avons consacré la partie la plus importante de l'ouvrage au Classicisme, qui met en place tout un ensemble de règles de composition qui ne seront profondément mises en cause qu'au XXᵉ siècle. Le théâtre moderne, qui offre des conceptions nouvelles de la scène, a retenu, lui aussi longuement, notre attention. Visant à la brièveté, cet ouvrage s'appuie sur les œuvres maîtresses du répertoire, laissant volontairement de côté des auteurs mineurs, et se fonde sur les discours théoriques des auteurs dramatiques qui sont particulièrement éclairants, car ces hommes de l'art connaissaient bien les exigences de la scène et le goût du public.

1 Le système dramatique

Le théâtre est un art de la *mimésis*. Platon, au livre III de *La République*, oppose deux modes d'écriture, la *mimésis*, ou imitation parfaite, dans laquelle le poète donne l'illusion que ce n'est pas lui qui parle, mais ses personnages, et la *diégèsis*, ou récit pur, dans lequel il parle en son nom. « N'y a-t-il pas récit quand (le poète) rapporte, soit les divers discours prononcés, soit les événements intercalés entre les discours ? [...] Il est une espèce de récit opposé à celui-là, quand, *retranchant les paroles du poète qui séparent les discours,* on ne regarde que le dialogue [...]. La comédie et la tragédie comportent une espèce complètement imitative. » Platon, abordant le théâtre d'un strict point de vue de lecteur (et non de spectateur, puisqu'il ne parle pas du jeu), définit l'écriture dramatique par le dialogue. Nous allons montrer, dans ce chapitre, qu'en fait le jeu qui se réalise dans la représentation est inscrit au cœur même de l'écriture et la préforme. C'est lui — et non le seul dialogue — qui permet de définir le texte dramatique, sans quoi rien ne laisserait distinguer une pièce de théâtre du dialogue didactique platonicien, et des dialogues philosophiques écrits sur ce modèle, ceux de Cicéron, de Voltaire ou de Diderot...

LE DIALOGUE OU LA DOUBLE MÉDIATISATION DES DISCOURS

Absence de discours commentatif

L'opacité du texte dramatique naît du fait qu'il manque au dramaturge le discours commentatif du romancier. Son écriture n'est jamais subjective, toute confession lui est interdite, puisqu'*il ne s'exprime qu'à travers le discours de ses personnages, lui-même médiatisé par la voix de l'acteur.* « Dans le poème dramatique, écrit d'Aubignac en 1657, l'un des plus grands théoriciens du théâtre classique, il faut que le poète s'explique par la bouche des acteurs ; il ne peut y employer d'autres moyens » (*La Pratique du théâtre,* livre I, ch. VIII). Les protagonistes de *Six Personnages en quête d'auteur,* de Pirandello, voudraient jouer eux-mêmes leur drame, à l'indignation du Directeur de théâtre et des Acteurs ; c'est là un rêve impossible, qui défie les lois immuables du théâtre, comme le leur rappelle le Directeur :

> ...mais au théâtre, cher monsieur, ce ne sont pas *les personnages* qui jouent la comédie. Au théâtre, ce sont *les acteurs* qui la jouent. Quant aux personnages, ils sont là, dans *le manuscrit (Il montre le trou du souffleur.)* — lorsqu'il y en a un !

LE PÈRE. — Justement ! Puisqu'il n'y a pas de manuscrit et que vous avez la chance, mesdames et messieurs, de les avoir ici devant vous, vivants, ces personnages...

LE DIRECTEUR. — Oh, elle est bien bonne, celle-là ! Est-ce que vous voudriez tout faire tout seuls ? jouer la pièce, vous présenter vous-mêmes devant le public ?

LE PÈRE. — Mais oui, tels que nous sommes.

LE DIRECTEUR. — Eh bien, je vous assure que ça donnerait un drôle de spectacle !

(Gallimard, coll. Folio, 1986, p. 83)

● *Les idées de l'auteur ?* Il serait vain de chercher à déduire du texte dramatique le point de vue de son auteur. Si l'œuvre se fait l'écho de la problématique de l'époque, elle ne nous livre que rarement les réponses du dramaturge aux questions que se posaient ses contemporains. Quelle était la position de Molière face à la préciosité ? Ni *Les Précieuses ridicules* ni *Les Femmes savantes* ne nous permettent de la définir clairement. Les idées du dramaturge peuvent toutefois être dégagées dans certaines pièces à thèse, comme *L'Ile des esclaves, L'Ile de la raison* ou *La Colonie* de Marivaux, dans le théâtre de Sénèque ou celui de Sartre, mais le cas demeure exceptionnel. Les tragédies de Sénèque sont précédées d'un prologue, qui n'a pas pour but d'exposer l'intrigue, révélée par le seul nom du protagoniste, mais de dessiner les grandes lignes de la situation morale. Dans la première scène d'*Œdipe,* inspirée d'*Œdipe roi* de Sophocle, le héros éprouve déjà un sentiment de culpabilité, absent chez Sophocle, où il est convaincu de son innocence. L'auteur des *Lettres à Lucilius* prête à ses héros la morale stoïcienne — offerte en modèle —, qu'il oppose à la philosophie épicurienne exprimée par les chœurs. Son œuvre dramatique, à cause de ce caractère sentencieux, a parfois été jugée avec sévérité. Sous prétexte que l'exposé de la pensée ralentit l'action, on a prétendu que ses tragédies n'étaient pas destinées à la scène, mais seulement à la lecture ou à la déclamation devant un public de lettrés.

● *L'auteur et ses personnages.* Le théâtre, quoique hypostasiant le « je », puisque chaque personnage parle à la première personne, interdit toute possibilité d'autobiographie. Il ne faudrait pas en conclure pour autant que le texte dramatique n'entretient aucun lien avec la biographie de son auteur. Ce n'est pas un hasard si Molière crée *L'École des maris* en 1661, lorsque, follement épris d'Armande Béjart, il songe à l'épouser, puis l'année d'après *L'École des femmes,* quand il se marie avec cette toute jeune fille qui a vingt ans de moins que lui, et quatre ans plus tard *Le Misanthrope,* lorsqu'il a perdu toute illusion, sachant bien qu'il ne pourra jamais se faire aimer d'elle. Dans les deux premières pièces, il joue les rôles de « barbon » ridicule, Sganarelle, Arnolphe. Dans la troisième, il est Alceste, le jaloux tyrannique. Il prête à son personnage des traits caricaturaux, pour mieux exorciser sa douleur. De la même façon, jouant Argan, dans *Le Malade imaginaire,* il se moque de son angoisse de la mort, terreur sans nul doute lancinante, puisqu'il meurt pratiquement sur scène, dans la nuit qui suit la quatrième représentation. C'est en proie à une peur de même nature que Ionesco écrit *Le Roi se meurt,* lors d'une grave maladie où il frôle la mort.

Mais Molière n'est ni Arnolphe ni Argan, pas plus que Ionesco n'est le roi. Les personnages dramatiques, dans un processus métonymique, sont coupés de leur auteur, plus éloignés encore du dramaturge que les personnages romanesques du romancier. La double médiatisation fonctionne, pour l'auteur, comme une forme de « dénégation ». Nous prenons le terme dans son sens freudien de procédé par lequel l'être, tout en formulant un sentiment refoulé, s'en défend en niant qu'il lui appartienne. Si Flaubert peut clamer : « Madame Bovary, c'est moi », aucun dramaturge ne peut en dire autant. « Ils se sont déjà détachés de moi », écrit Pirandello, parlant, dans sa préface à *Six Personnages en quête d'auteur*, en 1921, de la façon dont les personnages se sont imposés à son imagination et du rapport qu'il entretint avec eux pendant la genèse de la pièce. « Ils vivent pour leur propre compte, ils ont acquis voix et mouvement ; ils sont devenus d'eux-mêmes, dans cette lutte pour la vie qu'ils ont dû livrer contre moi, des personnages qui peuvent parler et bouger tout seuls ; ils se voient déjà comme tels ; ils ont appris à se défendre de moi ; ils sauront aussi se défendre des autres. Eh bien, alors, soit, laissons-les aller là où ont coutume d'aller les personnages de théâtre pour avoir une vie : sur une scène. Et voyons ce qui en résultera. »

C'est sans doute pour cette raison que Beckett conçut son œuvre dramatique lorsque, ayant écrit la partie majeure de son œuvre romanesque, il se sentit acculé à une impasse. Cette mise à distance de l'écrivain par rapport à lui-même, constitutive de l'écriture dramatique, lui donna un second souffle, lui qui avait déjà cherché à introduire une séparation plus grande entre lui-même et son œuvre, lorsqu'il choisit d'écrire dans une langue étrangère, le français en l'occurrence.

● *Pas de plan préétabli.* C'est parce que le dramaturge ne peut pas s'exprimer directement que *nous n'avons jamais d'architecture d'ensemble d'une œuvre dramatique*. Rien d'équivalent, au théâtre, ni au plan méthodique de *La Comédie humaine,* au sein duquel chaque roman occupe une place bien définie, ni à la structure des *Rougon-Macquart,* conçue par Zola avant même que l'œuvre ne soit écrite, et symbolisée par l'arbre généalogique que reconstitue le docteur Pascal, dans le dernier roman qui est la clausule du cycle. Par ce biais, Balzac et Zola signent en permanence leur œuvre. Le dramaturge, lui, est condamné à rester dans l'ombre, comme s'il ne pouvait en assumer la paternité. C'est d'une main invisible qu'il fait se mouvoir ses personnages. De ce fait, le personnage cyclique, tel le Rastignac de Balzac qui revient dans nombre de romans, ne peut guère avoir d'existence au théâtre, car chaque pièce, à cause des impératifs de la représentation, est totalement indépendante des autres œuvres de son auteur. Il est significatif que, lorsque Beaumarchais veut souligner le lien de continuité entre ses trois pièces : *Le Barbier de Séville, Le Mariage de Figaro* et *La Mère coupable,* il s'exprime en termes de romancier. Ayant confié la mise en scène aux comédiens du Théâtre-Français, il écrit, dans « Un mot sur *La Mère coupable* », texte qui tient lieu de préface à la pièce : « Parmi les vues de ces artistes, j'approuve celle de présenter, en trois séances consécutives, tout le *roman* de la famille Almaviva, dont les deux premières époques ne semblent pas, dans leur gaieté légère, offrir de rapport bien sensible avec la profonde et touchante moralité de la dernière ; mais elles ont, dans le plan de l'auteur, une connection intime, propre à verser le plus vif intérêt sur les représentations de *La Mère coupable.* »

Absence de description du personnage dramatique

● *Caractère énigmatique du personnage.* Il n'est pas de place non plus, dans l'univers dramaturgique, pour un regard omniscient tel qu'il se manifeste dans les romans non focalisés, comme le roman balzacien. Le dramaturge n'a pas la possibilité de décrire son personnage qui parle et agit devant nous. Le personnage n'existe que dans le dialogue, comme le suggère Beckett, dans *Fin de partie :*

> CLOV. — A quoi est-ce que je sers ?
> HAMM. — A me donner la réplique.

Certaines formes dramatiques, intégrant à l'action un personnage qui juge les autres, le récitant chez Brecht, qui commente l'action et explicite les mobiles des autres personnages, le chœur dans la tragédie antique, qui se lamente sur le destin du héros, semblent limiter partiellement cette opacité du personnage dramatique. C'est ce qu'on pourrait être tenté de déduire de la définition du chœur que donne Horace, dans son *Art poétique :* « A lui de prendre le parti des bons et de donner les conseils d'un ami, de modérer ceux qui s'emportent et d'aimer ceux qui ont la crainte de faiblir » (« Les Belles Lettres », coll. Guillaume Budé, 1941). En fait, il n'en est rien, dans la mesure où ce personnage, même s'il a un statut à part dans la pièce, demeure lui-même personnage.

● *Rareté des portraits.* Il n'existe pratiquement jamais, dans le dialogue, de portrait en bonne et due forme. Il suffit de comparer Harpagon et le père Grandet, si minutieusement décrit par Balzac, pour mesurer tout ce qui nous échappe dans le personnage de Molière. Nous entendons par « portrait » toutes les notations qui renseignent le spectateur sur le personnage : sur son aspect physique, sa position sociale, son caractère... Que savons-nous du corps du personnage dramatique, des vêtements et des masques qui le dévoilent ou l'occultent ? Qu'est-ce qui nous est révélé de ses relations familiales, de sa biographie, de son passé ? Le personnage, *sur scène,* est d'abord appréhendé à travers l'acteur. Avec son corps, son costume, sa voix, celui-ci crée le personnage, dont le portrait est offert d'emblée aux spectateurs. Il y a la même différence entre le portrait du personnage dramatique et celui du personnage romanesque qu'entre le mode d'approche d'un tableau, où la perception première est immédiate, spatiale, visuelle, où tous les éléments sont perçus presque simultanément, même si par la suite certains sont analysés par l'œil isolément, et la lecture, où la perception est temporelle, progressive, fragmentée et ne peut s'opérer que par l'appréhension d'éléments successifs. Mais ce portrait global, offert aux spectateurs par la présence vivante de l'acteur, va être sans cesse nuancé par la déclamation, le jeu, qui viennent modifier la première impression. Telle est la complexité du portrait du personnage dramatique. D'emblée offert,

LES PORTRAITS DE PERSONNAGES AU SECOND DEGRÉ

Si les portraits des personnages dramatiques incarnés par des acteurs sont rares, en revanche ceux des personnages au second degré sont fréquents. Simplement évoqués dans le dialogue, ces êtres sont dépourvus d'existence dramatique. La scène se peuple, grâce à eux, d'une foule invisible d'ombres immatérielles. Le héros du *Jeu de la feuillée,* d'Adam d'Arras, présente sa femme (qui n'apparaît pas sur scène) comme un être laid et détestable. Il la charge de tous les défauts afin de justifier, aux yeux de ses amis, son désir de quitter la ville :

> Ses cheveux semblaient reluisants d'or, drus et crêpés et frémissants.
> A présent ils sont rares, noirs et pendants ...

Ce portrait diffère peu de celui que la Belle Heaumière, courtisane que vieillesse a déchue, tracera d'elle-même avec amertume, dans « Les Regrets » que lui prête Villon dans son *Testament.*

Dans *Le Jeu de l'amour et du hasard,* Silvia, pour faire comprendre à Lisette ses réticences devant le mariage, lui dresse le portrait de jeunes gens, mariés récemment, qu'elle connaît bien : ces hommes se montrent, en société, charmants et aimables, tandis qu'ils sont, dans l'intimité, des maris odieux.

> Silvia. — N'est-ce pas qu'on est content de Léandre quand on le voit ? Eh bien ! chez lui c'est un homme qui ne dit mot, qui ne rit ni qui ne gronde ; c'est une âme glacée, solitaire, inaccessible. Sa femme ne la connaît point, n'a point de commerce avec elle ; elle n'est mariée qu'avec une figure qui sort d'un cabinet, qui vient à table, et qui fait expirer de langueur, de froid et d'ennui, tout ce qui l'environne. N'est-ce pas là un mari bien amusant ?
> Lisette. — Je gèle au récit que vous m'en faites ...
>
> (I, I)

Le portrait est alors intrusion du diégétique au sein du mimétique. Ces personnages au second degré diffèrent peu des personnages romanesques.

Célimène, dans la grande scène des portraits, éclaire plus les spectateurs sur elle-même que sur les personnages dont elle se moque avec beaucoup de verve. Son goût de briller, sa coquetterie sans borne, sa sécheresse de cœur s'y manifestent à tout instant. Comme elle ne peut vivre que dans un salon, et qu'elle privilégie le plaisir de la conversation, la plupart des traits satiriques qu'elle décoche visent l'ennui qui se dégage de la fréquentation des petits marquis. Nous ne connaissons pratiquement d'eux que leur sujet de conversation. A propos de Damon, voici ce qu'elle dit :

> C'est un parleur étrange, et qui trouve toujours
> L'art de ne vous rien dire avec de grands discours.
> Dans les propos qu'il tient on ne voit jamais goutte,
> Et ce n'est que du bruit que tout ce qu'on écoute.
>
> (*Le Misanthrope,* II, IV, v. 579-582)

Les portraits que brosse Célimène sont tout à fait dans le goût classique. Entachés d'une dimension romanesque, ils rappellent ceux que des épistoliers comme Mme de Sévigné se plaisent à écrire ; ils annoncent *Les Caractères et Portraits* de La Bruyère.

Dans *La Mort de Pompée,* pièce jouée sans doute en 1643, le portrait du personnage au second degré constitue l'essentiel du ressort dramatique. Corneille, qui fait du héros un personnage au second degré, souligne la singularité de son procédé dans l'« Examen » : « Il y a quelque chose d'extraordinaire dans le titre de ce poème, qui porte le nom d'un héros qui n'y parle point ; mais il ne laisse pas d'être en quelque sorte le principal acteur (= personnage). » Le portrait de Pompée, qui ne paraît jamais, se constitue, de façon fragmentée, à travers les dires de tous les personnages. Sa mort, décidée lors de la première scène, les préoccupe tous. Ensuite, lorsqu'il a été assassiné, son cadavre les hante. Le cas est unique au théâtre.

il n'est jamais donné. A tout instant, le spectateur doit le reconstruire. Le *lecteur* opère une reconstruction plus complexe, puisque la linéarité de la lecture le prive de toute perception globale. C'est cette difficulté à saisir le personnage dramatique qui rend si délicate l'interprétation de l'acteur. « Comment un rôle serait-il joué de la même manière par deux acteurs différents ? demande Diderot, dans le *Paradoxe sur le comédien,* puisque, dans l'écrivain le plus clair, le plus précis, le plus énergique, les mots ne sont et ne peuvent être que des signes approchés d'une pensée, d'un sentiment, d'une idée ; signes dont le mouvement, le geste, le ton, le visage, les yeux, les circonstances données complètent la valeur. » Il nous manque en effet, pour la compréhension du texte dramatique, toute une partie de la vision de l'auteur. Il nous faudrait pouvoir pénétrer subrepticement sur ce que Ionesco appelle « mon plateau intérieur ».

Il arrive toutefois qu'un personnage en décrive un autre, mais le cas est rare au théâtre. Le portrait de Thomas Diafoirus, dans *Le Malade imaginaire* (II, v), est sans doute le plus long portrait jamais brossé. C'est une caricature, d'autant plus comique qu'elle est mise dans la bouche de Monsieur Diafoirus et qu'elle est faite devant l'intéressé. Monsieur Diafoirus souhaite présenter son fils à Argan sous son meilleur jour, vantant la marchandise comme on le ferait pour un cheval, car il veut à tout prix le caser dans cette riche famille. Thomas Diafoirus a toujours été niais. « Il n'a jamais eu l'imagination bien vive, ni ce feu d'esprit qu'on remarque dans quelques-uns », dit Monsieur Diafoirus. Enfant, il a manifesté bien des difficultés à apprendre à lire et, plus tard, c'est à grand-peine qu'il est devenu médecin. Ce portrait est, en fait, un élément de satire. Outre qu'il véhicule la charge, habituelle chez Molière, contre la médecine, il est un moyen, pour le dramaturge, de se moquer de la bêtise du fils en même temps que de la cuistrerie du père, qui tire gloire des échecs de son fils. Molière, à travers ce portrait, souligne, sous un mode burlesque, le caractère pathologique de leur relation. Ce sont deux fous, et la folie du père a déteint sur le fils, selon le processus, bien connu depuis Freud, de l'identification. Le portrait, au théâtre, renseigne sur la relation entre deux personnages (car il informe autant sur celui qui le fait que sur celui dont il est question), tandis que dans l'univers romanesque, lorsque le rôle de la description est dévolu au romancier, le portrait est vraiment descriptif. *Le genre dramatique ne permet pas le portrait*. La description interrompait l'action, figerait le personnage dans une immobilité incompatible avec l'impression de vie qu'il doit créer.

● *Le rôle*. Il donne traditionnellement son unité au personnage, rivé pour toute la durée de la représentation à une fonction unique qui le définit (il est le père, le mari, l'amant, etc.). Le changement de rôle n'existe, jusqu'au XXᵉ siècle du moins, que sous forme ludique, et le personnage ne prend un rôle d'emprunt que le temps d'un divertissement ou de la réalisation d'un subterfuge, tout en gardant aux yeux du spectateur son rôle profond. L'unité du personnage n'en est nullement entamée ; le but du personnage qui change de rôle étant presque toujours de mettre à l'épreuve les sentiments d'un autre, il s'établit une sorte de connivence entre lui et le public. Rosalinde a beau se travestir en jeune homme, dans *Comme il vous plaira,* de Shakespeare, elle demeure Rosalinde pour sa cousine et pour le public. Dans *Le Malade imaginaire,* Toinette, qui se déguise en médecin pour triompher des résistances d'Argan, reste la servante, pour les autres personnages comme pour les spectateurs. Silvia, dans *Le Jeu de l'amour et du hasard,* qui change de rôle avec sa suivante Lisette, le temps d'observer Dorante, n'en demeure pas moins Silvia. Même le théâtre baroque, qui médite sans cesse sur le rôle, ne le met pas en question, car le spectateur est toujours instruit de l'identité de chacun, même si masques, travestis la dissimulent au regard des autres personnages. Dans *La Nouvelle Auberge,* de Ben Jonson, dramaturge anglais de la première moitié du XVIIᵉ siècle, un lord et sa femme se cherchent longtemps à travers le vaste monde, et finissent par se retrouver dans une auberge, où ils mettront des années à se reconnaître, tant le déguisement a transformé leur aspect. Toutefois le spectateur, lui, les reconnaît toujours. La métamorphose n'est d'ailleurs pas théâtrale, car la transformation du corps impliquerait un abandon total du rôle. Elle ne peut guère exister que dans le discours romanesque. Seul Ionesco porte à la scène des métamorphoses. Dans *Rhinocéros,* sous l'effet de « la rhinocérite », étrange maladie, tous les habitants de la ville deviennent rhinocéros. Mais, lorsqu'ils ont perdu leur corps d'homme, les personnages ne reparaissent plus sur la scène : ils ont épuisé les possibilités de leur rôle. Ceux qui ont encore forme humaine s'interrogent sur les monstres effrayants, mais la scène ne nous les montre plus. Le problème du rôle se complexifie dans le théâtre contemporain, où il n'a plus ce caractère immuable qu'il avait dans le théâtre antérieur. Mais ce qui donne au personnage son unité, sa cohérence, malgré l'aspect fragmenté des discours, c'est la présence du spectateur : c'est lui qui prend conscience de l'identité que le rôle confère au personnage. Instance extérieure, il est le réceptacle des jeux dialogués de tous les personnages. Il en sait plus que chacun d'eux sur la situation. Les dramaturges conçoivent sans cesse leur écriture en fonction de ce destinataire. Cette fonction de jugement dévolue au spectateur, Beckett la suggère ironiquement ainsi, dans *Fin de partie,* à travers cette conversation entre Hamm et Clov :

> HAMM. — On n'est pas en train de ... de ... signifier quelque chose ?
> CLOV. — Signifier ? Nous signifier ! (*Rire bref.*) Ah elle est bonne !
> HAMM. — Je me demande. (*Un temps.*) Une intelligence, revenue sur terre, ne serait-elle pas tentée de se faire des idées, à force de nous observer ? (*Prenant la voix de l'intelligence.*) Ah, bon, je vois ce que c'est, oui, je vois ce qu'ils font !

L'ACTION DRAMATIQUE

Le conflit

Les personnages se révèlent à nous dans l'action, verbalisée le plus souvent, mais parfois exprimée par un jeu muet. La scène, lieu du conflit, est toujours un champ de bataille. Dans le théâtre grec, la guerre met souvent aux prises les héros. *Les Sept contre Thèbes,* d'Eschyle, offrent le spectacle du gigantesque combat entre Étéocle et Polynice, les frères ennemis. Le combat entre royaumes ennemis ou entre prétendants au trône est la matière de bien des drames shakespeariens : *Richard III, Macbeth.* L'affrontement des armées oppose tantôt deux camps militaires (c'est la fameuse bataille de Dunsinane entre Macbeth et l'armée de Malcolm), tantôt deux héros (Hamlet et son ami Laërte s'entretiennent en se battant à l'escrime). Le théâtre classique offre le récit de nombreuses batailles : Rodrigue tue le père de Chimène pour venger l'honneur de son propre père, puis prend la tête d'une armée pour chasser les Maures, ce qui lui vaudra son surnom. Le drame romantique, lui aussi, multiplie les scènes de combat. Hernani, éternellement pourchassé, brandit fièrement son épée. Les guerriers se mesurent parfois par la parole, et c'est alors dans des manifestations de défi, dans des altercations verbales, que s'exprime la violence. C'est par une ruse vexatoire qu'Ulysse vient à bout du vieux Philoctète blessé, dans *Philoctète* de Sophocle. Les amants jaloux, chez Racine, s'entre-déchirent dans de cruels affrontements. Le combat a changé de forme ; les armes, devenues verbales, sont tout aussi dangereuses, voire fatales, et créent des blessures que rien ne peut refermer. Chez Molière, sans cesse une servante fidèle et attachée à la famille essaie de réfréner la folie du personnage principal, qui met en péril toute la maisonnée. Dans les pièces de boulevard, mari et femme luttent, chacun de son côté, pour garantir le secret de leurs aventures amoureuses, tout en sauvegardant la paix familiale. Les personnages beckettiens passent leur temps à se torturer par des paroles blessantes, ceux d'Arrabal par des rites sado-masochistes. L'action essentielle de toutes les pièces de Ionesco, c'est la dispute. Que la lutte soit physique ou verbale, elle est un élément constitutif de la dramaturgie.

Cette action conflictuelle crée entre les personnages des relations simples, transparentes, dans la tragédie antique comme dans le théâtre médiéval, où chacun, s'exprimant avec franchise, renseigne le spectateur sur lui-même. A partir du Classicisme, la vérité du personnage ne naît plus seulement de ce qu'il dit, mais aussi de son rapport aux autres. Comme la lutte peut être muette ou dialoguée, il faut être attentif — surtout à la lecture, où l'on risque d'oublier l'existence de ceux qui se taisent — à la présence scénique d'un personnage. Dans « Stratégie des personnages dramatiques » (*Sémiologie de la représentation,* Bruxelles, Éd. Complexe, 1975), Solomon Marcus conseille de *mesurer le degré de verbalisation du conflit,* c'est-à-dire l'importance relative des structures verbales et des structures scéniques, en étudiant le rapport entre le nombre des « présences-répliques » et le nombre des « présences scéniques » (= où le personnage ne parle pas) d'un même personnage.

L'exposition

Le conflit est présenté dès le début de la pièce. Tel est le but de l'exposition. Le théâtre ne souffre pas l'ambiguïté. Il faut que le spectateur soit immédiatement éclairé sur un certain nombre d'éléments indispensables à la compréhension de la pièce et sur l'identité des personnages. Le problème auquel se heurte le dramaturge, c'est de concilier cette exigence et celle de l'action. L'exposition ne doit pas être trop longue ; il faut que le spectateur ait le sentiment d'entrer d'emblée dans le feu de l'action, sans quoi le rythme de la pièce en souffre. Certains dramaturges soulignent parfois eux-mêmes le caractère artificiel de la scène d'exposition, qui doit apporter au spectateur des informations que les protagonistes connaissent bien. C'est ainsi que Figaro, dans *La Mère coupable*, exposant à Suzanne la situation, se fait rabrouer :

> SUZANNE. — Sais-tu, mon pauvre Figaro, que tu commences à radoter ? Si je sais tout cela, qu'est-il besoin de me le dire ?
> FIGARO. — Encore faut-il bien s'expliquer pour s'assurer que l'on s'entend.
>
> (I, II)

Le déroulement du drame

Chaque personnage de théâtre pourrait reprendre à son compte les paroles d'Hernani : « Je suis une force qui va. » Cette force rencontre toujours sur son chemin une force antagoniste, si bien que le conflit se durcit, selon une logique interne, jusqu'à un *moment de paroxysme,* traditionnellement appelé le *nœud* de la pièce. Le rusé Dubois, dans *Les Fausses Confidences* de Marivaux, ce valet qui, par ses stratagèmes, régit l'action et commente la progression dramatique, souligne lui-même ce moment paroxystique, en disant, à la fin de l'acte II, lorsque Dorante vient d'avouer son amour à la belle Araminte : « Voilà l'affaire dans sa crise ! ». Il ne reste plus que le temps de l'acte III pour qu'Araminte se déclare à son tour. Le final dénoue cette crise, soit par un *happy end,* le mariage dans la comédie, soit par la mort dans la tragédie, ou ne la dénoue pas dans les œuvres contemporaines. « Une pièce de théâtre, dit Ionesco dans *Notes et contre-notes,* est une construction constituée d'une série d'états de conscience, ou de situations, qui s'intensifient, se densifient, puis se nouent, soit pour se dénouer, soit pour finir dans un inextricable insoutenable. » L'action progresse donc de façon inéluctable, selon un mouvement provoqué par la dynamique des forces mises en présence. C'est en ces termes qu'Étienne Souriau définit l'action dramatique, dans *Les Deux Cent Mille Situations dramatiques* (Flammarion, 1950) : « Il faut pour qu'il y ait action, qu'à la question " qu'arrivera-t-il ensuite ? " la réponse résulte par force [...] de la situation même. »

L'ÉCRITURE DIDASCALIQUE

Le texte dramatique, que deux niveaux d'écriture constituent, le dialogue et les didascalies, s'offre à nous dans son aspect composite. Le discours didascalique est la présence d'une instance supérieure dans le texte, celle de l'auteur, qui règle paroles et mouvements.

Cette distinction dialogue-didascalies, permettant de préciser qui parle, l'auteur ou ses personnages, touche au sujet de l'énonciation. Comme le montre Anne Ubersfeld, dans *Lire le théâtre I* (Éditions Sociales, 1978), l'auteur, grâce aux didascalies, nomme ses personnages et indique à qui appartient quel discours et de quel lieu il est proféré.

Le discours didascalique, qui alourdit le texte dramatique, peut rebuter le lecteur. Beaumarchais en était bien conscient lorsqu'il dit, dans son « Avertissement » aux *Deux Amis,* que « si le drame, dans cette façon de l'écrire, perd un peu de sa chaleur à la lecture, il y gagnera beaucoup de vérité à la représentation ». Les didascalies sont indispensables à la compréhension du texte. Certains passages d'Aristophane, de Plaute ou de Térence, qui n'en comportent pas, demeurent difficiles à interpréter. Les didascalies sont des directions de mise en scène que nous livre l'auteur lui-même. Selon Diderot, « la pantomime (terme synonyme d'indications scéniques, au XVIIIe siècle) est le tableau qui existait dans l'imagination du poète lorsqu'il écrivait et qu'il voulait que la scène montrât à chaque instant, lorsqu'on le joue » (*Discours sur la poésie dramatique,* ch. XXI, « De la pantomime »).

Les didascalies, depuis le XVIIIe siècle, sont de plus en plus abondantes. La musique a subi la même évolution ; les compositeurs modernes précisent le plus scrupuleusement possible leur jeu. La musique ancienne présente, comme le théâtre antique, de multiples difficultés d'interprétation. Les manuscrits des troubadours utilisent des notes carrées (celles du chant grégorien), qui indiquent, avec assez de précision, la hauteur des sons, mais nous laissent dans l'incertitude totale en ce qui concerne les durées, puisque les règles de la musique mesurée n'apparaissent qu'au XVIe siècle. Même à l'époque romantique, un musicien comme Chopin donne peu d'indications de jeu, si bien que les interprétations de ses œuvres varient d'un concertiste à l'autre.

LES SERVITUDES DE LA SCÈNE

Au théâtre, une action a lieu sous nos yeux, jouée par des personnages. Cette action, ces personnages, l'auteur les a d'abord conçus dans sa fantasmagorie intérieure. Comme le souligne Corneille, dans son *Troisième Discours,* « le nœud (de l'action) dépend entièrement du choix et de l'imagination industrieuse du poète ». A ce stade-là, l'action n'a pas encore une forme dramatique. Il suffit, pour s'en convaincre, de lire les « Arguments » qu'écrit Corneille sur la plupart de ses pièces et la façon dont il en expose le sujet, ou les « Plans » que donne Beaumarchais de ses drames. Ces canevas, pris isolément, pourraient apparaître

LES DIDASCALIES

● Nous préférerons ici le terme de *didascalies* à celui d'indications scéniques, car, plus précis, il comprend tout ce qui n'est pas prononcé par les personnages, même leur nom en tête des répliques. Le terme nous vient de la Grèce antique, où il désignait les comptes-rendus des concours tragiques et comiques qui se célébraient chaque année à Athènes. Aristote écrivit des *Didascalies,* ouvrage composé d'après les procès-verbaux des jeux, recueil très précieux, puisque c'est grâce à lui que nous connaissons la chronologie des œuvres dramatiques. A Rome, on appelait *didascaliae* de courtes notices donnant des renseignements relatifs à la représentation d'une pièce de théâtre. Quelques fragments de didascalies, rédigées par Lucius Accius, nous ont été conservés. Le sens moderne du terme est très proche du sens latin.

● Les didascalies sont des notations concernant le personnage (ses gestes, le ton de sa voix, son costume), ou le décor sonore (nous entendons par là le décor proprement dit, les accessoires, la musique de scène, et le bruitage). Parfois, les didascalies ont un caractère redondant, car l'information qu'elles contiennent est présente dans le dialogue. Elles fonctionnent alors comme un procédé d'insistance. Parfois, au contraire, elles apportent une indication qui n'est pas dans le dialogue. C'est le cas lorsqu'elles renseignent sur l'éclairage, par exemple. Ce sont des notations rapides du type : noir/lumière. Il en est de même lorsqu'elles indiquent le déplacement du personnage sur le plateau, ses entrées et ses sorties, certains gestes.

● *Il y a un rapport de sélection entre le dialogue et les didascalies,* comme l'a montré Steen Jansen dans son *Esquisse d'une théorie de la forme dramatique* (*Langages,* n° 12, 1968), en ce sens qu'une réplique ne peut exister sans être précédée par une indication de régie renseignant sur le personnage qui parle, tandis qu'une partie de la régie ne demande pas toujours à être accompagnée d'une réplique. Elle peut indiquer un geste seul du personnage ou un élément du décor. Dans *Comédie,* Beckett souligne ce rapport de sélection en donnant à la lumière un rôle majeur, puisque c'est elle qui suscite le dialogue ; les trois personnages ne parlent que lorsque le projecteur se braque sur eux.

● Ces didascalies ne sont perçues en tant que telles qu'à la lecture, puisqu'elles appartiennent à la chaîne linguistique et se déroulent selon une linéarité temporelle. A la représentation, elles deviennent signes visuels projetés sur l'espace scénique. A qui sont-elles destinées ? Nous donnerons la parole à Michael Issacharoff : « Précisons que les destinataires de cette voix de l'auteur sont multiples, car les didascalies se destinent, après tout, tant au metteur en scène qu'aux acteurs et aux lecteurs. Les didascalies ont aussi une autre fonction : celle d'un méta-texte. Étant normalement subordonnées au dialogue, leur rôle consiste à le commenter, à l'éclaircir. N'oublions pas toutefois que ce commentaire porte plutôt sur l'énonciation visée que sur les énoncés. Bref, les didascalies sont dans une certaine mesure l'équivalent théâtral de la fonction métanarrative du discours romanesque. Mais si la fonction métanarrative se manifeste parfois dans le roman, les didascalies sont obligatoirement présentes dans le texte théâtral, ne serait-ce que dans l'indication des noms des personnages, du lieu scénique, etc. » (*Le Spectacle du discours,* Corti, 1985, p. 29).

indifféremment comme des résumés de pièces de théâtre ou de romans. Cette action, ces personnages, nés d'un rêve intérieur, nous les considérerons, à la suite de Jacques Scherer, comme « structure interne » de la pièce. Dans cette étude, nous nous attacherons surtout à la « structure externe » spécifiquement dramatique, dictée par l'espace clos de la scène, servitude à laquelle le dramaturge est confronté dès qu'il donne forme à ses fantasmagories. Corneille était bien conscient de cette contrainte scénique — lui qui analyse toujours avec beaucoup de pénétration les problèmes du théâtre — lorsqu'il écrivait, dans son *Deuxième Discours* : « Nous sommes gênés au théâtre par le lieu, par le temps, et par les incommodités de la représentation, qui nous empêchent d'exposer à la vue beaucoup de personnages tout à la fois, de peur que les uns ne demeurent sans action, ou troublent celle des autres. Le roman n'a aucune de ces contraintes : il donne aux actions qu'il décrit tout le loisir qu'il leur faut pour arriver ; il place ceux qu'il fait parler, agir ou rêver, dans une chambre, dans une forêt, en place publique, selon qu'il est plus à propos pour leur action particulière ; il a pour cela tout un palais, toute une ville, tout un royaume, toute la terre, où les promener ; et s'il fait arriver ou raconter quelque chose en présence de trente personnes, il en peut décrire les divers sentiments l'un après l'autre. »

Contrainte spatio-temporelle

● *Espace scénique / espace dramaturgique.* La conception de l'espace scénique revêt une importance capitale, puisque c'est là que vient s'inscrire le corps de l'acteur. Ce lieu de la représentation est esquissé, dans le texte, à travers les didascalies et le dialogue. Nous entendons par *espace scénique,* reprenant la définition d'Anne Ubersfeld, dans *L'École du spectateur. Lire le théâtre II* (Éditions Sociales, 1981), « l'ensemble abstrait des signes de la scène », par opposition au *lieu scénique,* « emplacement de praticiens, espace concret investi par les comédiens ». Celui-ci ne concerne pas notre étude ; créé par le travail interprétatif du metteur en scène et des comédiens, il appartient uniquement au monde de la représentation. « A l'espace scénique, écrit-elle, appartiennent non seulement des signes comme les praticables ou les accessoires, mais le nombre des comédiens et leur espacement, les figures qu'ils dessinent, leur rapport à l'éclairage et à l'acoustique. »

L'*espace dramaturgique,* lui, toujours imaginaire, n'existe que dans le discours des personnages. Il a pour fonction de renseigner le spectateur sur ce qui se passe ailleurs, d'ouvrir la scène sur d'autres horizons, de multiplier les perspectives. Il fait éclater les limites de la scène. A tout instant, il essaie d'y faire irruption. Le rôle du metteur en scène est de suggérer, au moyen de signes, visuels ou plus rarement auditifs, la profondeur, l'arrière-plan de tout ce qui n'est pas montré. C'est dire l'importance et la complexité du décor, qui n'est pas simple figuration d'un lieu, mais qui souvent porte la marque d'un ailleurs.

● *Les deux temps du théâtre.* L'ambiguïté est constitutive du temps théâtral, le temps de la représentation se superposant à celui de l'action, sans coïncider avec lui. Tandis que les dramaturges classiques veulent donner l'illusion que les deux durées se confondent, les dramaturges contemporains rappellent sans cesse, par des allusions au temps de la représentation et au caractère fictif de l'action, que ces deux niveaux temporels ne sont pas isomorphes. « Car, dit l'un des personnages du *Soulier de satin* de Claudel, vous savez qu'au théâtre nous manipulons le temps comme un accordéon, à notre plaisir, les heures durent et les jours sont escamotés ». Dans des tentatives contemporaines extrêmes, comme celle de Peter Handke, seule est reconnue l'existence du temps de la représentation. « Pour nous, écrit Handke dans *Outrage au public,* en 1966, s'adressant au spectateur, le temps n'a aucune réalité. Nous refusons de jouer une action, donc nous refusons l'idée de temps. Le temps, pour nous, c'est le passage d'un mot à l'autre. Le temps s'écoule avec les mots. Nous nions le fait que le temps écoulé puisse être retrouvé. On ne peut pas refaire un acte exactement de la même manière. Pour nous, le temps est votre temps. Notre mesure de temps est votre mesure de temps. Vous pouvez régler votre temps sur le nôtre. Le temps n'est pas un nœud ayant deux extrémités. »

La division en actes

● *L'unité temporelle de l'acte.* Les exigences de la scène impliquent que ne soient retenus de l'action que des moments essentiels, la représentation ne pouvant excéder un certain nombre d'heures, au risque de lasser le spectateur. Le rythme d'une pièce de théâtre doit être rondement mené. La division de l'action en actes permet de représenter uniquement les moments marquants et d'élider certains laps de temps. L'acte peut être appelé, selon les époques, « tableau » ou « épisode ». Aristote définit l'épisode comme « une partie complète de la tragédie qui se trouve entre des chants complets du chœur ». L'acte constitue une unité, que certains dramaturges soulignent par un titre. Dans *Hernani,* Hugo intitule ainsi chacun des actes : « Le Roi » (I), « Le Bandit », (II), « Le Vieillard » (III), « Le Tombeau » (IV), « La Noce » (V), désignant successivement les trois rivaux, puis les deux lieux où ils vont s'affronter, déterminant ainsi la structure du drame et ses temps forts.

Les scènes à l'intérieur de l'acte se succèdent toujours sans interruption. Ce n'est qu'au XXᵉ siècle que la continuité temporelle de l'acte sera bouleversée.

Si la division en actes est dictée par une contrainte temporelle, en revanche la division en scènes apparaît moins profondément motivée. Chaque scène nouvelle est caractérisée, la plupart du temps, par l'arrivée ou le départ d'un personnage. Les sémiologues mesurent actuellement l'*indice de mobilité* d'un personnage. Solomon Marcus, dans « Stratégie des personnages dramatiques », le définit ainsi : « C'est le rapport entre le nombre des entrées et des sorties du personnage envisagé et le nombre total des scènes. » Il est donc possible d'établir une hiérarchie entre les personnages selon l'ordre décroissant de leurs indices de mobilité.

● *Le temps des entractes.* Un intervalle de temps est censé s'écouler entre les actes, quelques heures ou des années, selon les époques. Certains dramaturges ont voulu meubler ce temps mort, afin que le spectateur n'ait pas l'impression que la scène reste vide quelques instants et que l'action demeure en suspens. Chez Euripide comme chez Sénèque, où les parties lyriques sont très importantes, l'*intervention du chœur* sépare nettement deux moments de la progression dramatique. Les choreutes chantent tout en exécutant une danse pantomimique. Aristote, dans la *Poétique,* condamne ce procédé qui brise l'unité dramatique. Il conseille aux dramaturges d'imiter Sophocle, qui fait du chœur l'équivalent d'un personnage, et intègre ses chants à l'ensemble du drame. Horace formule le même conseil dans son *Art poétique :* « Le chœur doit soutenir le rôle d'un acteur et avoir sa fonction personnelle. Qu'il ne chante dans les entractes rien qui ne soit utile au sujet et ne s'y adapte étroitement » (v. 193-195). Toutefois, même chez Sophocle où le chant du chœur est en relation avec l'action, le développement lyrique donné à son intervention empêche souvent qu'un véritable dialogue ne s'instaure entre le coryphée et les acteurs. Le chant du chœur est toujours une *pause lyrique* qui sépare deux « épisodes ».

Racine, dans *Esther* comme dans *Athalie,* situe l'intervention du chœur à la dernière scène de chaque acte, pour marquer un final et occuper la scène en attendant l'acte suivant. Dans la préface d'*Athalie,* il justifie ainsi ce *rôle du chœur :* « Ce chœur est composé de jeunes filles de la tribu de Lévi, et je mets à leur tête une fille que je donne pour sœur à Zacharie. C'est elle qui introduit le chœur chez sa mère. Elle chante avec lui, porte la parole pour lui, et fait enfin les fonctions de ce personnage des anciens chœurs qu'on appelait le coryphée. J'ai aussi essayé d'imiter des Anciens *cette continuité d'action qui fait que leur théâtre ne demeure jamais vide,* les intervalles des actes n'étant marqués que par des hymnes et par des moralités du chœur qui ont rapport à ce qui se passe. » On sait qu'il écrivit ces deux pièces à la demande de Mme de Maintenon, pour les demoiselles de la maison de Saint-Cyr, et qu'il introduisit les chœurs, lui qui ne les avait jamais utilisés dans ses tragédies antérieures, pour que le nombre de rôles puisse être important. Mais il fit de ces pièces de circonstance, avec le génie qui le caractérise, des chefs-d'œuvre, où les interventions du chœur, loin d'apparaître surajoutées, sont utilisées avec toute la fécondité du procédé.

Molière, dans ses comédies-ballets, procède de façon analogue, puisqu'il situe, entre les actes, des *intermèdes* burlesques, chantés et dansés, qui malheureusement n'avaient plus été joués depuis fort longtemps sur les scènes françaises, sous prétexte qu'ils suspendaient le rythme de l'action et qu'ils étaient trop clownesques. Notre époque les redécouvre brusquement avec admiration. Jérôme Savary fut l'un des premiers à reprendre, quasi intégralement, le texte de Molière, dans sa mise en scène du *Bourgeois gentilhomme,* où chaque entracte offrait le spectacle d'un intermède. Molière essaie toujours de relier ses intermèdes à l'action. Dans *Le Malade imaginaire,* pièce en trois actes, le premier intermède est très long. Il constitue, à lui seul, l'équivalent de trois courtes scènes. Dans une remarquable mise en abyme, Molière y représente, sous un mode burlesque, le sujet même de sa pièce, les obstacles qui viennent entraver la réalisation de l'amour. Polichinelle, le prétendu amant de Toinette, vient lui donner une sérénade, interrompue une première fois par des violons, avec qui il va se disputer, puis par des policiers du guet, qui sont en fait des danseurs et des musiciens. Dans le deuxième intermède, apparaissent des chanteurs et des danseurs vêtus en Mores, que Béralde, le frère du Malade, a amenés pour l'arracher à sa neurasthénie. Tout en dansant, les Mores font sauter des singes avec eux. Le troisième intermède offre le spectacle de cette cérémonie initiatique burlesque et inquiétante où Argan, entouré d'une multitude de médecins et d'apothicaires, croit devenir médecin. Fort subtilement, Molière utilise trois langues différentes dans les trois intermèdes : l'italien, qui est traditionnellement la langue de l'amour, dans le premier :

> *Notte e di v'amo et v'adoro*
> (Nuit et jour je vous aime et vous adore) ;

le français, dans le second intermède, qui est un hymne à la vie :

> Profitez du printemps
> De vos beaux ans
> Aimable jeunesse !

le latin macaronique dans le troisième, qui parodie le jargon des médedins :

> *Sçavantissimi doctores*
> *Medicae professores,*
> *Qui hic assemblatis estis...*
> (Très savants docteurs professeurs de médecine, qui êtes ici assemblés).

Le langage dramatique

● *Intrusion du diégétique.* Les récits ont la fonction de raconter ce qui se passe ailleurs ou ce qui est arrivé avant que la pièce ne commence. Les dialogues rapportés sont une variante du récit. Tantôt le dramaturge prend soin de transcrire le dialogue tel qu'il a été proféré, en supprimant les termes introducteurs. Tel est le cas dans le monologue que Beaumarchais prête à Suzanne qui, au début de *La Mère coupable,* est en train de composer un bouquet de fleurs sombres :

> Que Madame s'éveille et sonne ; mon triste ouvrage est achevé. (Elle s'assied avec abandon.) A peine il est neuf heures, et je me sens déjà d'une fatigue... Son dernier ordre en la couchant m'a gâché ma nuit toute entière... *Demain, Suzanne, au point du jour, fais apporter beaucoup de fleurs et garnis-en mes cabinets.* (Au portier) *Que, de la journée, il n'entre personne pour moi.* — *Tu me formeras un bouquet de fleurs noires et rouge foncé, un seul œillet blanc au milieu...* Le voilà. Pauvre Maîtresse ! elle pleurait !... (Les italiques sont de Beaumarchais. Il ne garde qu'un terme introducteur : « Au portier », indispensable pour la compréhension.)
>
> (I, 1)

Marivaux, dont l'écriture dramatique porte les marques de sa technique de romancier, conserve parfois, comme dans le roman, mais aussi comme dans la conversation si elle est teintée de préciosité, les termes introducteurs. Ainsi, dans *Le Jeu de l'amour et du hasard,* Silvia dit-elle à Lisette :

« Monsieur Un Tel a l'air d'un galant homme, d'un homme bien raisonnable, disait-on tous les jours d'Ergaste. — Aussi l'est-il, répondait-on ; je l'ai répondu moi-même ; sa physionomie ne vous ment pas d'un mot. » Oui, fiez-vous-y à cette physionomie si douce, si prévenante, qui disparaît un quart d'heure après, pour faire place à un visage sombre, brutal, farouche, qui devient l'effroi de toute une maison !

(I, 1)

● *Entre l'écrit et le dit.* Selon les conventions de la scène occidentale, les acteurs sont censés dialoguer devant nous, comme si s'établissait entre eux une véritable conversation improvisée. Le monologue, l'aparté viennent toutefois souligner l'artifice de cette convention. C'est ce que laisse entendre le Directeur de théâtre, dans *Six Personnages en quête d'auteur* de Pirandello, par ces propos ironiques : « Ah, ce serait trop commode si chaque personnage pouvait dans *un beau monologue* ou... carrément... dans une conférence venir déballer devant le public tout ce qui mijote en lui ! »

La spécificité du langage dramatique, c'est d'être à mi-chemin entre l'écrit et le dit, comme le montre Pierre Larthomas dans *Le Langage dramatique, sa nature, ses procédés* (A. Colin, 1972). Du langage parlé, qui est truffé d'incorrections, de lourdeurs, d'impuretés, le langage dramatique revêt apparemment la spontanéité. Du langage écrit, il doit offrir la perfection. Il est théoriquement possible de mesurer l'écart entre la langue parlée de l'époque et la langue écrite, en étudiant la solution de compromis qu'a choisie l'auteur. Une pièce dont le langage dramatique serait celui de la quotidienneté apparaîtrait triviale ou banale. C'est une des raisons pour lesquelles le théâtre naturaliste n'a pas produit de chef-d'œuvre. Une pièce où la parole des personnages, dépourvue de fluidité, serait figée dans la rigidité de la langue écrite, semblerait ennuyeuse, voire injouable. Dans le *Phèdre* de Platon, qui est tout autant un traité sur l'art oratoire qu'un traité sur l'amour, Socrate, qui a toujours estimé que l'écriture fige la parole, souligne l'efficacité sur l'auditeur du dialogue, « discours vivant et animé, dont le discours écrit n'est à proprement parler que l'image ».

● *Les six fonctions du langage dramatique.* Le dramaturge peut jouer des six fonctions du langage que Roman Jakobson a définies dans ses *Essais de linguistique générale* (Éd. de Minuit, 1963). La *fonction dénotative* ou *cognitive* du langage est une simple fonction d'information. La *fonction expressive,* ou *émotive,* est centrée sur le destinateur, tandis que la *fonction conative* est orientée vers le destinataire. Diderot fait fort justement remarquer le statut très particulier du langage dramatique, qui se situe parfois à mi-chemin entre le discours et le geste. Étudiant l'effet produit par les paroles de Frosine sur Harpagon (*L'Avare*, II, v), il écrit : « Harpagon est alternativement triste ou gai selon que Frosine lui parle de son indigence ou de la tendresse de Marianne ; là le dialogue est institué entre le discours et le geste » (*Discours sur la poésie dramatique,* ch. XXI, « De la pantomime »). La *fonction phatique* permet d'établir ou de conserver la communication avec le partenaire. Il ne faut pas croire qu'elle soit la moins utilisée au théâtre. Elle sert à attirer l'attention de l'interlocuteur. « Il y a, écrit Jakobson, des messages qui servent essentiellement à établir la communication, à vérifier si le circuit fonctionne (" Allo, vous m'entendez ? "), à attirer l'attention de l'interlocuteur ou à s'assurer qu'elle ne se relâche pas (" Dites, vous m'écoutez " ou, en style shakespearien, " Prêtez-moi l'oreille ! " et, à l'autre bout du fil, " Hm hm ! "). Cette accentuation du contact (la fonction phatique) peut donner lieu à un échange profus de formules ritualisées, voire à des dialogues entiers dont l'unique objet est de prolonger la conversation. » La *fonction métalinguistique,* qui différencie le métalangage du langage-objet, est utilisée, nous le verrons, surtout par les dramaturges contemporains, lorsque deux personnages se posent des questions concernant le code linguistique, parce qu'ils ne sont pas sûrs de prendre les mots dans la même acception. La *fonction poétique* est certainement celle dont les dramaturges se sont le plus fréquemment servis. Chez eux, le pouvoir du verbe et de ses incantations est premier. Cette fonction poétique, inscrite au cœur du langage, rend compte d'un certain parallélisme dans l'évolution de l'écriture au théâtre et en poésie. Le dramaturge (avec de notables exceptions toutefois) s'exprime en vers, comme le poète, jusqu'au milieu du XIXᵉ siècle.

LA VERSIFICATION AU THÉÂTRE

● Le théâtre, au Moyen Age, utilise le plus souvent l'octosyllabe — le vers le plus fréquent dans la littérature médiévale de Chrétien de Troyes à François Villon —, plus rarement le décasyllabe, sur le modèle de certaines chansons de geste comme *La Chanson de Roland,* jamais l'alexandrin.

Rappelons l'origine de l'alexandrin. Il doit son nom au fait qu'il apparaît, au XIIᵉ siècle, dans le *Roman d'Alexandre.* Ce roman, écrit selon la mode « antique » vers 1130, par Albéric, narre les exploits d'Alexandre le Grand. Il connut un vif succès. Aussi l'œuvre fut-elle plusieurs fois reprise au XIIᵉ siècle. C'est une de ces versions anonymes qui est écrite en vers de douze syllabes. L'alexandrin ne sera pratiquement plus utilisé jusqu'aux poètes de la Pléiade, qui lui donneront, dans leurs sonnets, ses lettres de noblesse. C'est le grand vers du théâtre classique ; toute les tragédies et bon nombre de comédies sont en alexandrins.

● Au XVIIIᵉ siècle, Marivaux, Beaumarchais, Diderot utilisent la prose, dans un but réaliste, souhaitant rapprocher le dialogue du langage parlé. Le drame romantique hésite entre le vers et la prose ; les grands drames de Victor Hugo sont en alexandrins, tandis que ceux de Musset et de Vigny sont en prose. Ce n'est qu'au milieu du XIXᵉ siècle que le théâtre abandonne définitivement le vers, lorsque la poésie, de son côté, commence à se libérer des contraintes métriques.

● Toute littérature, véhiculée à ses origines par voie orale, est versifiée pour satisfaire à un impératif mnémonique. Le support du rythme, le retour régulier de sonorités identiques facilitent la mémorisation. L'épopée au XIᵉ siècle, la poésie, le roman et la nouvelle à leur naissance, au XIIe siècle, sont versifiés. Mais, dès le XIIIe siècle, avec l'apparition de ces sortes de romans-fleuves écrits sur la légende de Tristan ou sur le cycle arthurien, le roman adopte la prose. La diffusion de la lecture, au XIIIe siècle, au sein d'une petite élite (les grands vassaux et une frange de la bourgeoisie) a immédiatement retenti sur l'écriture romanesque. En revanche, la découverte de l'imprimerie au XVIe siècle, qui met brusquement le livre à la portée d'un plus grand nombre, n'a rien changé au mode d'expression dramatique. Si le théâtre a conservé si tard la forme versifiée, c'est parce qu'il est le seul genre littéraire déclamé. C'est la marque de son appartenance, jamais reniée, à la littérature orale. Quant à la poésie, faite pour être lue, mais aussi pour être dite, elle peut également se prêter à la déclamation. Comme le théâtre, elle met alors en jeu le corps tout entier. C'est pourquoi les deux genres ont connu, dans leur écriture, des destins semblables. Rappelons qu'au Moyen Age jongleurs et ménestrels chantent les vers écrits par les troubadours. Certains troubadours avaient leur chanteur attitré, qu'ils citent dans leurs œuvres. Le rapport qui unit le jongleur et le troubadour est comparable à celui qu'entretiennent aujourd'hui le metteur en scène et l'auteur. Les jongleurs ont d'ailleurs connu, comme certains metteurs en scène, la tentation de s'approprier l'œuvre, le désir d'ajouter leur pierre à l'édifice, dans le but de présenter l'auteur à leur auditoire. Certains ont laissé les *razos* (= les raisons de l'œuvre) ou les *vidas* (= les vies) plus ou moins romancées des troubadours, qui constituaient une sorte de prologue à l'œuvre.

• La déclamation de l'alexandrin classique impose à l'acteur un rythme contraignant. L'alexandrin régulier, tel qu'il a été fixé par Malherbe, est un mètre de douze syllabes qui comporte deux accents toniques fixes, l'un à la césure (sur la sixième syllabe), l'autre à la rime (sur la douzième syllabe), et deux accents libres à l'intérieur de chaque hémistiche. La versification classique exige que le rythme syntaxique coïncide avec celui du vers. Enjambements, rejets, contre-rejets sont perçus comme des écarts, car rime et césure doivent correspondre à une coupe syntaxique :

> Que toujours dans vos vers le sens coupant les mots
> Suspende l'hémistiche et marque le repos

conseille Boileau dans *L'Art poétique.*

Synérèse, diérèse, *-e* muet sont des moyens commodes pour l'auteur de tricher avec le compte des syllabes, d'allonger ou de raccourcir les mots ; ce sont des embûches pour l'acteur, puisque la déclamation doit parfois différer de la diction courante.

La déclamation de l'alexandrin se rapproche du chant. Louis Racine raconte que son père, pour faire répéter la Champmeslé, « lui faisait d'abord comprendre les vers qu'elle avait à dire, lui montrait les gestes et lui dictait les tons, que même il notait » (*Mémoires sur la vie et les ouvrages de Jean Racine,* dans J. RACINE, *Œuvres complètes,* Pléiade, t. I). Lulli transcrivait musicalement la diction des acteurs de Racine. La déclamation, dans les mises en scène actuelles, depuis Antoine Vitez surtout, tend à souligner la musicalité de l'alexandrin.

Sur les problèmes liés à la déclamation, voir :

SPIRE (André), *Plaisir poétique et plaisir musculaire,* Corti, 1987, 548 p. (réédition de l'ouvrage de 1949).

MILNER (Jean-Claude) et REGNAULT (François), *Dire le vers,* Seuil, 1987, 180 p.

LE GOÛT DU PUBLIC

L'illusion du côté du spectateur

Le dramaturge, consciemment ou non, est soumis à une autre contrainte, le goût du public. La façon dont une pièce est accueillie a parfois un impact considérable sur son créateur. Corneille, après l'échec de *Pertharite,* renonce au théâtre pendant quelques années. L'avis « Au lecteur » dont il fait précéder cette œuvre semble un adieu. « La mauvaise réception que le public a faite de cet ouvrage m'avertit qu'il est temps que je sonne la retraite, écrit-il. [...] Il y a grande apparence que j'en demeurerai là. » Corneille reviendra pourtant au théâtre avec *Œdipe.* Il porte en lui encore près du tiers de son œuvre. Racine quitte la scène après l'échec de *Phèdre ;* ce n'est qu'à la demande de Mme de Maintenon qu'il écrira ses deux tragédies sacrées. Hugo, après l'échec des *Burgraves,* renonce définitivement au théâtre. Quant à Musset, voyant que le public siffle *La Nuit vénitienne,* représentée deux fois seulement à l'Odéon en 1832, il conçoit son œuvre dramatique ultérieure comme *Un Spectacle dans un fauteuil,* c'est-à-dire comme destinée à être lue dans l'intimité d'une chambre. C'est ce qui nous vaut, pour certaines pièces, un double texte, le texte primitif et le texte remanié pour la scène, écrit lorsque les pièces, représentées à la Comédie-Française à partir de 1847, connaissent brusquement le succès.

Shakespeare, dans *Henry V,* pièce de 1597, montre bien, par ce discours qu'il prête au chœur, que le théâtre ne peut fonctionner qu'avec l'adhésion du public. La parole, au théâtre, a le pouvoir de créer un monde, car elle s'adresse directement à notre imaginaire : « Ce trou à coqs peut-il contenir les vastes champs de la France ? Pouvons-nous entasser dans ce cercle de bois tous les casques qui épouvantèrent l'air à Azincourt ? Oh ! pardonnez ! puisqu'un chiffre crochu peut dans un petit espace figurer un million, permettez que, zéros de ce compte énorme, *nous mettions en œuvre les forces de vos imaginations.* Supposez que dans l'enceinte de ces murailles sont maintenant renfermées deux puissantes monarchies dont les fronts altiers et menaçants ne sont séparés que par un périlleux et étroit océan. Suppléez *par votre pensée* à nos imperfections ; divisez un homme en mille, et créez une armée imaginaire. Figurez-vous, quand nous parlons de chevaux, que vous les voyiez imprimer leurs fiers sabots dans la terre remuée. Car c'est votre pensée qui doit ici parer nos rois, et les transporter d'une lice à l'autre, franchissant les temps et accumulant les actes de plusieurs années dans une heure de sablier. »

Le public vient chercher au théâtre, en Occident du moins, l'illusion de réalité. Lorsqu'on parle d'illusion au théâtre, il faut distinguer deux niveaux : celle que crée l'acteur, qui nous fait croire à l'existence de son personnage, même s'il joue sans décor, sans costume. A cette illusion, sur laquelle repose tout le spectacle, peut s'en surajouter une autre : les décors reconstituent les lieux dans la réalité de leur apparence ; c'est ce second aspect qui varie le plus selon les époques.

Le théâtre repose sur tout un système de conventions. Le spectateur sait bien qu'il ne se passe rien de réel sur la scène. Mais il feint de croire que le spectacle auquel il assiste est vrai. C'est ainsi que, dans *L'Échange,* Claudel prête à ses deux héroïnes, l'actrice Lechy et la petite paysanne Marthe, les réflexions suivantes :

LECHY. — Et il arrive quelque chose sur la scène comme si c'était vrai.

MARTHE. — Mais puisque ce n'est pas vrai ! c'est comme les rêves que l'on fait quand on dort.

LECHY. — C'est ainsi qu'ils viennent au théâtre la nuit.

(Première version, I)

● *Le mythe de l'illusion parfaite.* Le théâtre européen, du XVIe siècle jusqu'à la fin du XIXe siècle, est un théâtre illusionniste. Le spectateur assiste au spectacle comme si les événements représentés se déroulaient *hic* et *nunc.* Le psychanalyste Octave Mannoni fait remarquer que nous tenons beaucoup à raconter des histoires où le spectateur, comme un petit enfant, est trompé par le spectacle. C'est l'anecdocte célèbre que rapporte Stendhal, dans *Racine et Shakespeare :* un soldat, au théâtre de Baltimore, voyant qu'Othello allait tuer Desdémone, tira un coup de fusil et cassa le bras de l'acteur, en s'écriant : « Il ne sera jamais dit qu'en ma présence un maudit nègre aura tué une femme blanche. » Ce soldat éprouvait ce que Stendhal appelle « l'illusion complète » ou « parfaite », tandis que « l'illusion imparfaite », celle que goûte habituellement le spectateur, fonctionne comme une forme privilégiée de dénégation. Si nous avons besoin de croire que certaines personnes sont aveuglées par l'illusion, c'est la preuve qu'elle existe, et c'est là une façon de nous abuser nous-mêmes. Le crédule, victime de l'illusion, figure d'ailleurs dans certaines pièces, tel Pridamant, dans *L'Illusion comique* de Corneille.

● *Illusion et « fort-da ».* L'illusion théâtrale réveille, chez l'homme, l'une des formes les plus archaïques de plaisir, celle que Freud a mise en évidence dans le jeu du *fort-da* (*Essais de psychanalyse,* ch. II, « Principe du plaisir et jeux d'enfants »). Freud montre que le tout petit enfant, capable d'émettre seulement quelques syllabes, jubile lorsqu'il découvre ce jeu. Il s'amuse à faire disparaître, en criant « *fort !* » (= loin), puis réapparaître, en criant « *da !* » (= voilà), un objet, quel qu'il soit, qui n'est là que comme représentant. Ce jeu permet de maîtriser dans un rythme binaire, par cette alternance présence-absence, l'angoisse de séparation créée par l'éloignement momentané de la mère. Il transforme, par la mise en scène, le déplaisir en plaisir. Comme au théâtre, tout n'est ici que représentation, et la principale source de plaisir réside dans la fonction scopique, c'est-à-dire dans le seul fait de regarder. Une différence majeure est à noter toutefois, c'est que l'enfant est acteur et spectateur de son propre jeu. L'âge adulte ne lui permettra plus de cumuler ces deux rôles. L'enfant se montre souvent mécontent lorsque le jeu cesse. Le spectateur, qui a assisté, fasciné, à l'apparition et à la disparition des acteurs, tout au long de la pièce, éprouve un sentiment de frustration lorsque le rideau tombe définitivement. Cette rupture marque un retour au « principe de réalité », qui avait été mis en veilleuse durant le temps de la représentation, au profit du « principe de plaisir ».

Rire et/ou pleurer

Une autre composante du plaisir théâtral, directement subordonnée à l'illusion dans le théâtre occidental, c'est le rire ou l'émotion. Pour que le rire jaillisse, ou pour que le spectateur soit ému, il faut qu'il puisse croire à la vérité des personnages qui évoluent devant lui, qu'il reconnaisse dans le microcosme de la scène le macrocosme du monde. Pour le lecteur de roman, l'univers demeure éternellement onirique. Tout est fictif également au théâtre, mais, pour le spectateur, le rêve semble prendre vie. Aussi les processus d'identification ne sont-ils pas de même nature dans les deux genres. Le lecteur imagine un monde qu'évoque la narration. Le spectateur croit voir l'humanité et satisfait son narcissisme ou éprouve un malaise, contemplant la scène avec volupté ou horreur. Tel est, selon Shakespeare, « l'objet propre du théâtre, dont le but a été dès l'abord, et demeure toujours, de tenir, pour ainsi parler, le miroir devant la nature, de montrer au bien son propre visage et au mal sa physionomie, au siècle même et au corps de notre temps son image et son effigie » (*Hamlet,* III, II). Cette image en miroir, pour être efficace, doit être stylisée. *Le réalisme vit mal sur la scène ;* le théâtre n'est pas un pâle reflet de la vie, pas plus que la peinture n'est photographie du réel. Mais *l'allégorie ne se prête pas davantage au jeu,* car, trop éloignée de l'existence, elle ne nous touche pas. Le monde stylisé qu'évoque le théâtre, plus vrai que le vrai, met en cause le spectateur dans son existence même, et c'est pourquoi le théâtre nous émeut. Par l'image qu'il nous offre de nous-mêmes, il nous fait ressentir l'artifice de la vie humaine. Dans le « Théâtre du Monde », pour reprendre une expression chère aux baroques, nous jouons simplement un rôle : « Le monde entier est une scène et les hommes et les femmes ne sont que des acteurs », dit Shakespeare dans *Comme il vous plaira.*

Les formes de la sensibilité varient suivant les époques, le public venant chercher au théâtre le type d'émotions que lui dicte le goût de son temps. Tout changement sociologique crée un goût nouveau. C'est ainsi que, pour Stendhal, les pièces classiques sont ennuyeuses, car elles sont « en partie calculées sur les exigences des Français de 1670 et non sur les besoins moraux, sur les passions dominantes des Français de 1824 » *(Racine et Shakespeare).* C'est parce que le théâtre est soumis au goût du temps qu'il renseigne sur l'image qu'une société se fait d'elle-même, soit qu'il tourne en dérision les codes dont elle se targue, soit qu'il se fasse le chantre de ses idéaux.

Le *répertoire* de la Comédie-Française est censé représenter le patrimoine national, toujours mouvant, puisqu'il intègre une part des créations contemporaines. Parmi les trois mille pièces environ inscrites au répertoire depuis l'origine, deux à trois cents à peine sont représentées aujourd'hui. L'examen du répertoire actuel, confronté à celui d'autres théâtres, permettrait de saisir en partie le goût de notre époque.

Les genres ont longtemps été définis en fonction des sentiments qu'ils provoquaient chez le spectateur. Le rire appartient traditionnellement, du Moyen Age au XVII⁰ siècle, au domaine de la farce et de la comédie, l'émotion, du XVI⁰ siècle au XVIII⁰ siècle, au domaine de la tragédie. Le drame tente, dès le milieu du XVIII⁰ siècle, de concilier ces deux termes que le Moyen Age associait avec une grande liberté, mais qui étaient considérés comme incompatibles au XVIe et au XVIIe siècle. Le XXe siècle, qui joue sur tous les types de discordances, les offre en permanence réunis, dans un rapport de contiguïté étrangement contrasté.

C'est grâce au pouvoir de l'acteur que le spectateur s'identifie au personnage, au point que la limite entre le moi et l'autre vacille. Quelle est la relation de l'acteur à son personnage ?

L'illusion du côté de l'acteur

Par quel étrange pouvoir l'acteur qui joue des événements fictifs peut-il convaincre le spectateur de la vérité de son rôle ? Se laisse-t-il prendre lui-même à son jeu ? Hamlet demeure stupéfait lorsqu'il voit pleurer devant lui le comédien qui évoque, à sa demande, la douleur d'Hécube devant l'incendie de Troie et le meurtre de Priam. Il se demande comment cet homme peut manifester les signes d'une si vive souffrance. « N'est-il pas monstrueux, dit-il, que cet acteur-là, pour une fiction pure, une douleur imaginaire, puisse imposer si bien sa pensée à son âme, que sous l'effet de celle-ci, son visage pâlisse, qu'il ait les yeux en pleurs, l'aspect de la folie, la voix brisée et que tout son être soit modelé sur son idée ? Et tout cela pour rien, pour Hécube ! Qu'est-ce qu'Hécube pour lui ? Qu'est-il à Hécube pour qu'il pleure sur elle ? » (II, II).

Diderot, dans le *Paradoxe sur le comédien,* affirme que l'acteur qui prête son corps au personnage ne doit éprouver aucune de ses émotions. Il faut qu'il se regarde sans cesse jouer pour trouver le ton juste, qu'il fasse taire sa propre sensibilité, car l'émotion ne peut que nuire à son jeu. S'il veut créer chez le spectateur l'illusion, s'il désire l'émouvoir au plus profond de lui-même et lui faire croire à l'existence du personnage qu'il incarne, il ne doit pas s'identifier à ce personnage.

Les moralistes et le théâtre

On ne saurait nier, toutefois, le fait que le jeu mette en branle des affects. Ces forces émotives que la représentation suscite, chez l'acteur comme chez le spectacteur, ont éveillé, à maintes reprises, la méfiance des moralistes à l'égard du théâtre.

● *L'attitude de Platon.* Platon bannit les poètes de sa république idéale, de peur qu'ils n'exercent une influence néfaste sur les esprits. Le rhapsode (qui déclame les poèmes épiques) et l'acteur lui paraissent dangereux, par le pouvoir de séduction qu'ils exercent sur le public. Ils ont, à ses yeux, perdu tout sens moral, eux qui présentent dans leur spectacle des personnages immoraux. « N'as-tu pas remarqué que l'imitation, commencée dès l'enfance et prolongée dans la vie, tourne à l'habitude et devient une seconde nature, qui change le corps, la vie et l'esprit ? » dit-il dans *La République* (livre III).

LE *PARADOXE SUR LE COMÉDIEN*
de Diderot

● *Genèse de l'œuvre.* Le premier état du *Paradoxe sur le comédien,* dont la rédaction s'étale sur près de dix ans, de 1769 à 1777, fut composé en novembre 1769, deux mois après le *Rêve de d'Alembert.* Il se présente comme une illustration de ce texte, auquel il fait suite. La sensibilité du comédien n'est qu'un cas particulier de la théorie de la sensibilité développée dans *Le Rêve,* où l'homme est défini comme un être paradoxal. Du point de vue biologique, il est double, lui qui est régi aussi bien par le cerveau que par ce que Diderot appelle « le diaphragme », c'est-à-dire le siège physiologique de la sensibilité ou, en termes modernes, le système sympathique. Le comédien ne peut donc atteindre au génie que dans la prise de conscience de cette dualité qui caractérise tout homme.

● *Le métier d'acteur.* Dans le *Paradoxe sur le comédien,* texte dialogué où s'affrontent deux points de vue, le premier protagoniste, que Diderot appelle « l'homme au paradoxe » ou « l'homme paradoxal », concède à son interlocuteur que le grand comédien est doté de qualités particulières. Il insiste toutefois sur le fait que ce « don de nature » n'a aucune valeur s'il n'est sans cesse perfectionné par le travail. Tout doit être maîtrisé au théâtre : l'expression du visage, la voix, les cris, les gestes ; rien ne peut y être naturel. Le « vrai de la scène » ne consiste pas à montrer les choses comme elles sont en nature, ce qui serait « commun », mais c'est « la conformité des actions, des discours, de la figure, de la voix, du mouvement, du geste, avec un modèle idéal, imaginé par le poète et souvent exagéré par le comédien ». Il ajoute plus loin : « Mais quoi ? dira-t-on, ces accents si plaintifs, si douloureux, que cette mère arrache du fond de ses entrailles, et dont les miennes sont si violemment secouées, ce n'est pas le sentiment actuel qui les produit, ce n'est pas le désespoir qui les inspire ? Nullement ; et la preuve c'est qu'ils sont mesurés ; qu'ils font partie d'un système de déclamation ; que plus bas ou plus aigus de la vingtième partie d'un quart de ton, ils sont faux ; [...] que pour être justes, ils ont été répétés, cent fois [...] et que l'acteur s'est longtemps écouté lui-même ; c'est qu'il s'écoute au moment où il vous trouble, et que son talent consiste non pas à sentir, comme vous le supposez, mais à rendre si scrupuleusement les signes extérieurs du sentiment, que vous vous y trompiez. Les cris de sa douleur sont notés dans son oreille. Les gestes de son désespoir sont de mémoire et ont été préparés devant une glace. [...] Le socque ou le cothurne déposé, sa voix est éteinte, il éprouve une extrême fatigue [...], mais il ne lui reste ni trouble, ni douleur, ni mélancolie, ni affaissement d'âme. C'est vous qui remportez toutes ces impressions. [...] S'il en était autrement, la condition du comédien serait la plus malheureuse des conditions ; mais il n'est pas le personnage, il le joue et le joue si bien que vous le prenez pour tel : l'illusion n'est que pour vous ; il sait bien, lui, qu'il ne l'est pas » (dans *Œuvres esthétiques,* Garnier, 1959, p. 312-313).

● *La sensibilité de l'acteur.* Selon Diderot, la sensibilité « vraie » et la sensibilité « jouée » sont de nature fort différente. Le comédien analyse tous ses effets, si bien qu'il nous émeut d'autant plus qu'il est lui-même moins ému. L'extrême sensibilité rendra l'acteur médiocre ; le manque absolu de sensibilité prépare un acteur sublime. Ce jugement peut sembler excessif, mais ce qu'il faut en retenir, c'est que l'art du comédien, c'est de pouvoir tout imiter ; plus exactement, c'est de posséder, comme le dit Diderot, « une égale aptitude à toutes sortes de caractères et de rôles ». Le grand comédien doit savoir se dépouiller momentanément de sa personnalité pour entrer dans des personnages d'emprunt, pour accéder à une métamorphose contrôlée. Tel est aussi l'avis de Marmontel, qui écrit peu avant Diderot, en 1754, dans l'*Encyclopédie,* que « le talent de l'acteur s'étend et se plie à différents caractères. Celui qui n'a que du sentiment ne joue bien que son propre rôle » (art. *Art,* « Déclamation théâtrale »).

● Le point de vue des romantiques sera tout à fait opposé à celui de Diderot. Selon eux, le grand acteur met son cœur à nu. Musset, très sensible au génie de la Malibran, cantatrice italienne qui brûlait les planches, pense que la passion qui l'animait, l'usa et qu'elle mourut prématurément, victime de son art :

> Ne savais-tu donc pas, comédienne imprudente
> Que ces cris insensés qui te sortaient du cœur
> De ta joue amaigrie augmentaient la pâleur ?
> Ne savais-tu donc pas que, sur ta tempe ardente,
> Ta main, de jour en jour se posait plus tremblante,
> Et que c'est tenter Dieu que d'aimer la douleur ?

(*A la Malibran,* 1836)

● *La condamnation des jansénistes.* Les jansénistes, convaincus que le jeu corrompt, condamnent farouchement le théâtre, comme l'ont fait, avant eux, bien des Pères de l'Église. Pour Pierre Nicole, le comédien est un homme perdu parce qu'il éprouve, partiellement du moins, les passions qu'il joue. Il ne peut rester maître de son jeu. Le rôle déteint sur la personne et inocule à l'être, comme dans un phénomène de contagion, les désirs, les troubles dont il se fait l'interprète. « Il faut donc, écrit Nicole dans *De La Comédie,* en 1667, que ceux qui représentent une passion d'amour en soient en quelque sorte touchés pendant qu'ils la représentent » (ch. II). De plus, le comédien, pour le janséniste, est un homme dangereux, qui va communiquer au spectateur toutes les passions nocives dont il s'est imprégné en les jouant. Cette position janséniste explique la violence de la polémique entre Nicole et Racine, l'enfant chéri des jansénistes, considéré comme renégat du jour où il se mit à écrire pour le théâtre. La préface de *Phèdre,* sa dernière pièce, a d'ailleurs une résonance bien particulière. Rien n'y apparaît comme un adieu au théâtre, car Racine se montre fier de son génie. Toutefois, il ne cherche pas, comme dans les préfaces antérieures, résolument polémiques, à défendre sa pièce, et il laisse au temps le soin d'en juger la valeur. Ses contemporains, en effet, n'ont guère apprécié cette œuvre et ont manifesté autant d'intérêt pour la *Phèdre* de Pradon. Pour la première fois, Racine définit le théâtre comme « une école de vertu ». Ce brusque souci de moralité au théâtre, dont Racine ne se préoccupait pas jusqu'alors, signe l'amorce d'un retour au jansénisme.

● *Le psychodrame.* Ces pulsions que l'acteur découvre en lui à la représentation, certains psychanalystes, depuis Jacob Levy Moreno, les utilisent dans la cure. Le jeu semble favoriser une levée de l'inhibition. Moreno, qui a rencontré Freud, en 1912, à la clinique psychiatrique de l'université de Vienne, tente, dès cette date, ses premiers traitements, utilisant le théâtre à des fins thérapeutiques, car il se rend compte que le jeu théâtral révèle, à celui qui le pratique, une image du corps, du « moi ». Aussi veut-il faire revivre au patient, dans la représentation, devant un public constitué de thérapeutes, des situations psychiquement pénibles, afin qu'il les maîtrise et qu'il prenne conscience de fantasmes inavoués. Il crée à Vienne, en 1921, le *Stegreiftheater,* ou « Théâtre de la spontanéité » ; puis en 1936, aux États-Unis, où il a émigré, il fait construire, à Beacon, le premier « théâtre thérapeutique ». La scène est composée de trois cercles concentriques, chacun surélevé par rapport au précédent. Un balcon, surplombant le plateau, constitue un quatrième niveau. Ces plans successifs figurent, dans l'espace, des degrés dans la spontanéité et dans la découverte du moi. Mais il s'agit d'abord d'un jeu thérapeutique, situé à l'opposé du jeu d'acteur que définit Diderot, puisque ce n'est pas la maîtrise du rôle qui importe, mais la découverte de soi-même dans le rôle.

2 *Le théâtre médiéval*

Le Moyen Age n'a pas produit de grandes œuvres dramatiques. Ce qui nous intéressera dans cette étude, volontairement lacunaire, c'est de saisir la théâtralité à sa naissance, d'analyser ce qui caractérise les premiers modes d'expression du genre, dans les jeux et les dits apparus au XIIIe siècle, puis dans les nombreuses formes du XVe siècle : monologues, farces, soties et moralités, et de recenser ce qui perdure de cet héritage dans le théâtre ultérieur.

NAISSANCE D'UN GENRE

Origines

Le théâtre français est né d'une double tradition, religieuse et profane. Le goût de la mise en scène, bien antérieur aux premiers textes dramatiques, a préparé lentement leur apparition.

● *Le théâtre religieux.* Dès le IXe siècle, les clercs jouent, à l'intérieur des églises, des drames liturgiques ; ils veulent faire revivre, pour le peuple, des scènes marquantes de la *Bible* et incarner des modèles à imiter, ceux qu'offrent les *hagiographies.* Telle est la lointaine origine des Mystères et des Miracles. Au milieu du XIIe siècle, ces représentations sont données sur le parvis des cathédrales, ce qui suscite l'apparition du décor et la naissance de troupes de comédiens professionnels.

● *Le théâtre profane.* La tradition du théâtre profane ne s'est jamais perdue depuis l'Antiquité. Les *clercs* jouent, entre eux, les pièces de Plaute et de Térence, en latin, ainsi que des œuvres de leur composition, tel le *De Babione.* Cette œuvre du XIIe siècle, centrée sur le personnage de Babion, prototype des futurs jaloux de Molière, met en scène les malheurs, sentimentaux puis conjugaux, d'un riche propriétaire campagnard. Les *jongleurs,* héritiers des mimes de la Rome antique, cherchent à divertir un public populaire. Ils dansent, exécutent des tours et des acrobaties. Ils narrent également des histoires à plusieurs personnages, auxquels ils essaient de donner vie. L'épitaphe de Vitalis, mime célèbre à l'époque de Charlemagne, nous donne des renseignements précieux sur leur jeu : « J'imitais le visage, les gestes et le parler des interlocuteurs et l'on eût cru que plusieurs s'exprimaient par une seule bouche [...]. Ainsi le funèbre jour a ravi avec moi tous les personnages qui vivaient en mon corps. » Dès la naissance de la littérature en langue vulgaire (fin du XIe siècle), les jongleurs déclament des chansons de geste, puis des poèmes comme les jeux-partis ou les pastourelles, les fabliaux, formes poético-narratives dans lesquelles sont intégrés de nombreux passages dialogués ; aussi peuvent-ils, en modulant leur voix, imiter plusieurs personnages. Ils jouiront longtemps de la faveur du public. Rabelais atteste encore de leur succès à Paris.

● *Les fêtes.* Une série de fêtes carnavalesques, où prédominent jeux et changements de rôles, a préparé l'éclosion des pièces comiques. Tous les travaux de l'historien J. Le Goff, notamment *La Civilisation de l'Occident médiéval* (Arthaud, 2ᵉ éd., 1972), ont amplement montré l'aspect ludique de la société médiévale. La *Fête des fous,* née au XIIIᵉ siècle, est une sorte de psychodrame. Célébrée à l'intérieur même de l'église, entre Noël et l'Épiphanie, elle offre le spectacle d'un monde à l'envers, dans lequel chacun peut changer de rôle. Les institutions sont bafouées en toute licence, les hauts dignitaires tournés en dérision, comme lors des saturnales romaines. Chaque catégorie subalterne de la hiérarchie ecclésiastique choisit parmi elle un évêque, qui célèbre une messe burlesque. Les rites sont désacralisés, transposés du plan spirituel au plan matériel. La communion est mimée par des scènes de gloutonnerie et de beuverie, dans la liesse générale. Victor Hugo commence *Notre-Dame de Paris* par l'évocation d'une fête des fous — qu'il situe en janvier 1482 —, au cours de laquelle Quasimodo est choisi comme pape. La Fête des fous, interdite en 1436, survivra à l'extérieur de l'Église jusqu'au milieu du XVIᵉ siècle. Par le ferment de contestation qu'elle contient, elle a ouvert la voie à la sotie. Par le goût du grotesque qu'elle a cultivé, elle a préparé la naissance de la farce.

Le théâtre, en tant que *fait social,* est indissociable des grandes manifestations collectives qui témoignent d'une tentative de maîtrise de l'existence par la mise en scène. C'est ce qu'avaient bien compris des hommes comme Jean Vilar qui ont été à l'origine des grands festivals. Le Moyen Age théâtralise l'existence collective bien plus que les époques ultérieures. C'est peut-être une des raisons pour lesquelles il n'a pas exprimé, au théâtre, ce qui le tourmentait, puisqu'il disposait d'autres formes d'exutoire, voire d'exorcisme. Ainsi, après la peste noire, dans toute l'Europe, des « flagellants », en expiation des péchés du monde, se fustigent-ils. Des groupes de danseurs, hommes, femmes, enfants, parfois en très grand nombre, dansent pendant des jours entiers jusqu'à épuisement, pour fuir la maladie.

Les premiers Jeux

Les plus anciennes pièces de théâtre sont des Jeux, religieux d'abord, profanes quelques décennies plus tard. Écrits par des auteurs picards, ils furent représentés dans les opulentes villes du Nord : Arras et Tournai. Le *Jeu d'Adam,* la plus ancienne pièce écrite en langue vulgaire, qui date de la fin du XIIᵉ siècle, est directement inspiré de la Bible. Ce premier mystère nous montre la tentation, puis la punition d'Adam et Ève, chassés du paradis terrestre. Si cette œuvre pieuse a une visée moralisatrice, le *Jeu de saint Nicolas,* de Jean Bodel, représenté à Arras au tout début du XIIIᵉ siècle, est loin d'être simplement un drame liturgique, bien qu'il ouvre la série des miracles. Trois des protagonistes essentiels sont des truands invétérés, aux noms symboliques : Pincedé, Cliquet et Rasoir. Ils volent le trésor d'un roi, confié à la garde de la statue de saint Nicolas, qui va opérer un miracle. Ce qui frappe, dans cette pièce qui oppose deux mondes, la pègre et la cour, c'est, en dépit des éléments merveilleux (apparition d'un ange...), *le réalisme dans le tableau des mœurs* et *l'abondance des traits comiques,* deux éléments caractéristiques du théâtre médiéval. Le *Jeu de Courtois d'Arras,* écrit peu après, que certains attribuent également à Bodel, est une adaptation dramatique de la parabole de l'enfant prodigue (Luc, xv). L'évocation est, là aussi, haute en couleur. La moitié de la pièce se passe dans un bordel d'Arras, où le héros, Courtois, orgueilleux puni, dilapide son bien et se fait gruger par des prostituées. On voit par là que la distinction entre le théâtre profane et le théâtre religieux n'est pas vraiment pertinente au XIIIᵉ siècle. Le théâtre dit « sacré », offrant le spectacle de « tranches de vie », a une dimension quasi naturaliste, tout comme les jeux profanes, et mêle en permanence des traits comiques, voire franchement grossiers, aux propos édifiants.

● Le « *Jeu de Robin et de Marion* » ; A la fin du XIIIᵉ siècle, Adam de la Halle, dit le Bossu, crée un théâtre entièrement profane. Avec *Le Jeu de Robin et de Marion,* en 1285, il adapte, pour la scène, un genre poétique fort en vogue, la pastourelle, dont le thème est toujours identique : un chevalier tente de séduire, bien souvent de force, une bergère fiancée à un paysan.

Ici, un chevalier passant par la campagne essaie vainement, par deux fois, d'obtenir les faveurs de la bergère Marion, fidèle à son ami Robin. Lorsque Robin apprend cela, après une explosion de colère il se console en mangeant goulûment, puis il chante et danse avec Marion. Il décide d'aller chercher ses amis pour continuer la fête et pour mieux rosser le chevalier, au cas où il reviendrait. Dès qu'il a le dos tourné, le chevalier réitère sa requête, prêt cette fois à enlever la belle sous les yeux de Robin apeuré, qui se terre derrière un buisson, au lieu de prêter main forte à Marion. Celle-ci vient seule à bout des assauts du séducteur.

Les éléments comiques, nombreux dans cette pièce, sont liés au personnage de Robin, paysan naïf dont la balourdise contraste avec la finesse de Marion. Doté de bien des défauts, goinfre, couard, il est en outre fanfaron. Ainsi racontera-t-il à ses amis que le chevalier lui a donné un coup d'épée, alors qu'il n'a reçu qu'un soufflet. *Avec Robin, un type comique est né,* qui va faire fortune pendant tout le Moyen Age et se perpétuera chez Molière et chez Marivaux.

La deuxième partie de la pièce est une adaptation de la « bergerie », poème qui évoque les rondes, les chants et les jeux des bergers. Lorsque arrivent les amis de Robin, accompagnés de joueurs de cornemuse, la pièce offre le spectacle idyllique d'une fête champêtre. La liesse générale s'exprime par des chants et des danses ; tous les personnages quittent la scène en dansant la brèche. Ce final allègre annonce, à bien des égards, la façon dont Shakespeare clôt certaines pièces, *Comme il vous plaira,* par exemple, ou dont Beaumarchais termine *Le Mariage de Figaro.* La société de l'époque prenait certainement beaucoup de plaisir à contempler ses propres divertissements dans ce miroir qui lui était offert. Toute fête, au Moyen Age, se termine en effet par des chants et des

DE LA PASTOURELLE AU JEU DIALOGUÉ

● *Le théâtre intègre souvent des thèmes empruntés aux autres genres.* Certains genres, lorsqu'ils traitent, comme celui-ci, de l'affrontement entre plusieurs personnages, se prêtent mieux que d'autres à l'adaptation scénique. Dans le cas de la pastourelle, c'est *la conjonction de deux éléments, les potentialités mimétiques du thème et la structure formelle de ce poème lyrique à plusieurs voix, qui a favorisé le passage de la forme narrative à la forme dramatique.* En confrontant le début de cette pastourelle de Marcabrun, qui date de la fin du XIIᵉ siècle, et cet extrait du *Jeu de Robin et de Marion,* on verra qu'il fut aisé de transposer pour le théâtre cette forme poétique dialoguée, divisée en couplets. Notons que le terme de « pastourelle » vient de *pastoure,* qui signifie « bergère ».

> I. L'autre jour, auprès d'une haie, j'aperçus une jeune pastoure pleine de grâce et d'esprit. C'était la fille d'une paysanne ; elle portait cape, jupe, pelisse et chemise tricotée, avec souliers et bas de laine.
> II. Je m'approchai d'elle à travers le pré. [...]
> III. — Pieuse fille, je me suis détourné de ma route pour vous tenir compagnie, car une jeune vilaine ne saurait autrement faire paître ses moutons, en tel lieu solitaire.
> IV. — Sire, dit-elle, telle que je suis, je sais bien distinguer la folie du bon sens. Je n'ai cure de votre compagnie, car telle croit la posséder qui n'en a que l'apparence.
>
> (Marcabrun)
>
> LE CHEVALIER. — Dites donc, douce bergerette, aimeriez-vous un chevalier ?
> *(Il s'approche d'elle.)*
> MARION. — Beau seigneur, éloignez-vous. Je ne sais pas ce que sont les chevaliers. De tous les hommes du monde, je n'aimerai que Robin. Il vient au soir et au matin me trouver, tous les jours et par habitude. Il m'apporte de son fromage. J'en ai encore dans mon sein, ainsi qu'un grand morceau de pain qu'il m'a apporté au repas de midi. [...]
> LE CHEVALIER. — Bergère, devenez ma maîtresse et faites ce dont je vous prie.
> MARION. — Seigneur, retirez-vous loin de moi. Il ne convient pas que vous restiez ici.
>
> (Adam de la Halle)

● La pastourelle, qui disparaît en tant que forme poétique à la fin du Moyen Age, continue à vivre *sous un mode parodique.* Cervantès inverse, par dérision, la situation de la pastourelle, lorsque Don Quichotte déclare sa flamme à Dulcinée, dans ce rôle de chevalier errant qu'il s'est follement attribué, et qu'il la traite comme une grande dame, alors qu'il n'a, face à lui, qu'une vulgaire paysanne qui lui rit au nez. Le deuxième acte du *Dom Juan* de Molière est le dernier mode d'expression de la pastourelle. Don Juan séduit deux paysannes, Charlotte et Mathurine, et il brutalise sans pitié Pierrot, le fiancé de Charlotte, qui l'a pourtant sauvé de la noyade. Lorsque le paysan s'interpose pour reprendre Charlotte, il reçoit, comme Robin, un soufflet retentissant.

● Ce jeu prépare, longtemps à l'avance, la mode de la *pastorale,* qui nous viendra d'Italie, à la fin du XVIᵉ siècle, avec des pièces comme *L'Aminta* du

36

Tasse (1573) et *Le Fidèle Berger* de Guarini (1580). Mais ces œuvres mettent en scène des bergers de fantaisie, et non plus des bergers réalistes comme Robin et Marion. Ils évoluent dans un décor champêtre, parfois appelé « décor satyrique », parce qu'on y fait apparaître des divinités rustiques. Tout y est artifice. L'amour, l'unique préoccupation de ces personnages, est l'objet de tous leurs entretiens. La pastorale n'a pas donné en France d'œuvre dramatique maîtresse, sauf peut-être *Les Bergeries* de Racan (1625), mais elle a introduit au théâtre l'analyse psychologique, que Racine et Marivaux porteront à sa perfection.

● Adam de la Halle, dans le *Jeu de la feuillée,* qui date approximativement de 1275, s'inspire d'un autre genre poétique à la mode (qu'il a lui-même cultivé et que Villon parodiera, en 1456, au début du *Lais*). La pièce débute comme un *congé*. Adam, le héros auquel l'auteur prête son nom, fait ses adieux à ses amis, leur exprimant son désir de poursuivre ses études à Paris et de quitter Arras, où plus rien ne le retient. Mais il ne pourra s'arracher au carcan des habitudes, et la pièce se termine dans une de ces scènes de taverne que Bruegel a si souvent peintes.

danses ; Adam de la Halle, qui composa par ailleurs des chansons et des rondeaux, était lui-même grand musicien. Le chant, la musique et la danse occupent, dans ce « Jeu », une place au moins aussi importante que le dialogue. Aussi est-il considéré comme *l'origine de l'opéra-comique.* C'est *un spectacle complet,* tel que cherchent à en recréer certains dramaturges contemporains. C'est ce désir de *théâtre total* qui anime un chorégraphe comme Maurice Béjart depuis des années. Il aime assortir ses spectacles d'un discours philosophique, de références littéraires, organisant le thème de ses ballets autour de Nietzsche, de saint Jean de la Croix ou de Goethe, et tout récemment de Malraux. Ce ballet, intitulé *Malraux ou la Métamorphose des dieux* (représenté au Châtelet en 1987), est émaillé de fragments de dialogues entre deux héros de *La Condition humaine,* Tchen et Kyo.

● Le « *Jeu du garçon et de l'aveugle* ». Ce jeu anonyme, contemporain du *Jeu de Robin et de Marion,* est construit selon un *schéma répétitif.* Il offre le spectacle d'une série de mauvais tours qu'un jeune fourbe joue à un aveugle dont il a gagné la confiance. Le couple de l'aveugle et de son valet hantera le folklore européen, au moins jusqu'au milieu du XVIᵉ siècle, puisqu'il est à l'origine du premier roman picaresque espagnol *La Vie de Lazare de Tormes.* L'exposition, très brève, est une scène de rue : la rencontre de l'aveugle qui mendie et du voleur à l'affût. Tandis que les deux hommes cheminent, l'aveugle, naïf, confie à Jehannet qu'il possède une bonne petite fortune. Le jeune homme feint de s'éloigner, sous prétexte de satisfaire un besoin pressant, comme le Sganarelle du *Médecin malgré lui,* et, premier mauvais tour, il frappe brutalement l'aveugle, lui faisant croire que c'est un passant qui l'a souffleté. Deuxième mauvais tour : les deux compères arrivent chez l'aveugle, où celui-ci montre son trésor au jeune homme, qui s'empresse de partir avec. La *répétition de l'action,* cette source de comique particulièrement féconde, sera très utilisée dans le théâtre français, de

Molière à Ionesco, en passant par Feydeau. Dans *L'Étourdi,* Molière reprend dix fois une action identique. Mascarille essaie de favoriser les amours contrariées de son maître Lélie, mais, chaque fois, cet « étourdi » de Lélie fait échouer ses ruses. Prévoyant les échecs à venir, il compte, avec lassitude, les « contretemps » (tel est le sous-titre de la pièce) déjà survenus :

> Et trois :
> Quand nous serons à dix, nous ferons une croix !
>
> (I, ıx, v. 441-442)

C'est à la dixième étourderie de Lélie que Molière termine sa pièce. Dans *Georges Dandin,* le même argument est répété trois fois et les trois actes sont quasi identiques. Ionesco, lui aussi, dans *Jacques ou La Soumission,* rythme la pièce par les trois refus successifs du héros et les trois soumissions qui en résultent.

On peut se demander *comment le rire naît,* chez le spectateur moderne, *au spectacle des malheurs d'un aveugle,* personnage pitoyable par son infirmité. Notons que le problème se posait en termes différents pour le spectateur de l'époque : l'aveugle, pendant tout le Moyen Age, est un objet de moqueries. Bruegel, dont le pinceau est sans pitié, le peindra hideux. C'est parce que l'auteur nous rend d'emblée l'aveugle antipathique que nous pouvons nous réjouir de ses échecs. Il est hypocrite, lui qui se fait passer pour pauvre, voleur puisque, par la mendicité, il a pu amasser une petite fortune, grossier dans son langage. C'est un pervers qui entretient une jeune maîtresse, et propose au jeune homme une scène d'amour à trois.

Un autre élément comique, dans cette pièce, est la *situation du voleur volé.* Le spectateur se satisfait de cette forme de justice immanente assez rudimentaire. L'aveugle, crédule malgré sa duplicité foncière, se dépouille lui-même de tout ce qu'il possède, argent et vêtements. La *situation de l'aveugle dupé* sera exploitée à plusieurs reprises. Molière, dans *Les Fourberies de Scapin,* enferme dans un sac Géronte, qui reçoit, lui aussi, une raclée administrée par son valet, sans savoir d'où viennent les coups (III, ıı). Scapin utilise la même feinte que Jehannet, le changement de voix. Dans cette lignée, Beckett retrouvera *le jeu moliéresque du personnage enfermé dans le sac,* dans *Acte sans paroles II,* où, alternativement, les deux protagonistes, A et B, sont prisonniers du sac et donc momentanément aveugles, mais il l'utilisera en un sens tragique.

Le comique naît aussi du jeu des apartés et des adresses au public. Le jeune homme joue, dans son discours, deux personnages. Il se comporte envers l'aveugle comme « un très bon petit serviteur sûr et sensé ». En revanche, il se présente comme une canaille fière de l'être et ment effrontément, comme son contemporain Renart. Cette duplicité du langage détermine le final de la pièce : le valet, triomphant, clame sa victoire, dans une adresse au public, puis dévoile cyniquement à l'aveugle sa perfidie.

Avec le *Jeu du garçon et de l'aveugle,* tous les procédés comiques utilisés ultérieurement sont déjà mis en place : la répétition de l'action, le comique de situation et le double sens du langage.

Les dits

Tandis que les Jeux mettent en scène plusieurs personnages, le *Dit,* monologue versifié, est déclamé par un jongleur. Il apparaît comme la forme dramatique la plus élémentaire. Le terme peut d'ailleurs désigner également un texte narratif, un fabliau, comme le *Dit des perdrix.*

Le *Dit de l'herberie* de Rutebeuf, écrit au milieu du XIIIe siècle, est le plus célèbre. Le personnage, un « mire », charlatan au bagou intarissable, prétend connaître le pouvoir des plantes et des pierres qu'il a ramenées de ses lointains voyages. Les premiers vers constituent un bref prologue dans lequel le jongleur s'adresse directement au public. Ensuite, dans les deux parties qui entretiennent entre elles un rapport contrasté, le récitant s'identifie avec son personnage. Quoique se targuant, dans la première partie versifiée, de pouvoir guérir toutes les maladies, le bonimenteur ne propose, dans la deuxième partie en prose, qu'une herbe... contre les parasites intestinaux. L'opposition vers/prose fait naître le comique, soulignant l'aspect hâbleur du personnage, la disproportion entre la grandiloquence de ses dires et l'étroitesse de sa compétence. *Avec les dits apparaissent des œuvres dont le sujet est emprunté directement à l'actualité.* Celui-ci fait allusion à la décision de la faculté de médecine de Paris, qui avait restreint, vers 1271, les droits des « herbiers », c'est-à-dire des apothicaires, ne leur permettant plus que de préparer les médicaments prescrits par les médecins.

NOUVEL ESSOR

Au XIVe siècle, le théâtre connaît un très long déclin. Le pays est secoué par une succession de crises politico-économiques très graves. La guerre de Cent Ans, qui dure de 1337 à 1453, la peste noire, de 1347 à 1352, déciment une partie de la population européenne et mettent fin aux Jeux. Il faut attendre la reprise économique dont Jacques Cœur offre un exemple dès 1438, et l'arrivée au pouvoir de Louis XI, en 1461, pour qu'avec la stabilité revenue, la culture puisse renaître. La joie retrouvée suscite, dans cette deuxième moitié du XVe siècle, l'explosion de formes comiques.

Sermons joyeux et monologues

Les sermons joyeux, nés sans doute de la Fête des fous, comme *Saint Andouille, Saint Frappe-culz,* tournent en dérision les sermons sérieux, ceux de la chaire, et les mystères. Aussi sont-ils émaillés d'un latin macaronique qui ridiculise le latin d'Église, de plaisanteries obscènes semblables à celles des fabliaux. Le *Sermon de saint Hareng* parodie, avec une truculence qui annonce la verve rabelaisienne, la vie de saint Laurent. Cette forme théâtrale reste encore assez proche de la forme narrative.

Les Monologues ont un caractère dramatique plus marqué. Comme le Dit, ces œuvres empruntent leur sujet à l'actualité. Les monologues de soldats fanfarons font la satire d'un type social détesté, le Franc Archer (ce soldat impopulaire appartient à une milice créée par Charles VII en 1448 pour rétablir l'ordre dans les campagnes). *Le Franc Archer de Bagnolet* (nom d'un petit village proche de Paris), qui date de 1468, est le chef-d'œuvre du genre. Tous ces textes offrent une même structure en deux temps. D'abord le soldat, bravache, vante son courage et appelle de ses vœux le combat, tout en faisant le récit de ses exploits passés. La satire perce d'emblée, car le personnage, trop sot pour être cohérent dans son discours, laisse deviner à maintes reprises sa couardise.

> *(Le franc archer entre en scène en cornant à un cornet.)*
> C'est aujourd'hui la bataille ! J'ai beau corner. Allons, bon ! il faut qu'on s'en retourne chez soi malgré ses dents ! Pourtant il y a longtemps que je n'ai pas vu une saison où j'eusse un cœur aussi hardi que je l'ai aujourd'hui. Par la morbieu, j'enrage de n'avoir personne avec qui combattre ! Y a-t-il un homme qui avec quatre... Que dis-je ? Y a-t-il quatre hommes qui veulent combattre contre moi ? Qu'ils se rassemblent vite ! Voilà mon gantelet pour gage, par le sang bieu, je ne crains pas de page... s'il n'a pas plus de quartorze ans.

Dans un deuxième temps, survient un adversaire, réel ou imaginaire selon les textes. Ici, Perrenet (= Petit Pierre) aperçoit un épouvantail en forme de gendarme qui tient une arbalète à la main. Il se lance à l'assaut, à demi mort de peur. Se croyant déjà occis, il confesse ses péchés et dicte au mannequin l'épitaphe destinée à sa tombe. Mais, coup de théâtre ! le vent renverse l'épouvantail. Perrenet, vexé d'avoir été dupé, s'écrie : « Je suis tourné en dérision. » Essayant de transformer cet échec en triomphe, il transperce allégrement son ennemi de son épée et emporte sa robe de paille comme butin. L'opposition entre les deux parties, l'une récitée, l'autre jouée, crée le comique, soulignant la vantardise du soldat. La vérité du personnage naît de la confrontation entre l'imaginaire et le réel, entre la faconde du discours et l'impuissance du geste. *Le jeu entre le personnage et le mannequin,* particulièrement intéressant (on ne peut que regretter l'absence de didascalies), *donne à ce monologue une virtualité de dialogue.* L'archer, persuadé qu'il affronte un homme en chair et en os, dialogue, tandis que le spectateur sait qu'il n'en est rien. La volonté de faire participer le public est ici manifeste. Lorsque l'archer se targue de n'avoir peur de rien, un cri de dérision, lancé à la cantonade, part de la salle : « Cocorico », ce qui suppose la présence d'un second acteur. Le théâtre contemporain retrouvera des procédés identiques dans sa façon de concevoir les rapports de la salle et de la scène.

Ce personnage de *soldat fanfaron,* hérité du *Miles gloriosus* de Plaute, sera le « Matamore » de la comédie espagnole. Il va fonctionner comme type comique fort longtemps. Corneille, dans *L'Illusion comique,* en 1636, lui donnera ses lettres de noblesse.

Les farces

Cent cinquante farces, environ, nous sont parvenues, dont la composition s'échelonne entre 1440 et 1560. Intégrés à un spectacle sérieux, une moralité ou un mystère, ces divertissements populaires, destinés à faire rire, le « farcissaient » d'éléments comiques. C'est ce qui fait dire à Molière, dans la préface du *Tartuffe*, que « la comédie, chez les Anciens, a pris son origine dans la religion et faisait partie de leurs mystères ».

● *Les parades.* Les premières farces, de simples parades, mettent en scène deux personnages qui se disputent et en viennent aux coups. Elles offrent le spectacle, éternellement comique, de la bastonnade, ce jeu de scène rudimentaire que Molière affectionnera, et qui est bien vivant, aujourd'hui encore, dans le théâtre de Guignol.

La parade vivra jusqu'au XVIIIe siècle. Un écrivain aussi raffiné que Beaumarchais ne dédaignera pas d'en écrire : *Colin et Colette* se présentera comme une parade très courte, en trois scènes, sur le thème du dépit amoureux. Mais, entre-temps, le genre a évolué : de théâtre de foire, il est devenu jeu de salon. Il ne cherche que faussement à « faire peuple » pour donner aux lettrés l'impression qu'ils peuvent parfois, eux aussi, s'encanailler. Picasso ressuscitera le genre de la parade, dans son fameux ballet *Parade,* créé en 1917, en collaboration avec Jean Cocteau, le danseur russe Serge de Diaghilev et le musicien Erik Satie.

La farce proprement dite s'articule toujours autour du même schéma, celui d'*un bon tour joué à une dupe.*

● *Le cocu ridicule.* Les scènes de ménage constituent l'un des sujets les plus fréquemment traités dans la farce. Le cocu y est l'objet de quolibets permanents, de gauloiseries scabreuses. Les farces, offrant le spectacle de tous les malheurs qui guettent les maris, annoncent *L'École des maris.* Georges le Veau, dans la farce qui porte son nom, a épousé une noble qui ne cesse de le rudoyer. Il se lamente sur son sort, comme plus tard Georges Dandin.

Dans *La Farce du cuvier,* la femme et la belle-mère de Jacquinot se liguent pour le dominer et l'obligent à noter sur un « rollet » (liste en forme de rouleau) toutes les tâches ménagères qu'il devra exécuter. En faisant la lessive, la femme tombe dans le « cuvier » à linge ; affolée à l'idée qu'elle risque de s'y noyer, elle appelle Jacquinot à son secours. Celui-ci lit son rollet, répondant imperturbablement à chacune des supplications de sa femme : « Cela n'est pas dans mon rollet. » Il finit toutefois par lui prêter main-forte, à la condition qu'il soit dorénavant le maître. *L'objet scénique fonctionne ici comme un élément comique.* Cet interminable rollet est tout aussi burlesque que la liste que déroule Leporello, le valet du *Dom Juan* de Da Ponte-Mozart, sur laquelle sont répertoriées les *mille e tre donne* séduites par Dom Juan. En outre, le contraste entre la rapidité marquée par le dialogue (et sans doute par les gestes) dans lequel la femme et la belle-mère surenchérissent sans cesse pour ajouter de nouveaux travaux à accomplir, et la lenteur du mari, qui n'arrive pas à noter, est un trait comique sûr. *La différence de rythme, verbal ou gestuel, entre deux personnages sera exploitée comme élément comique par bien des dramaturges,* mais également par les premiers grands comiques du cinéma muet, Max Linder, Charlie Chaplin, les Marx Brothers, Buster Keaton, Laurel et Hardy.

● *Le benêt.* Les auteurs de farces, portant à la scène le personnage du benêt, « écolier » qui répond toujours de travers, ont utilisé toutes les possibilités de jeux sur le langage : calembours, coq-à-l'âne, associations de mots incompatibles, quiproquos.

● « *La Farce de Maître Pathelin* ». C'est la plus longue des farces médiévales, avec ses 1 600 vers — la plupart ont de 300 à 500 vers seulement. Elle fut si populaire en son temps que le nom de son personnage est entré dans la langue, comme plus tard celui de Tartuffe. L'intrigue offre le spectacle de deux tromperies successives. Dès le début, Guillemette laisse entendre que son filou de mari n'est qu'un avocat véreux.

> PATHELIN. — Il n'y a personne qui s'y connaisse aussi bien dans l'art de plaider.
> GUILLEMETTE. — Grand Dieu ! plutôt dans l'art de tromper ; du moins vous en avez la réputation.

Pathelin berne le drapier Guillaume, pourtant méfiant et cupide. Il lui emporte un drap, promettant de le payer sans tarder. De retour chez lui, il explique à sa femme comment mystifier le drapier. Lorsque celui-ci vient réclamer son dû, Pathelin joue le mourant, gémit, fait semblant d'être la proie de violentes hallucinations. La comédie est si bien menée que le drapier s'enfuit, effrayé, quand il entend Pathelin délirer. Le comique verbal est à son comble lorsque Pathelin, pour faire le fou, mêle différents jargons (limousin, picard, flamand, breton, latin, etc.), dont Guillemette justifie toujours l'emploi avec brio.

La seconde tromperie se déroule selon un scénario quasi identique, à cette différence près que les personnages n'occupent plus les mêmes places. Pathelin va être berné à son tour. Bergson souligne, dans *Le Rire,* l'efficacité comique de ce type d'inversion : « Imaginez certains personnages dans une certaine situation : vous obtiendrez une scène comique en faisant que la situation se retourne et que les rôles soient intervertis. » Le berger, qui a volé force moutons au drapier, vient demander à Pathelin de plaider sa cause. Ce dernier lui recommande de simuler la débilité lors du procès et de ne répondre que par des bêlements. Après un interrogatoire burlesque, où le drapier et Pathelin se trouvent face à face et où le langage dérape en permanence, parce que le drapier confond les deux vols dont il est victime, le drap et les moutons, le berger, grâce à l'habileté de Pathelin, gagne son procès. Mais l'avocat est pris à sa propre ruse, car le berger, suivant ses conseils jusqu'au bout, part en bêlant, sans le payer. Le piège s'est refermé sur celui qui l'avait savamment ourdi. La répétition du monosyllabe « Bée ! » clôt cette comédie du langage sous un mode burlesque. La répétition de l'action, les jeux de langage constituent, de façon plus complexe que dans le *Jeu du garçon et de l'aveugle*, les éléments comiques de cette pièce qui, par sa construction élaborée, annonce déjà la comédie d'intrigue.

● *Les ressorts de la farce*. Les farces sont courtes, car le personnage, figé dans un rôle, n'est pas susceptible d'évolution. Elles s'ouvrent souvent sur un monologue, sorte d'adresse au public, dans lequel le personnage principal présente son rôle, et elles se terminent parfois de même, comme si la farce marquait par là sa dette à l'égard du genre auquel elle succède, le monologue. Les personnages de la farce, peu individualisés, n'ont généralement pas droit à un nom propre. Personnages collectifs, ils sont désignés par des noms communs qui renseignent

LE BENÊT DANS LE THÉÂTRE COMIQUE

● Le benêt de la farce médiévale est un personnage abêti par l'étude, dépourvu de tout esprit critique et incapable d'analyser les situations auxquelles il se trouve confronté. Placé devant une femme, il apparaît stupide, tel Mimin, le plaisant héros de *Maître Mimin étudiant,* qui, devant sa fiancée, ne sait quelle contenance adopter (son nom est synonyme de niais). Son maître et sa mère lui soufflent ses propos et, pour le tirer d'embarras, lui dictent la conduite à tenir :

> LE MAGISTER.
> Il semble qu'il ait l'engin (esprit) rude ;
> Mais il brûle et art (flambe) en l'étude,
> Et parle aucunes fois si haut,
> Que mon sens et le sien y faut (s'y perd)...
>
> LUBINE (*sa mère*).
> Au moins baise-la, entens-tu,
> Tant tu sais peu d'honneur ?
> (*Maître Mimin la baise.*)

Voici que le jeune homme s'adresse à sa belle dans un latin qui n'est que charabia, et où il exprime son impatience à l'épouser et à « facere petit enfanchon ». Mais personne ne comprend ce pédantesque discours. La jeune fille vient à son secours, lui donnant une leçon... d'amour. Le jeune homme, au comble du ridicule, ne sait que répéter ses paroles comme un perroquet.

● Thomas Diafoirus, le jeune étudiant en médecine du *Malade imaginaire,* continuera ce type, se montrant tout aussi malhabile en société et incapable de parler à une femme. Voici comment il se présente dans sa future belle-famille :

> MONSIEUR DIAFOIRUS. — *(Il se retourne vers son fils et lui dit :)* Allons Thomas, avancez. Faites vos compliments. (*Thomas Diafoirus est un grand benêt nouvellement sorti des Écoles, qui fait toutes choses de mauvaise grâce et à contretemps.)*
> THOMAS DIAFOIRUS. — N'est-ce pas par le père qu'il convient de commencer ?
> MONSIEUR DIAFOIRUS. — Oui.

Suit alors un compliment adressé à Argan, dont Toinette souligne avec ironie la bêtise :

> TOINETTE. — Vive les collèges d'où l'on sort si habile homme !
> THOMAS DIAFOIRUS. — Cela a-t-il bien été, mon père ?
> MONSIEUR DIAFOIRUS. — *Optime.*
> ARGAN, *à Angélique.* — Allons, saluez Monsieur.
> THOMAS DIAFOIRUS. — Baiserai-je ?
> MONSIEUR DIAFOIRUS. — Oui, oui.
> THOMAS DIAFOIRUS, *à Angélique.* — Madame, c'est avec justice que le ciel vous a concédé le nom de belle-mère, puisque l'on...
> ARGAN. — Ce n'est pas ma femme, c'est ma fille à qui vous parlez.
> THOMAS DIAFOIRUS. — Où donc est-elle ?

> (*Le Malade imaginaire,* II, v)

● *La leçon donnée au benêt* est une situation comique que Molière exploite à plusieurs reprises. Dans les deux premiers actes du *Bourgeois gentilhomme*, nous assistons à une série de leçons. Monsieur Jourdain perpétue le type du benêt, lui qui ne comprend rien de ce que lui enseignent ses maîtres (maître de musique, maître à danser, maître d'armes, maître de philosophie). Molière reprend le personnage du benêt dans *La Comtesse d'Escarbagnas*, où Monsieur Bobinet, nouveau « magister », fait réciter sa leçon de latin au jeune comte devant toute une assemblée, comme s'il était un petit garçon (scène VII).

● Ionesco donnera au comique de *La Leçon* une dimension tragique, situant une confusion inextricable, moins dans l'esprit de l'élève que dans celui du professeur qui, dans une crise de folie, tue l'élève.

● Les textes des farces citées se trouvent dans les recueils :
Claude Alain CHEVALIER, *Théâtre comique du Moyen Age*, Union générale d'éditions, 1973.
André TISSIER, *La Farce en France de 1450 à 1550*, 2 t., CDU SEDES, 1976.

sur leurs relations familiales (la femme, le mari) ou sur leur métier. S'ils sont affublés d'un nom propre, il a valeur de surnom, d'étiquette qui les présente d'emblée sous des traits ridicules. Jacquinot, dans *La Farce du cuvier*, est un « Jacques », nom synonyme de sot. Sa belle-mère s'amuse méchamment à l'appeler parfois « Jean », nom par lequel on se moque des niais et des cocus. Dans *La Farce de Maître Pathelin*, la nomination joue la même fonction symbolique. La femme s'appelle Guillemette, le drapier Guillaume (ce sobriquet, par lequel on désigne le niais, survivra dans Gros-Guillaume, l'enfariné à l'énorme ventre). Ces deux personnages, qui seront bernés, portent, comme Jacquinot, la marque infamante de la sottise inscrite dans leur nom. Quant au berger, Thibaud l'Agnelet, son nom le prédestine à bêler.

Les farces ne sont pas systématiquement divisées en scènes, car l'action, statique, ne progresse pas. Qu'il s'agisse d'une dispute conjugale ou des mésaventures d'un « écolier », un personnage, le cocu ou le benêt, est toujours dupé. Cet échec, lorsqu'il se situe au niveau de la relation amoureuse, se solde par une bastonnade. S'il est placé au niveau du savoir, il s'inscrit dans des jeux de langage qui enferment le personnage dans la solitude. Avec la farce, l'instrument comique, que Molière utilisera avec une fécondité sans égale, est prêt.

L'atmosphère de la farce, peinture satirique des mœurs de l'époque, reflète celle des fabliaux auxquels elle emprunte souvent ses sujets. Molière lui-même, dans *Le Médecin malgré lui*, adaptera un fabliau médiéval célèbre dans tout le folklore européen, celui du « Vilain Mire ».

La farce, très appréciée du public, est encore bien vivante au XVIᵉ siècle, malgré le discrédit que font peser sur elle les poètes de la Pléiade. Du Bellay, en 1549, dans sa *Défense et illustration de la langue française*, prêche en faveur d'une restauration du théâtre des Anciens et condamne la farce, grossière et simpliste. Il veut « restituer en leur ancienne dignité, qu'ont usurpée les farces et moralités, comédies et tragédies ». Au XVIIᵉ siècle, la farce est encore représentée sur les tréteaux de foire comme chez les grands : Tabarin joue sur le Pont-Neuf ; l'Hôtel de Bourgogne a ses farceurs célèbres, Turlupin, Gros-Guillaume, etc.

Soties et moralités

● *La sotie.* Genre extrêmement « carnavalisé », la sotie met en cause la société dans ses institutions. C'est un théâtre engagé, où la contestation, dans un esprit estudiantin, s'exprime par le biais du canular, comme le font actuellement les chansonniers ou des journaux satiriques comme *Le Canard enchaîné.* Ce théâtre oppose deux groupes de personnages. Les « sots », chez qui la sottise apparaît comme une sagesse supérieure, dénoncent, par leurs facéties, le système. Ils accusent aussi bien les hommes politiques, rois ou ministres, que le pape et ses prélats. Jamais individualisés, ils sont, au premier coup d'œil, identifiables à leur costume (la robe grise, le bonnet à oreilles) et à leur emblème, la marotte, qu'ils tiennent à la main. Ils ont survécu dans certains jockers de nos cartes à jouer. Ils sont parfois dirigés par un meneur de jeu : « la Mère sotte ». Face à eux, des personnages allégoriques représentent les classes sociales mises en cause : le Monde, la Chose publique, et occupent la place d'accusés, dans un burlesque tribunal. En 1461, la sotie intitulée *Les Gens nouveaux qui mangent le monde et le logent de mal en pis* est une satire féroce de la corruption des juristes, de la paillardise des prêtres, du brigandage des soldats comme de l'incompétence des médecins. Elle se présente comme un dialogue entre le Monde et trois représentants des « gens nouveaux » qui veulent le régenter. Le mal semble sans remède, puisque ces « gens nouveaux », après avoir fait au Monde force promesses, réitèrent les anciens abus, et le mettent « de mal en pis ». Ce théâtre, on s'en doute, fut l'objet d'une censure sévère. Une série d'arrêts du parlement, dans le dernier quart du XVe siècle, puis en 1540, tue la sotie. Toutefois, Malherbe parle encore, en 1625, de soties jouées à l'Hôtel de Bourgogne.

Si la forme de la sotie ne se perpétue pas dans le théâtre français, en revanche, elle est bien vivante chez Shakespeare, qui consacre une place importante aux personnages de fous et de bouffons. Son esprit se retrouve chez Rabelais, dans les *Contes philosophiques* de Voltaire et chez Jarry. Gide regroupera, sous le titre de *Soties,* un certain nombre de textes, dont *Les Caves du Vatican,* qui représentent une subversion par rapport aux formes littéraires antérieures. Ce théâtre contient en germe deux éléments qui seront centraux dans la dramaturgie brechtienne : la conception de la scène comme une tribune et l'importance du meneur de jeu.

● *Les moralités.* Tandis que la sotie masque sa visée moralisatrice par le burlesque, les moralités affirment d'emblée leur caractère didactique. Œuvres manichéennes, ce sont, comme leur nom l'indique, des leçons de morale. *Bien avisé, Mal avisé,* pièce de 1439, offre, en 8 000 vers, le spectacle de la vie de deux héros, dont l'un, Bien avisé, incarne la vertu et ira droit en paradis, tandis que l'autre, Mal avisé, représente le vice et finira en enfer. Les deux héros sont confrontés à cinquante-neuf personnages allégoriques : Raison, Obéissance, Foi, Rébellion, Débauche, etc. *La Condamnation de Banquet,* la moralité la plus célèbre, écrite en 1507 par un juriste, Nicolas de La Chesnaye, exhorte les spectateurs à respecter une certaine hygiène alimentaire en leur montrant les maux qu'engendrent les excès de la table. Toutes les maladies défilent sur la scène, hydropisie, goutte, gravelle, etc., dans un cortège aussi effrayant que les danses macabres peintes à la même époque sur les murs des églises.

Ces moralités, fort appréciées en leur temps, nous apparaissent aujourd'hui froides. L'allégorie, l'un des procédés les plus utilisés dans l'art médiéval, nous séduit dans la statuaire, dans la peinture, dans des fresques, comme le saisissant *Triomphe de la Mort* de Palerme ou du campo santo de Pise, ou dans un texte poétique comme *Le Roman de la Rose* de Guillaume de Lorris. Par contre, dans le théâtre français, elle n'a pas produit d'œuvres fécondes. Le personnage allégorique, souvent dénué de vie, fonctionne comme un représentant. Aussi, sur scène, nous émeut-il rarement. « Je hais l'art symbolique, dit Pirandello dans la préface de *Six Personnages en quête d'auteur,* dans lequel la représentation perd toute spontanéité pour devenir machine, allégorie, effort vain et mal compris, car le seul fait de donner un sens allégorique à une représentation montre clairement que l'on considère déjà celle-ci comme une fable qui n'a en soi aucune vérité, ni imaginaire ni réelle, et qui est faite pour la démonstration d'une quelconque vérité morale. »

Shakespeare, toutefois, saura donner au personnage allégorique une grande profondeur. Jacques le Fou, ce mélancolique à la fois sentencieux et plein d'humour, dans *Comme il vous plaira,* semble droit sorti des moralités médiévales. Calderon, portant à sa perfection, pendant le Siècle d'or de la littérature espagnole, le genre de l'*auto sacramental,* petite pièce en un acte, donne une vie, sans doute jamais égalée, à l'allégorie. *El Gran Teatro del Mundo,* qui date de 1645, l'un de ses *autos* les plus célèbres, met en scène la Prudence et le Mendiant, admis à la félicité éternelle, le Roi, la Beauté et le Paysan, condamnés au purgatoire et le Riche, précipité en enfer.

L'influence des moralités resurgira au XXᵉ siècle dans certains drames expressionnistes. Le Flamand Herman Tierlinck, critiquant violemment le naturalisme, met en scène des types anonymes intemporels et les confronte à des personnages allégoriques très proches de la rhétorique médiévale. Les héros de *L'Homme sans corps ou la Farce des sosies* rencontrent, dans leurs voyages, la Charité, la Justice, la Conscience. Dans cette œuvre, Tierlinck brosse, sous forme de parabole, le drame de la condition humaine, sous les traits de deux frères, Jacques le Sage et Jacques le Fou. Ces « sosies » représentent deux tendances opposées qui coexistent chez tout homme et qui se manifestent selon les aléas de la vie. Jacques le Fou, après avoir frénétiquement parcouru le vaste monde et s'être débarrassé de son corps, revient, guéri de sa folie. Voilà que son frère, qui jouissait d'un bonheur paisible, sombre dans l'angoisse et part à son tour. Le corps imaginaire, cet éternel bourreau, ne laisse jamais l'être en paix, revenant sans trêve à la charge. La pièce est bâtie, comme les moralités, sur une idée abstraite.

Les mystères

Nous traiterons très brièvement des mystères, aujourd'hui difficiles à lire, car ils prolongeaient l'enseignement de la chaire. Ils ne concernent notre étude que dans la mesure où ils constituent la lointaine origine du drame. A la différence du miracle, qui ne représente qu'une manifestation du saint après sa mort, le mystère en relate toute la vie. *Le Mystère de la Passion,* d'Arnoul Gréban, joué pour la première fois à Paris en 1450, est le plus célèbre. Il représente, en une immense fresque de 35 000 vers, la création du monde, la naissance, la passion et la résurrection du Christ. La représentation, interrompue par des moments destinés au repos et aux festins, durait quatre journées entières. *Le Mystère du siège d'Orléans,* joué dès 1435, quatre ans à peine après la mort de Jeanne d'Arc, fut très populaire. La mort du juste, celle de Jeanne ou celle du Christ, le juste par excellence qui meurt pour racheter l'humanité, condamné par des lâches et des impies, est un spectacle qui suscitait une très vive émotion.

Le mystère renaîtra curieusement au xxe siècle, alors que le genre meurt, en tant que tel, en 1548, date où les représentations des mystères sont interdites. Péguy écrira *Le Mystère de la charité de Jeanne d'Arc*, Claudel, *L'Annonce faite à Marie* (pièce dont la création s'étale de 1912 à 1948). Il qualifie lui-même cette œuvre, dont le sujet est la maternité mystique de Violaine, de « mystère ». Mais le mystère moderne ne conserve du genre ancien que le caractère religieux du sujet. Il emprunte sa forme, nous le verrons, au drame du xixe siècle.

Le lieu théâtral au Moyen Age

Le *décor à mansions* (le terme est un doublet de *maison*) ne favorise pas la naissance de l'illusion. Le spectateur doit admettre que deux lieux contigus sur la scène sont plus ou moins éloignés dans la fiction. Le Moyen Age ne dispose pas de rideau de scène, ce qui exclut la possibilité de changement de décor. Ainsi, dans *La Farce de Maître Pathelin,* trois mansions accolées l'une contre l'autre représentent la maison du drapier, la maison de Pathelin, et le palais de justice. Le déplacement du personnage d'une mansion à une autre est censé figurer, en le spatialisant, l'écoulement du temps nécessaire pour se rendre d'un lieu à un autre. Comme les scènes médiévales n'ont pas de coulisses, les acteurs pratiquent le « jeu simultané », restant sur scène même lorsqu'ils ne jouent plus. Les mansions construites sur la scène ne suffisaient pas toujours pour représenter les mystères. Aussi une même mansion pouvait-elle représenter successivement plusieurs lieux différents. Un « brevet », c'est-à-dire une pancarte, informait le spectateur du changement. Des auteurs dramatiques contemporains, comme Jarry ou Brecht, retrouveront un tel procédé. Lorsque la scène se passait dans un lieu unique, le décor était des plus sommaires. Dans la farce, un lit et une chaise suffisaient souvent à symboliser l'intérieur de la maison. Cette utilisation de l'objet-emblème qui, à lui seul, situe le lieu de l'action, longtemps méprisée, car le procédé n'est pas propre à l'illusion, retrouvera son efficacité scénique dans le théâtre moderne.

CONCLUSION

Le théâtre apparaît en France plus tardivement que les autres arts, lorsque la littérature courtoise a déjà produit ses chefs-d'œuvre. Il se dégage lentement du modèle narratif, empruntant ses sujets et ses personnages d'abord à la Bible et à la poésie lyrique, plus tard aux fabliaux, et donnant de nombreuses œuvres monologuées, qui se situent à mi-chemin entre une forme narrative et une forme dramatique.

Ce théâtre, que crée la bourgeoisie lorsqu'elle commence à prendre conscience d'elle-même, demeure un genre mineur. Résolument satirique, il est trop directement ancré dans la réalité de son temps. Il a le mérite d'avoir révélé la salubrité du rire. Le comique baigne un grand nombre d'œuvres dramatiques, qu'elles aient ou non le statut de farce. Mais ce qui suscitait le rire du spectateur au Moyen Age nous laisse parfois indifférents, nous qui sommes coupés du contexte idéologique et culturel qui a vu naître ces œuvres. Comme le constate Daniel Poirion, « le rire médiéval, dans toutes ses facettes, est indissociable des conditions culturelles qu'il nous faut reconstituer : la satire exige la connaissance de l'échelle des valeurs éthiques, esthétiques et sociales ; la parodie suppose celle des rites et des langages ; la fantaisie n'existe que par rapport à un univers cohérent qu'elle peut désorganiser » (*Précis de littérature française du Moyen Age,* PUF, 1983).

La bourgeoisie, d'emblée caractérisée par son sens aigu de l'individualisme, a produit à la même époque de grandes œuvres poétiques. Rutebeuf, Christine de Pisan, François Villon introduisent le culte du moi dans la littérature, annonçant l'égotisme stendhalien. Le « je » personnel de cette poésie, qui a des accents autobiographiques, ne pouvait s'exprimer au théâtre, genre qui exclut la confession.

Ce théâtre se constitue en se démarquant par rapport à la littérature épique et romanesque. Les types comiques qu'il crée, le fanfaron (le soldat couard ou le charlatan), l'infirme, le cocu, le benêt, sont des êtres déformés par le ridicule. Tous ces personnages tentent, de façon dérisoire, de masquer leur impuissance par la vantardise de leur langage, forme dégradée d'héroïsme. Les traits qui les caractérisent, l'infirmité corporelle, la bêtise, la couardise, l'infidélité, inversent ceux que la littérature chevaleresque et courtoise attribue à ses héros : beauté, intelligence, prouesse, courtoisie. Chez ces personnages placés en situation d'échec, il n'y a pas encore, sauf peut-être dans la sotie, de prise de conscience de classe. Il faut attendre Marivaux pour que naisse l'idée, avec une pièce comme *L'Héritier de village,* que les petits sont toujours floués et que seuls les nobles tirent leur épingle du jeu.

Ce théâtre ne permet pas l'identification. Le spectateur rit sans pitié du fourbe comme de sa dupe. Aucun personnage n'attire la sympathie du public, sauf le héros de cette pièce si particulière qu'est le *Jeu de la feuillée.* La modernité de cette œuvre d'Adam de la Halle résulte du caractère du personnage, idéaliste et velléitaire, qui, après un moment d'espoir, retombe dans le sordide de la vie quotidienne.

Ce théâtre, trop jeune encore pour réfléchir sur lui-même, n'a pas de théoricien. On ne trouve d'ailleurs nulle part, dans la littérature médiévale, de réflexion sur l'art, sauf quelques notations très brèves de Marie de France dans la préface qu'elle écrit pour ses *Lais,* ou incidemment, au fil d'un roman de Chrétien de Troyes ou de Béroul, une réflexion rapide sur l'art romanesque. Le Moyen Age ne se soucie pas d'une théorie de la littérature. Seule une farce, *Le Bateleur* — tardive, il est vrai, puisqu'elle date sans doute de 1555 —, se présente comme une réflexion sur le métier de comédien. Un « bateleur » et son valet arrivent dans une foire. Espérant attirer le public, ils vantent la marchandise bien particulière qu'ils ont à offrir : des portraits de « bateleurs badins ». C'est ainsi qu'ils font l'éloge de la profession, devant deux femmes qui les écoutent avec ferveur :

> LE BATELEUR.
> J'y ai été, j'y ai été
> Au grand pays de badinage.
>
> LA PREMIÈRE FEMME.
> Avez-vous quelque beau personnage
> Pour nous ? Car c'est ce qui nous mène.

Cette *farce sur les bateleurs* constitue la plus ancienne réflexion sur la relation acteurs-spectateurs. Notons que le terme de « badin », qui désigne, dans le théâtre médiéval, un personnage farcesque qui fait rire par sa naïveté souvent assaisonnée de malice, a un sens quelque peu différent au XVIe siècle, où le mot est devenu synonyme de bateleur.

Né spontanément, *le théâtre médiéval ne se préoccupe pas de distinguer les genres.* Un même spectacle offre successivement une série de pièces aux tons fort différents : monologue, sotie, moralité, farce. Au sein d'une même œuvre, des éléments comiques côtoient bien souvent des éléments sérieux. C'est là une caractéristique de l'art médiéval, sauf dans son expression la plus raffinée, la poésie et le roman courtois. Dans les chansons de geste, des traits satiriques apparaissent au beau milieu du récit d'actions héroïques. Dans les églises, des chapiteaux ou des culs-de-lampe parfois fort irrévérencieux, certaines sculptures grotesques ou paillardes, dans les stalles des chœurs notamment, invitent au rire et contrastent avec le sérieux du lieu. A cause de cette même spontanéité, le théâtre médiéval mêle la danse et le chant au dialogue. Cet héritage ne sera jamais oublié, puisque danse et chant subsistent dans la comédie-ballet du XVIIe siècle et dans le vaudeville du XIXe siècle. Sa fécondité ne sera pleinement retrouvée qu'au XXe siècle, lorsque la découverte des théâtres orientaux aura remis au goût du jour les spectacles complets.

3 Le théâtre classique

AUX ORIGINES DE LA DRAMATURGIE CLASSIQUE

L'élaboration des règles

● *Le modèle antique.* Le Grand Siècle, l'époque la plus brillante du théâtre français, est profondément marqué par l'*héritage antique.* Depuis la Renaissance, qui a érigé en principe le culte de l'Antiquité, les œuvres gréco-latines, considérées comme des modèles dans tous les arts, représentent le Beau absolu. Les auteurs dramatiques composent leurs pièces en utilisant les règles des Anciens, tout comme les architectes construisent selon le plan du temple grec. L'idée que la conception du beau puisse varier selon les individus, les pays, les époques est tout à fait étrangère à la Renaissance comme au Classicisme. La subjectivité du goût est une notion moderne, qui n'a pas encore fait son apparition.

● *L'influence de Sénèque et celle d'Aristote* ont été déterminantes dans l'édification de la dramaturgie classique. L'Europe de la Renaissance redécouvre, avec un infini plaisir, Sénèque, dont les œuvres sont éditées dès les premières années du XVIᵉ siècle. L'une des premières tragédies humanistes, *Médée* de La Péruse, en est directement inspirée, comme les quatre premières tragédies de Garnier : *Porcie, Hippolyte, Cornélie* et *Marc-Antoine* (données de 1568 à 1578). Plus tard, avec l'apparition de la tragédie régulière, Rotrou, en 1634, dans *Hercule mourant,* et Corneille, en 1635, avec *Médée,* imitent à leur tour Sénèque. Toutefois, au milieu du XVIIᵉ siècle, son influence s'estompe (en même temps que décline la mode de la morale stoïcienne), pour s'achever avec la *Phèdre* de Racine. L'époque classique proprement dite n'apprécie plus l'emphase de son style. Boileau, au chant III de *L'Art poétique,* se moque des plaintes ampoulées qu'il prête à Hécube. Toutefois, l'apport de Sénèque, capital car il infléchit la dramaturgie vers des voies qui seront celles du Classicisme, se perpétuera bien au-delà des modes. Son théâtre, outre qu'il a redonné goût aux sujets mythologiques, a révélé le modèle d'une intrigue construite. Il a introduit également en France *la séparation des genres comique et tragique,* inconnue à l'étranger. La *comedia* espagnole, le théâtre élisabéthain juxtaposent les procédés de composition de Sénèque et le mélange des tons hérités du théâtre médiéval : des moments comiques, comme les propos burlesques du portier ivre dans *Macbeth,* qui succèdent à la conversation angoissée entre Macbeth et sa femme après le meurtre (I, VIII), interrompent fréquemment une scène résolument tragique. Ainsi s'explique le discrédit que feront longtemps peser sur ces théâtres étrangers les théoriciens français, convaincus qu'*il n'est qu'une esthétique possible, celle de la pureté.*

La *Poétique* d'Aristote a marqué plus profondément encore la dramaturgie classique. La plupart des règles du théâtre classique sont nées de la réflexion des auteurs dramatiques sur cet ouvrage et sur ce qu'en a retenu Horace dans son *Épître aux Pisons,* plus communément appelée, dès Quintillien, L'*Art poétique.* Les Humanistes, là encore, avaient préparé le terrain. Scaliger, érudit d'origine italienne, publie en latin, en 1561, sa *Poétique,* où il énonce les règles aristotéliciennes oubliées au Moyen Age. *L'Art de la tragédie* de Jean de La Taille, en 1572, et l'*Art poétique* de Vauquelin de La Fresnaye, publié en 1605, seront, à leur tour, de minutieux commentaires d'Aristote. Tous les dramaturges du XVIIe siècle se réfèrent au modèle défini par le philosophe. Toutefois, les préceptes aristotéliciens ne représentent pour eux que des directives, qu'ils n'hésitent pas à enfreindre pour les besoins de la scène. « La principale règle est de plaire et de toucher : toutes les autres ne sont faites que pour parvenir à cette première », rappelle Racine dans la préface de *Bérénice.* Aussi les auteurs dramatiques ont-ils maille à partir avec les doctes, qui ne cessent de critiquer leurs œuvres au nom d'une pseudo-orthodoxie. « Qu'ils se reposent sur nous de la fatigue d'éclaircir les difficultés de la *Poétique* d'Aristote », ajoute Racine, dans la même préface. La plupart des préfaces de Racine et des examens de Corneille sont animés d'un même but polémique : affirmer la conformité de leur pièce vis-à-vis des règles. Molière, quant à lui, tourne en dérision les doctes et leur jargon pédantesque. Commençant *Dom Juan* par ces burlesques propos de Sganarelle : « Quoi que puisse dire Aristote et toute la philosophie, il n'est rien d'égal au tabac », il montre le peu de cas qu'il fait d'eux. Même Boileau, qui pourtant, dans la Querelle, prendra farouchement parti pour les Anciens, se moque, dans sa *Quatrième Satire,* de la tyrannie qu'exerce Aristote sur tous les esprits. Dans le cortège des fous qu'il y fait défiler, il met en tête le pédant qui ne jure que par Aristote.

● *Les théoriciens.* Ce n'est pas Boileau, contrairement à ce que l'on croit souvent, qui a élaboré la théorie du Classicisme. Il légifère, certes, dans son *Art poétique,* dont le chant III est entièrement consacré au théâtre. C'est là qu'il édicte la règle maîtresse de la dramaturgie classique :

> Qu'en un lieu, qu'en un jour, un seul fait accompli
> Tienne jusqu'à la fin le théâtre rempli.

Mais il ne théorise qu'après coup. Lorsque paraît *L'Art poétique,* en 1674, le théâtre classique a déjà produit ses œuvres maîtresses. Molière vient de mourir, Racine renoncera au théâtre profane trois ans plus tard. Si on a longtemps attribué à Boileau un rôle qu'il n'a pas joué, c'est que, lui-même, dans ses œuvres, s'est forgé une légende. En réalité, il a eu la chance d'être le témoin de deux générations (né avec *Le Cid,* il meurt en 1711), et de compter parmi ses amis les plus grands créateurs, notamment Molière et Racine.

Deux auteurs dramatiques, l'abbé d'Aubignac et Corneille, ont longuement médité sur les rapports qu'entretiennent l'écriture et la mise en scène. Ce sont eux qui ont élaboré les règles de la dramaturgie classique à partir de leur propre expérience et de l'observation des pièces de leurs contemporains. François Hédelin d'Aubignac publia, en 1657, sa *Pratique du théâtre,* conçue dès 1640 à la demande de Richelieu et de l'Académie. Quant à Corneille, son œuvre doctrinale est immense. Les *Trois Discours* qu'il écrit en 1660 pour présenter l'édition complète de ses œuvres, qu'il a lui-même établie — et qu'il reverra en 1682 —, ainsi que les « Examens » dont il fait précéder chaque pièce constituent une somme. Répondant à d'Aubignac, il y traite de tous les problèmes de la scène auxquels il s'est trouvé confronté et il expose les solutions nouvelles qu'il a choisi d'apporter. Il fait sur son œuvre un travail critique considérable. Molière et Racine ne se sont pas préoccupés de théoriser sur leur art. Toutefois, ils nous ont laissé un certain nombre de préfaces, d'avertissements au lecteur, dans lesquels ils s'expliquent sur leur expérience théâtrale. Ces « paratextes » — comme les appellerait G. Genette —, malgré leur brièveté, constituent une mine d'indications précieuses. Aucun théoricien du XVII\ siècle n'a vraiment traité des pièces comiques. Malgré la hiérarchie qu'ils établissent entre les genres, *tous éprouvent le sentiment qu'il existe une profonde unité du théâtre,* et que les règles valables pour la tragédie, le genre dramatique majeur, le sont a fortiori pour la comédie, considérée comme un genre mineur. Ce sont les caractéristiques formelles de la pièce du XVII\ siècle que nous allons définir dans ce chapitre, sans négliger pour autant la spécificité de la tragédie et de la comédie.

Baroque et théâtralité

Le XVII\ siècle s'est passionné pour la mise en scène. Les jésuites incluaient dans leur enseignement la pratique du théâtre. Le roman regarde, lui aussi, vers la scène. Scarron, lui-même dramaturge, narre, en 1657, dans *Le Roman comique* (c'est-à-dire « Le Roman des comédiens »), les aventures d'une troupe de comédiens ambulants. *Les pièces baroques, faisant du théâtre l'objet même du théâtre, ont permis de maîtriser le phénomène théâtral, préparant ainsi l'éclosion du théâtre classique.* Il se produisit, dans les années 1630, un phénomène analogue à celui qu'a connu le « nouveau roman » de 1950 à 1970, période pendant laquelle l'art romanesque s'est interrogé en permanence sur ses modes de fonctionnement. Tous les dramaturges du XVII\ siècle, et particulièrement les baroques, ont médité sur la théâtralité : Shakespeare, Calderon, Rotrou, Corneille, Molière, sans parler des auteurs mineurs. Seul Racine ne semble pas s'être intéressé à la question. *Par des mises en abyme, enchâssant une pièce secondaire au sein de l'intrigue principale,* les auteurs dramatiques baroques ont essayé de saisir le phénomène de l'illusion, dirigeant leur interrogation sur le spectateur, sur l'acteur, ou sur l'action jouée, reflet de l'action supposée réelle.

● *Qui joue quoi ? La Comédie des comédiens,* de Scudéry, représentée en 1632, où « le sujet de la comédie [...] fut la comédie même », au dire de son auteur, offre le spectacle de la vie quotidienne d'une troupe. Par suite, on ne sait plus si les spectateurs sont dans la salle ou sur la scène, puisque les acteurs prennent à certains moments le rôle de spectateurs. Jean Rousset dans son ouvrage *La Littérature de l'âge baroque en France,* (Corti, 1953) évoque en ces termes *La*

Comédie des deux théâtres, « l'un des trompe-l'œil les plus fameux du Bernin », créée en 1637 à l'occasion d'un carnaval : « deux scènes, deux Covielle, deux représentations, l'une jouée au-delà de la scène, devant un public fictif doublant comme dans un miroir le public de la salle, que cet artifice plongeait dans la plus troublante illusion théâtrale : c'est lui-même qu'il voyait regardant la pièce qui se jouait sous ses yeux. »

● *Qu'advient-il si l'acteur épouse son personnage ?* Dans *Saint Genest,* où Rotrou, en 1646, insère une pièce à l'intérieur d'une tragédie, la représentation que donne une troupe de comédiens tourne court. L'acteur Genest, qui joue devant Dioclétien le personnage d'Adrien, martyr envoyé à la mort par ce même empereur, se confond peu à peu avec son personnage. Au début de la représentation fictive, l'illusion fonctionne parfaitement. Mais, peu à peu, envoûté par son rôle, Genest ne dit plus exactement son texte, ajoutant aux répliques ses propres paroles, ce qui trouble les autres acteurs dans leur jeu. La représentation, qui échappe aux règles habituelles, sombre dans la confusion la plus totale. Genest en vient à appeler par son nom l'acteur qui lui donne la réplique, oubliant totalement les conventions :

> Ah ! Lentule... Il faut lever le masque.
>
> (IV, II)

La représentation s'interrompt devant des spectateurs décontenancés, car il est impossible, au théâtre, de refuser le jeu. L'acteur Genest, qui est devenu son personnage et s'est converti comme Adrien, n'est plus du tout convaincant pour le public. Il déclare :

> Ce n'est plus Adrien, c'est Genest qui s'exprime,
> Ce jeu n'est plus un jeu, mais une vérité,
> Où par mon action je suis représenté,
> [...]
> Il est temps de passer du théâtre aux autels,
> Si je l'ai mérité, qu'on me mène au martyre :
> *Mon rôle est achevé, je n'ai plus rien à dire.*
>
> (IV, VII)

Rotrou suggère que, si l'acteur s'identifie à son personnage, il brise l'illusion. Il ne peut pas être de bonne foi. Telle sera aussi la moralité de cet apologue de Marivaux, *Les Acteurs de bonne foi.*

● *Comment créer l'illusion parfaite ?* Dès 1600, Shakespeare, dans *Hamlet,* avec « La Souricière », pièce secondaire dont l'action reproduit celle de la principale, médite sur les rapports qu'entretient le théâtre avec le réel. Hamlet, faisant jouer devant le roi et la reine une pièce où il leur montre leur propre crime, veut lire sur leur visage leurs réactions, afin d'avoir la preuve de leur culpabilité. Le roi, qui ne peut supporter le spectacle de son drame, interrompt brutalement la représentation.

Corneille fait de cette *confusion entre la vie et la représentation* le sujet de *L'Illusion comique.* Dans cette pièce de 1636, qu'il qualifie « d'étrange monstre », il insère, à la manière baroque, une tragédie dans une comédie. Dans l'Examen, il présente sa pièce — dont il est, au demeurant, très satisfait parce qu'elle eut beaucoup de succès — comme « une galanterie extravagante qui a tant d'irrégularités qu'il ne vaut pas la peine de la considérer... Le premier acte ne semble qu'*un prologue* ». Dans une grotte, un magicien, consulté par un père au désespoir, qui est sans nouvelle de son fils Clindor, donne un coup de baguette magique et tire un rideau, pour lui montrer les mésaventures de ce fils. Une telle conception scénique permet à Corneille une réflexion sur l'illusion théâtrale. « Les trois (actes) suivants forment une pièce que je ne sais comment nommer : le succès (= l'issue) en est tragique ; [...] Clindor (est) en péril de mort, mais le style et les personnages sont entièrement de la comédie. » Le père et le magicien, devenus spectateurs, regardent, pendant ces trois actes, les « fantômes vains » de Clindor et d'Isabelle, dont le jeune homme est passionnément épris. « Le cinquième (acte) est une tragédie assez courte pour n'avoir pas la juste grandeur que demande Aristote. [...] Isabelle et Clindor, étant devenus comédiens sans qu'on le sache, y représentent une histoire qui a du rapport avec la leur, et semble en être la suite. » Clindor, dans son rôle d'emprunt, meurt sur scène, poignardé. Son père, désespéré, s'écrie :

Adieu, je vais mourir puisque mon fils est mort.

(V)

« C'est un trait d'art pour mieux abuser par une fausse mort le père de Clindor qui les regarde, et rendre son retour de la douleur à la joie plus surprenant et agréable. [...] *Tout cela cousu ensemble fait une comédie.* » Le magicien révèle enfin au père l'envers du décor, en lui montrant la troupe de comédiens qui compte la recette. *Le théâtre, ici, prolonge la vie* au point que le père s'y méprend. *Ce but illusionniste sera celui du théâtre classique.* La scène et la salle sont deux mondes qui doivent s'ignorer totalement et « il faut faire, dit d'Aubignac, comme si les spectateurs étaient absents ».

L'ACTION

Pour éviter la contamination des genres, la tragédie classique a ses sujets, empruntés à l'histoire ou à la légende, la comédie a les siens, inspirés des fabliaux et des comiques latins. Toutefois, l'action dramatique est soumise aux mêmes règles en ce qui concerne les deux genres.

L'unité d'action

Lorsque Corneille examine, trente ans après l'avoir créée, sa première pièce, *Mélite,* comédie de 1630, il avoue l'avoir écrite sans s'être soucié de sa composition : « Cette pièce fut mon coup d'essai, et elle n'a garde d'être dans les règles, puisque je ne savais pas alors qu'il y en eût. » Mais il y a découvert spontanément le principe de l'unité d'action : « Ce sens commun, qui était toute ma règle, m'avait fait trouver l'unité d'action pour brouiller quatre amants par une

L'ACTION CHEZ ARISTOTE

● La *Poétique* n'est que le premier livre d'une œuvre plus complète. La partie qui nous est conservée porte sur la tragédie et sur l'épopée. D'après le plan annoncé au chapitre I, l'ouvrage contenait aussi un examen de la comédie, aujourd'hui perdu. Ce texte fut rédigé pendant le deuxième séjour que fit Aristote à Athènes, de 355 à 323 av. J.-C.

● Selon Aristote, six parties constituent la tragédie, qui est « l'imitation d'une action ». L'*ordonnance du spectacle* est « la façon d'imiter ». *Le chant* et *l'élocution,* qui est « le seul assemblage des vers » (tout ce qui appartient à la musique et à la prosodie), représentent les deux « moyens employés pour l'imitation ». Les *caractères* des personnages, leur *pensée »* (c'est-à-dire le langage dramatique, car, pour Aristote, il y a un isomorphisme entre langage et pensée) et la *fable,* qu'Aristote définit comme « l'assemblage des actions accomplies », sont « l'objet même de l'imitation ». Aristote ne s'attarde pas sur la « pensée » des personnages. Il renvoie le lecteur à sa *Rhétorique*, puisque, selon lui, le personnage tragique occupe, par rapport au langage, une position semblable à celle de l'orateur. Parmi ces six parties, Aristote privilégie la « fable », qui est « le principe et l'âme de la tragédie ». Il lui subordonne le caractère et la pensée des personnages. « La plus importante de ces parties est l'assemblage des actions accomplies, car la tragédie imite non pas les hommes mais une action et la vie, le bonheur et l'infortune. C'est en raison de leur caractère que les hommes sont tels ou tels, mais c'est en raison de leurs actions qu'ils sont heureux ou le contraire. Donc les personnages n'agissent pas pour imiter les caractères mais ils reçoivent leurs caractères par surcroît et en raison de leurs actions ; de sorte que les actes et la fable sont la fin de la tragédie ; et c'est la fin qui en toutes choses est le principal. » (*Poétique*, « Les Belles Lettres », 3ᵉ éd., 1961, p. 38).

Cette insistance d'Aristote sur l'action dramatique, exprimée aussi à propos de l'épopée, s'explique par sa théorie de l'acte, qu'il conçoit comme la fin vers laquelle tend la puissance. C'est dans l'activité que l'homme réalise ce qu'il n'est, en dehors d'elle, que virtuellement. Le poète, s'il veut imiter l'homme, doit donc le montrer en train d'agir. Corneille, dans son *Premier Discours*, intitulé *Discours de l'utilité et des parties du poème dramatique*, rappelle, se référant à Aristote, les six parties du « poème dramatique » et, comme lui, s'attache surtout au sujet.

● Aristote fait de l'*unité d'action* un des principes essentiels de la tragédie : « Il faut donc que, comme dans les autres arts d'imitation, l'unité de l'imitation résulte de l'unité d'objet, ainsi, dans la fable, puisque c'est l'imitation d'une action, il faut que cette action soit une et entière et que les parties en soient assemblées de telle sorte que si on transpose ou retranche l'une d'elles, le tout soit ébranlé et bouleversé ; car ce qui peut s'ajouter ou ne pas s'ajouter sans conséquence appréciable ne fait pas partie du tout. » (*op. cit.,* p. 8). Aristote condamne les « fables épisodiques » lorsque la succession des « épisodes » n'est déterminée « ni par la vraisemblance ni par la nécessité ».

On peut mesurer par là tout ce que la tragédie classique doit à Aristote.

seule intrigue. » L'*unité d'action* concerne aussi bien la comédie que la tragédie. *Corneille la définit, dans la comédie, comme « l'unité d'intrigue* ou d'obstacle aux desseins des principaux acteurs », et *dans la tragédie, comme « l'unité de péril,* soit que le héros y succombe, soit qu'il en sorte ». *Horace* ne le satisfait pas, car la mort de Camille crée un second péril pour Horace, qui, après avoir été exposé au danger d'être tué par les Curiaces, risque d'être condamné comme meurtrier de sa sœur. Corneille met en évidence un défaut de même nature dans *Théodore* : son héroïne est exposée à deux périls successifs, la prostitution, puis le martyre auquel elle aspire comme moyen de rachat. On peut mesurer, toutefois, dans une pièce comme celle-ci, qui s'inspire, comme les mystères médiévaux, de l'histoire religieuse, la différence de composition entre le mystère, qui présentait, dans des tableaux successifs, tous les moments marquants de la vie du saint, et la tragédie, qui, ne choisissant que les derniers moments pour en souligner l'exemplarité, resserre l'action.

Il ne faudrait pas confondre unité d'action et action unique. Corneille n'exclut les *actions secondaires* que lorsqu'elles n'entretiennent pas un lien étroit avec l'*action principale*. « Ce n'est pas que je prétende qu'on ne puisse admettre plusieurs périls en (la tragédie), et plusieurs intrigues ou obstacles dans (la comédie), pourvu que de l'un on tombe nécessairement dans l'autre, car alors la sortie du premier péril ne rend point l'action complète, puisqu'elle en attire un second ; et l'éclaircissement d'une intrigue ne met point les acteurs en repos, puisqu'il les embarrasse dans une nouvelle. » D'Aubignac a critiqué le rôle de l'Infante dans *Le Cid*, qui introduit une intrigue parallèle à l'action principale. L'amour que l'Infante porte à Rodrigue, inavouable au début de la pièce, car Rodrigue est d'un rang inférieur au sien, ne l'est plus lorsque le Cid, vainqueur des Maures, a sauvé le royaume de Castille. Pourtant l'Infante fait taire sa flamme. Cette action secondaire n'a donc aucune incidence sur l'amour de Rodrigue et de Chimène, qui constitue l'action principale. Nous emprunterons à Jacques Scherer sa définition de l'unité de l'action : « On dit, à partir de 1640 environ, que l'action d'une pièce de théâtre est unifiée lorsque l'intrigue principale est dans un rapport tel avec les intrigues accessoires que l'on puisse constater à la fois : 1) qu'on ne peut supprimer aucune des intrigues accessoires sans rendre partiellement inexplicable l'intrigue principale ; 2) que toutes les intrigues accessoires prennent naissance dès le début de la pièce et se poursuivent jusqu'au dénouement ; 3) que le développement de l'intrigue principale aussi bien que des intrigues accessoires dépend exclusivement des données de l'exposition, sans introduction tardive d'événements dus au hasard pur ; 4) que chaque intrigue accessoire exerce une influence sur le déroulement de l'intrigue principale » (*La Dramaturgie classique*, Nizet, 1966).

L'exposition

● *Ses caractères.* Pour que l'unité d'action soit respectée, il faut que le premier acte contienne tous les éléments nécessaires à la compréhension de la pièce. Afin d'instruire le spectateur sur la situation présente, l'auteur dramatique doit y évoquer les événements antérieurs qui l'ont instaurée. Il ne peut faire apparaître un personnage au cours de la pièce sans l'avoir au préalable présenté dans l'exposition. C'est un impératif sur lequel insiste Corneille dans son Premier Discours : « (Le premier acte) doit contenir les semences de tout ce qui doit arriver, tant pour l'action principale que pour les épisodes, en sorte qu'il n'entre aucun acteur dans les actes suivants qui ne soit connu par ce premier, ou du moins appelé par quelqu'un qui y aura été introduit. Cette maxime est nouvelle et assez sévère, et je ne l'ai pas toujours gardée, mais j'estime qu'elle sert beaucoup à fonder une véritable unité d'action, par la liaison de toutes celles qui concourent dans le poème. »

L'exposition du *Tartuffe*, qui ne s'achève qu'au troisième acte, fait exception. Dans la première scène, menée avec beaucoup de brio, Madame Pernelle, vieille femme aigrie, apostrophe avec humeur tous les membres de la famille, adressant à chacun maints reproches sur sa façon de vivre. C'est par ce biais que les personnages sont présentés, sauf Orgon et surtout Tartuffe, dont Molière diffère sciemment l'apparition, mais qui fait l'objet de toutes les conversations. Dans cette comédie bourgeoise, où il cherche à créer une atmosphère intimiste qui annonce celle du drame, Molière ne fera paraître Tartuffe qu'après avoir montré combien la vie familiale est bouleversée depuis qu'Orgon, dans son aveuglement, l'a introduit dans la maison. Pour que la noirceur de son personnage ne fasse aucun doute et que le spectateur ne se méprenne pas devant les discours doucereux de l'hypocrite, il souligne fortement l'aversion que suscite le faux dévot. Il explicite clairement son intention dans sa préface : « J'ai employé pour cela deux actes entiers à préparer la venue de mon scélérat. »

Le Classicisme utilise, nous allons le voir, quatre types d'exposition.

● *Le dialogue entre un personnage principal et un personnage secondaire.* C'est la forme la plus fréquemment choisie. Sabine, dans la première scène d'*Horace,* fait part à sa confidente de ses inquiétudes à la veille de la bataille. Quelle que soit l'issue du combat, qu'Horace y trouve la mort ou qu'Albe soit asservie, elle versera des larmes. D'entrée de jeu, Corneille, montrant le déchirement de Sabine, définit le conflit qui va bouleverser Camille, Horace et Curiace. Chacun des quatre protagonistes réagira à sa manière, mais leur drame est identique. La scène suivante est centrée sur les sentiments de Camille. L'action commence dès la scène III, où Curiace vient annoncer la décision des chefs qui ont renoncé à la bataille. Accordant à ses héroïnes les deux scènes d'exposition, Corneille situe le conflit au niveau du cœur et noue le drame politique et l'intrigue amoureuse.

L'exposition de *Dom Juan* se fait, elle aussi, dans les deux premières scènes : Sganarelle brosse le portrait de son maître pour expliquer au « bon Gusman de Done Elvire » le départ de Don Juan. Arrive ensuite le héros, qui expose lui-même ses théories amoureuses, pour le plaisir de choquer les principes moraux de son valet. Par un tel début, Molière souligne l'importance et l'ambiguïté du rôle de Sganarelle. Il est présent dans vingt-six scènes sur vingt-sept, tandis que Don Juan ne paraît que dans vingt-cinq scènes. Molière lui confère une existence indépendante de celle de Dom Juan dans la première et la dernière scène. Il le désigne ainsi comme le meneur de jeu, le chargeant de raconter l'histoire de Don Juan à Gusman, et faisant de lui son témoin jusqu'au dénouement. Mais, soumis à son maître, partagé entre la haine et la fascination, il est aussi acteur du drame.

Le dialogue entre un héros et son confident constitue presque toujours, chez Racine, la scène d'exposition. Pour la rendre plus vivante, il donne au spectateur l'impression qu'il surprend une conversation déjà entamée lorsque le rideau se lève. Dans trois pièces, *Andromaque, Iphigénie* et *Athalie,* il place dans la bouche de son héros un « oui » inaugural, conférant à la première tirade l'aspect d'une réponse :

> Oui, puisque je retrouve un ami si fidèle,
> Ma fortune va prendre une face nouvelle,

dit Oreste à Pylade (*Andromaque,* I, I, v. 1-2).

Si Racine privilégie un tel début, Corneille et Molière varient les formes de l'exposition.

● *Le monologue du personnage principal.* Dans *Cinna,* Corneille, mettant seule en scène son héroïne à l'ouverture de la pièce, la désigne comme le personnage sur qui repose l'action dramatique. Émilie expose son dilemme : il est de son devoir de venger son père qu'Auguste a tué jadis. Cinna, à qui elle a confié la réalisation de son dessein, a fomenté une conjuration contre Auguste. Si le coup de force échoue, il sera mis à mort. Émilie est partagée entre sa haine pour Auguste et son amour pour Cinna. Après un temps de délibération, elle se résout à exposer Cinna, décision qui régit toute l'action à venir :

> Amour, sers mon devoir et ne le combats plus.

(I, I, v. 48)

● *Le dialogue entre deux personnages principaux.* Corneille utilise ce type d'exposition, plus rare, dans *Nicomède.* Le héros vient d'arriver à la cour de son père, le roi de Bithynie, où tout conspire contre lui, car Attale, son demi-frère, veut l'évincer du trône. Laodice, la reine d'Arménie, heureuse de revoir son amant, lui fait part de ses inquiétudes à l'idée de tous les périls qui le guettent. D'emblée, le drame politique et l'amour sont liés.

● *Le dialogue entre deux personnages secondaires.* Dans un tel type d'exposition, l'auteur choisit d'éclairer aussitôt le spectateur sur le sujet de la pièce et de différer les réactions de ses héros face au conflit qu'ils vont affronter. *Rodogune* commence par l'entretien de deux confidents qui débattent de la situation politique. Cléopâtre, reine de Syrie, va révéler qui est l'aîné de ses jumeaux, Antiochus et Séleucus. C'est lui qui aura le trône et qui épousera Rodogune, princesse parthe, qu'elle a poursuivie jusqu'alors de sa haine. C'est seulement dans les deux scènes suivantes, qui continuent l'exposition, que Corneille nous montre le déchirement des deux frères, très attachés l'un à l'autre, prêts à renoncer aisément au trône, plus difficilement à Rodogune dont ils sont également épris.

Le Bourgeois Gentilhomme s'ouvre sur une conversation entre le Maître de musique et le Maître de danse, réunis dans le salon de Monsieur Jourdain. Ils s'entretiennent de la folie de leur client, de ces « visions de noblesse et de galanterie qu'il est allé se mettre en tête », dont ils se réjouissent, car ils ont trouvé en lui, comme le dira plus tard sa femme, « une bonne vache à lait ». C'est là, pour Molière, le moyen de préparer l'arrivée de son personnage.

Le nœud

Tout l'art du théâtre classique est de nouer une intrigue, d'imbriquer de façon non arbitraire les obstacles qui s'opposent aux désirs des héros. C'est le Classicisme qui a conféré à l'action tragique un caractère dramatique. On ne peut mesurer l'importance de cet apport essentiel que si l'on confronte la tragédie classique à *la tragédie humaniste, essentiellement lyrique.* Lorsque Jodelle (1532-1573) donne, en 1552, sa *Cléopâtre captive,* saluée avec enthousiasme par la Pléiade comme la première tragédie française, il fait entendre les longs regrets du spectre d'Antoine, mort à cause de sa passion pour la reine, les plaintes de son héroïne qui pressent sa mort, mais il ne montre pas une Cléopâtre luttant pour échapper aux malheurs qui la menacent. Le cinquième acte, véritable thrène funèbre, est entièrement consacré au récit de la mort de la reine. Robert Garnier (1545-1590) et Antoine de Montchrestien (1575-1621), ses successeurs, procèdent de même. Dans *Les Juives* (1583), Garnier brosse, comme une immense fresque, l'histoire du peuple hébreu à travers les lamentations de personnages qui pleurent ses malheurs. On a voulu rapprocher cette pièce d'*Esther* et d'*Athalie,* sous prétexte que Racine y traite un sujet semblable et utilise les chœurs. C'est méconnaître le dynamisme des deux tragédies raciniennes, tout à fait absent de l'univers statique de Garnier. Dans *La Reine d'Écosse* (1601), Montchrestien fait entonner à Marie Stuart de pathétiques adieux à la vie. *Dans la tragédie humaniste, l'événement pathétique est chanté comme dans le poème tragique.* Le XVIe siècle, c'est celui des *Tragiques* de d'Aubigné plus que de la tragédie. Dans les pièces qu'a produites la Renaissance, il n'y a pas de véritable action tragique. Leur construction n'est autre que la mise en écho de plaintes alternées. Aussi les chœurs, aptes à exprimer les lamentations, y occupent-ils une place de choix. Le Classicisme, découvrant les potentialités dramatiques de l'action tragique, supprime ce témoin, obstacle, dans son inertie même, à la progression de l'action.

L'action classique est dite « complexe » ou « simple » selon que le changement de fortune du héros se produit avec ou sans péripétie. *La péripétie est un événement extérieur inattendu qui crée un effet de surprise et bouleverse les héros, modifiant leur situation et les amenant à prendre des décisions.* Aristote, qui concevait une péripétie unique, la plaçait au dénouement. Les dramaturges classiques, enchaînant plusieurs péripéties, les situent au cours du nœud, réservant la dernière pour le dénouement. La péripétie, dans la tragédie, est bien souvent génératrice de dilemme. *On parle de dilemme lorsque le héros, confronté à deux exigences inconciliables, ne sait comment choisir.*

● *La tragédie politique.* L'action est complexe dans la tragédie cornélienne, où le politique occupe une place de premier plan. Du *Cid* à *Polyeucte,* se forge un ordre héroïque dans lequel le destin du héros et celui de l'État se confondent. Rodrigue met sa vaillance au service du roi. Son mérite, qui lui confère la fonction de « soutien de Castille », garantit le pouvoir royal. Une éthique de la raison d'État se dessine, qui triomphe dans *Horace,* où le roi Tulle demande au héros, qui a tout sacrifié : « Vis pour servir l'État. » Dès *Cinna,* une dégradation de cet idéal transparaît, puisque le conspirateur, qui met en péril l'État, est un rebelle dépourvu d'héroïsme. Avec Polyeucte, le héros et l'État ne sont plus dans le même camp. *La Mort de Pompée* introduit une rupture dans l'œuvre de Corneille, comme le montre Michel Prigent. La politique, corrompue, devient machiavélisme. La mort du héros est décidée, dès la première scène, en conseil des ministres. *Suréna,* pièce écrite quarante ans après *Le Cid,* présente du héros, persécuté par la famille royale, une image inversée par rapport à celle de Rodrigue. Suréna, sujet fidèle, a sauvé le trône du roi des Parthes, Orode, en défaisant l'armée romaine. Loin de se louer de sa valeur, comme le roi Don Fernand de celle de Rodrigue, Orode se défie de lui et voudrait, pour ne plus avoir à redouter son influence, lui faire épouser sa fille, mais Suréna refuse, car il aime ailleurs. Il sera traîtreusement assassiné par des archers au service du roi.

> Ou faites-le périr, ou faites-en un gendre,

conseille son lieutenant à Orode (III, I, v. 730). On est passé d'une complémentarité entre le héros et l'État à une incompatibilité. « Du *Cid* à *Polyeucte,* écrit Michel Prigent, le héros construit l'État et s'égale ainsi à son destin ; de *La Mort de Pompée* à *Pertharite,* le héros subit l'État et les exigences de la raison d'État ; d'*Œdipe* à *Suréna,* le héros succombe sous les coups de la raison d'intérêt, de la déraison d'État, de la passion d'État. La politique est tragique car loin d'être une nécessité rationnelle, elle est une fatalité passionnelle. La politique est une passion tragique » (*Le Héros et l'État dans la tragédie de Pierre Corneille,* PUF, 1986). Cette haute « vertu » (le terme est à prendre au sens latin de *virtus*) des héros cornéliens est l'héritage de la morale chevaleresque. Les sentiments, les comportements de la vie féodale se sont maintenus vivants bien longtemps après la décadence de la féodalité. Les héros, dans un narcissisme profond, préfèrent les satisfactions de leur « gloire » à celle de leurs autres désirs. La clémence d'Auguste est due à un sursaut de gloire qui fait taire le désir de vengeance. L'affrontement entre Polyeucte et Sévère, qui, tous deux amoureux de Pauline, rivalisent de générosité, enchanta, comme jadis le tournoi, les spectateurs de l'époque, épris de sublime. Nicole, dans son *Traité de la comédie,* s'attaque à Corneille, dont les idéaux vont à l'encontre de la morale chrétienne. « Toutes les pièces de Monsieur de Corneille, qui est sans doute le plus honnête homme de tous les poètes de théâtre, ne sont que vives représentations de passions d'orgueil, d'ambition, de jalousie, de vengeance et principalement de cette vertu romaine, qui n'est autre chose qu'un furieux amour de soi-même. » L'amour qu'éprouvent les héros, hérité de la courtoisie, naît de l'estime réciproque, même s'il porte la marque impulsive de la passion, de ce « je ne sais quoi qu'on ne peut expliquer » dont parle Rodogune. Les femmes ont bien souvent épousé, elles aussi, les idéaux chevaleresques. Aussi la gloire et l'amour n'entrent-il pas vraiment en conflit. L'intrigue amoureuse est subordonnée au conflit politique. Rodrigue n'hésite pas longtemps entre son honneur et son amour. Lorsque le héros s'est engagé sur une voie, il ne regrette jamais son choix. Sûrs d'eux-mêmes, Polyeucte et Rodrigue clament, triomphants :

> Je le ferais encore si j'avais à le faire.

Le dilemme cornélien est douloureux, mais pas insoluble. Dernier mode d'expression des idéaux chevaleresques, il revêt la forme de celui que posait le romancier Chrétien de Troyes au XIIᵉ siècle : comment le chevalier peut-il concilier prouesse et amour ? S'il devient « récréant » comme Érec, dans *Érec et Énide,* abandonnant la voie de la gloire, il ne mérite plus sa dame. Mais s'il multiplie les exploits comme Yvain, le héros du *Chevalier au lion,* il la délaisse. Les solutions données par Chrétien de Troyes laissaient entendre que l'équilibre entre ces deux termes difficilement compatibles est toujours précaire ; Corneille, lui, insiste sur la souffrance qui résulte de leur antagonisme.

● *La tragédie de la passion.* L'action simple convient mieux à Racine qui subordonne le drame politique à l'amour et qui situe l'action au niveau du cœur. Il souligne lui-même la simplicité de l'action de *Bérénice :* « Toute l'invention consiste à faire quelque chose de rien [...] et tout ce grand nombre d'incidents a toujours été le refuge des poètes qui ne sentaient dans leur génie ni assez d'abondance ni assez de force pour attacher durant cinq actes leurs spectateurs par une action simple, soutenue de la violence des passions, de la beauté des sentiments et de l'élégance de l'expression. » Le goût de ce contemporain de Mme de La Fayette pour la simplicité de l'action naît du fait qu'il éprouve, comme elle, le sentiment que l'amour est une aventure intérieure. L'action de *La Princesse de Clèves,* écrite un an après *Phèdre,* repose, comme celle de *Bérénice,* uniquement sur le heurt des désirs des personnages.

Les héros raciniens sont conscients que la passion, cette « fureur » dont parle Phèdre, les a arrachés à eux-mêmes. C'est une force qui les dépasse et les aliène. Même Hippolyte, rebelle à l'amour, n'a pu lutter contre l'invasion de la passion. La tendresse, héritée de l'amour courtois, et que perpétue la préciosité, n'a plus de place ici. Racine a appris, avec les jansénistes, qu'il n'est pas de passion noble et que l'homme, corrompu, ne peut accéder à la sublimation. « Pyrrhus n'avait pas lu nos romans », dit-il, dans la préface d'*Andromaque,* comme pour excuser la violence de son personnage. Racine, comme les tragiques grecs, fait de la *fatalité* une force dramatique, mais il l'intériorise. Tandis que dans la tragédie antique les dieux président au destin de l'homme, qui ne peut rien contre cette force aveugle et extérieure à lui, Racine met en scène un héros impuissant contre la passion qui l'habite. Ce janséniste sait bien que l'homme touché par la passion est irrémédiablement perdu, qu'elle ne laisse de répit à ses victimes que funeste. Par suite, *l'action tragique, chez Racine, c'est l'aveu.* Aussi, dans *Andromaque,* suffit-il de la péripétie inaugurale, l'arrivée d'Oreste en Épire, pour que le jeu des passions antagonistes se mette en branle. Chacun des quatre personnages, dans le dilemme auquel il est confronté, prend une décision sur laquelle il revient peu après. Chaque choix modifie immédiatement le sort des trois autres. Comme le dit Jacques Scherer (*Racine et/ou la cérémonie,* PUF, 1982), « *Andromaque* est la tragédie du dilemme par excellence, à la fois parce que la situation de tous et de chacun des personnages s'inscrit dans la figure du choix impossible et parce que les problèmes naissent tous de la rupture, opérée par l'imprudence tragique, d'un équilibre difficile et fragile mais qui n'exigeait aucune solution immédiate avant d'être rompu par les dilemmes. »

L'action de *Phèdre* repose sur deux péripéties. Au premier acte, Phèdre et Hippolyte ont révélé, sous le sceau du secret, leur amour à leur confident et s'apprêtent, l'un à partir, l'autre à mourir, afin de cacher leur passion coupable. Mais l'on vient annoncer que Thésée serait mort. Cette péripétie déclenche les aveux, car l'interdit qui pesait sur ces deux amours est levé. Phèdre déclare sa flamme à Hippolyte horrifié ; Hippolyte et Aricie se fiancent. Racine, dans sa préface, explique comment cette péripétie permet l'avènement de la situation tragique : « Le bruit de la mort de Thésée, fondé sur ce voyage fabuleux (c'est-à-dire légendaire), donne lieu à Phèdre de faire une déclaration d'amour qui devient une des principales causes de son malheur, et qu'elle n'aurait jamais osé faire tant qu'elle aurait cru que son mari était vivant. » La deuxième péripétie, le retour de Thésée au troisième acte, réintroduit le sentiment de culpabilité, avec plus de violence, puisque ce que chacun voulait taire a été dévoilé. Tout aveu, chez Racine, précipite la catastrophe. Jamais l'univers tragique n'a confondu à ce point le dire et l'agir.

● *L'intrigue farcesque.* Si le conflit politique est quasi absent chez Molière, la passion amoureuse est là, comme dans la tragédie, avec toute sa force, mais elle est le fait de personnages ridicules, qui nous font rire même dans leur souffrance. Molière, lui, situe le drame au sein des relations familiales, et tout particulièrement dans le conflit des générations. *Le schéma le plus utilisé par Molière est celui du contretemps,* obstacle à l'état pur, qui empêche la réalisation d'un désir. *L'Étourdi,* dès 1655, offre le spectacle d'une série de dix contretemps, survenus par la faute de Lélie. Mais cette étourderie, qui ne prête pas à l'étude d'un trait de caractère, n'est encore, pour Molière, que le moyen de faire rebondir l'intrigue, d'enchaîner des gags comiques. En 1661, dans sa première comédie-ballet, *Les Fâcheux,* composée à la hâte, Molière reprend une technique semblable, sur laquelle il s'explique ainsi dans l'avertissement : « Pour lier promptement toutes ces choses ensemble, je me servis du premier nœud que je pus trouver. » Éraste est pressé de rejoindre sa belle, mais le hasard des rencontres, sous les arbres de la promenade, l'en empêche. Il est arrêté successivement par une dizaine de « fâcheux ». *Le Misanthrope* sera construit partiellement selon ce modèle. Alceste ne peut obtenir un tête-à-tête avec Célimène, car toujours survient un nouveau « fâcheux ». Mais l'obstacle sert ici de révélateur, soulignant la complexité de sa misanthropie. Molière introduit en outre, dans ce schéma élémentaire, une progression dramatique : malgré la série d'obstacles, Alceste approche lentement de la vérité.

Avec le schéma du mariage contrarié, Molière complexifie l'obstacle et, l'intériorisant, le rend quasi insurmontable. Il le situe au niveau du caractère de ses personnages. Il exploite deux types de situation : un barbon — le Sganarelle de *L'École des maris,* l'Arnolphe de *L'École des femmes* — veut épouser une jeune fille qui découvre l'amour ailleurs. L'action naît du heurt de ces deux désirs contraires. L'amour dévorant de ces hommes mûrs, qui ont tenu lieu de père à la jeune fille qu'ils convoitent, a une dimension incestueuse. Ils ont séquestré jalousement leur pupille dès l'enfance. Comme le barbon a le pouvoir au début de la pièce, son triomphe semble indubitable, mais, au moment même où il va rejoindre l'objet de son désir, il en est dépossédé et s'écroule, anéanti. Il est alors facile au galant, qui a la jeunesse pour lui, de gagner la partie.

> Horace avec deux mots en ferait plus que vous,

dit Agnès à Arnolphe avec une cruelle ingénuité (V, v, v. 1606). Dans la deuxième situation qu'exploite Molière, un père, monstrueux d'égoïsme, veut à toute force que l'un de ses enfants épouse celui qui pourra satisfaire sa folie. Peu lui importe de briser le cœur de ce fils ou de cette fille qui aiment passionnément ailleurs. Argan, dans sa peur panique de la mort, rêve d'avoir pour gendre un médecin qui l'assistera journellement. Toinette lui fait remarquer la folie de sa conduite :

> Votre fille doit épouser un mari pour elle ; et n'étant point malade, il n'est pas nécessaire de lui donner un médecin.
> ARGAN. — C'est pour moi que je lui donne ce médecin ; et une fille de bon naturel doit être ravie d'épouser ce qui est utile à la santé de son père.

> (I, V)

Comme il est impossible d'aller contre la volonté d'un père, le seul moyen de dénouer une situation bloquée est de biaiser. Molière confie ce rôle à un valet ou à une servante, ami(e) fidèle des jeunes gens, qui se fait l'auxiliaire de l'amour et qui organise la contre-attaque. *Un bon tour est alors joué* à ce père despotique et borné, qui ne s'apercevra qu'à la fin qu'il a été dupé. *Molière retrouve ainsi l'intrigue farcesque.*

Avec *L'Avare,* Molière mêle les possibilités de ces deux types d'intrigue, ce qui rend Harpagon particulièrement redoutable. Il veut imposer à ses enfants un riche parti, sans prendre en considération leurs inclinations amoureuses. Lui-même, à « soixante ans bien comptés », se prépare à épouser une jeune fille. L'aspect rebutant de cette union charnelle est sans cesse souligné. Harpagon questionne avec inquiétude Frosine, l'entremetteuse, sur son physique. Marianne, lors de sa première entrevue avec Harpagon, parvient mal à dissimuler son dégoût : « Ah Frosine, quelle figure ! » (III, ɪv). Découvrant sans honte qu'il est le rival de son fils, Harpagon est prêt à briser impitoyablement les visées de celui-ci.

Molière a souvent recours à une péripétie pour faire avancer une situation bloquée au départ. Lui qui utilise à la fois les procédés de la farce et de la haute comédie, il oscille entre deux attitudes ; il use de l'effet comique de la péripétie pour créer des gags ; il s'en sert aussi comme d'un révélateur, puisqu'elle fait surgir le caractère profond du personnage.

Le dénouement

● *Ses exigences.* Le dénouement doit avoir lieu au cours du dernier acte, comme le rappelle Corneille dans son *Premier Discours,* et *renseigner le spectateur sur le sort de chacun des personnages,* sans quoi la pièce présenterait un caractère inachevé. « La tragédie étant l'imitation d'une action complète où plusieurs personnages concourent, cette action n'est point finie que l'on ne sache en quelle situation elle laisse ces mêmes personnes », écrit lui aussi Racine dans la préface de *Britannicus.* Cette nécessité risque de ralentir le rythme final. Situant à la quatrième scène du dernier acte la mort de Britannicus, Racine doit encore, en quatre scènes, régler le sort de Burrhus, d'Agrippine, de Junie, de Narcisse et de Néron. C'est d'ailleurs pour répondre à ses détracteurs, qui lui ont reproché la lenteur de son dernier acte, que Racine rappelle cet impératif. Corneille opte pour une autre solution dans *Le Cid,* où le dénouement ne résout pas entièrement le conflit. La pièce se clôt sur ces paroles d'espoir que Don Fernand adresse à Rogrique :

> Laisse faire le temps, ta vaillance et ton roi
>
> (v. 1840)

Mais le mariage entre Rodrigue et Chimène demeure hypothétique. « Pour ne pas contredire l'histoire (qui narre le mariage de Rodrigue et de Chimène), écrit Corneille dans l'examen, j'ai cru ne me pouvoir dispenser d'en jeter quelque idée, mais *avec incertitude de l'effet.* »

Le dénouement, selon Aristote, *doit résulter de l'action même et non d'une intervention divine.* Horace, à son tour, dans son *Art poétique,* souligne le caractère arbitraire et invraisemblable de l'intervention d'un *deus ex machina* : « Qu'un dieu n'intervienne pas, écrit-il, à moins qu'il ne se présente un nœud digne d'un pareil libérateur. » C'est une règle que Corneille reprendra, mais à laquelle il ne s'est pas plié d'emblée, puisque sa première tragédie, *Médée,* se clôt par l'envol de l'héroïne, emportée sur son char traîné par un dragon. Cette utilisation du merveilleux témoigne de l'influence du baroque sur le jeune Corneille. Molière, quant à lui, exploite avec génie l'aspect inquiétant de ce type d'intervention surnaturelle dans *Dom Juan,* où la statue du Commandeur vient chercher le héros qui, foudroyé, est englouti dans l'abîme.

Racine explique, dans sa préface d'*Iphigénie,* qu'il s'est écarté d'Euripide, dans sa conception du dénouement, par souci de vraisemblance. Dans *Iphigénie à Aulis* d'Euripide, comme plus tard dans *Les Métamorphoses* d'Ovide, Diane, prise de pitié, enlève Iphigénie pour la soustraire au sacrifice et fait immoler à sa place une biche ou une autre victime de cette nature : « Quelle apparence, écrit Racine, de dénouer une tragédie par le secours d'une déesse et d'une machine (c'est-à-dire d'un artifice scénique) et par une métamorphose, qui pouvait bien trouver quelque créance du temps d'Euripide, mais qui serait trop absurde et trop incroyable parmi nous ? » Racine a préféré adopter une inter-prétation plus crédible de la légende, celle de Pausanias, dans *Les Corinthiaques,* faire périr « Un autre sang d'Hélène, une autre Iphigénie » (V. VI, v. 1749).

Un tel final convient mieux à Racine, car « ainsi, explique-t-il, le dénoue-ment de la pièce est tiré du fond même de la pièce ».

● *Péripétie et/ou reconnaissance.* La *catastrophe,* c'est-à-dire, selon Littré, « le dernier et principal événement » d'une pièce de théâtre (tragédie ou drame), *doit être située le plus loin possible vers la fin.* Elle peut prendre la forme d'une ultime péripétie ou d'une reconnaissance, les deux sources essentielles du plaisir pour le spectateur, selon Aristote.

Il est rare que le dénouement nécessite plusieurs péripéties. Toutefois, dans *Mithridate,* toutes les scènes du dernier acte, sauf la dernière, en contiennent une, procédé tout à fait inhabituel chez Racine.

La reconnaissance, qu'Aristote définit comme « un passage de l'ignorance à la connaissance, amenant un passage ou bien de la haine à l'amitié ou bien de l'amitié à la haine chez les personnages destinés au bonheur et au malheur », est un des modes du dénouement. Parmi les cinq espèces de reconnaissance qu'il répertorie, deux lui apparaissent particulièrement artificielles : *la reconnaissance qui s'opère au moyen de signes* (ce n'est pas un procédé spécifiquement dramatique, il le souligne lui-même, citant l'exemple d'Ulysse dans *L'Odyssée,* qui est reconnu par sa nourrice grâce à une cicatrice) ou bien *celle, « arrangée par le poète », où un personnage révèle son identité.* La reconnaissance peut s'effectuer aussi par *le souvenir. Lorsqu'elle découle d'un raisonnement, sa forme dérive de celle du syllogisme,* comme dans *Les Choéphores* d'Eschyle, où Électre se dit : « Il est venu quelqu'un qui me ressemble. Or personne ne me ressemble qu'Oreste. C'est donc lui qui est venu. » *La reconnaissance dérive des faits eux-mêmes lorsque « la surprise a lieu au moyen d'événements vraisemblables »,* comme dans l'*Œdipe* de Sophocle, ou dans l'*Iphigénie* de Racine. Aristote privilégie ces deux derniers types de reconnaissance, jugeant les autres non motivés, et pense que la reconnaissance dont l'effet sera le plus efficace sur le spectateur est celle qui est accompagnée d'une péripétie, car, alors, elle « suscitera la pitié ou la crainte ». De ce fait, ces deux modes de reconnaissance conviennent parfaitement à la tragédie, mais ne répondent pas au but de la comédie, qui bannit l'émotion. C'est pourquoi, tandis que les auteurs tragiques essaient de motiver la catastrophe, Molière, lui, exploite les deux premiers types de reconnaissance, qui soulignent l'artifice de ses dénouements et rappellent au spectateur le caractère ludique de la comédie. Il termine *L'École des femmes* par une scène de reconnaissance rondement menée. Enrique revient de la lointaine Amérique, où le sort l'a retenu pendant des années. Avant de quitter la France, il avait épousé en secret la sœur de Chrysalde, un ami d'Arnolphe, dont il avait eu une fille. L'enfant fut confiée à des paysans, sous un faux nom, afin que nul ne sache rien de cette union. Il arrive à point nommé, puisqu'il a l'intention de marier sa fille au fils de son ami Oronte, Horace. Agnès échappe, *in extremis,* à Arnolphe. La sagesse des pères, pour une fois, fait le bonheur des amoureux. Horace, tout à sa joie, s'écrie :

> Ah ! mon père
> Vous saurez pleinement ce surprenant mystère.
> *Le hasard* en ces lieux avait exécuté
> Ce que votre sagesse avait prémédité.

> (V. 1764-1767)

Pour préparer ce dénouement inattendu, Molière a évoqué, au premier acte, le retour d'Enrique, au cours d'une conversation où Horace fait part à Arnolphe d'une lettre qu'il vient de recevoir de son père, mais ensuite il n'est plus question de ce mystérieux personnage. Molière ne s'appesantit pas sur la reconnaissance elle-même, qui n'est qu'un moyen de conclure vite. Un seul vers suffit à exprimer l'émotion d'Enrique :

> Ah ! ma fille, je cède à des transports si doux.
>
> (V, IX, v. 1775)

Quant à Agnès, elle demeure silencieuse. Ce n'est sans doute pas le bonheur de retrouver un père dont elle ne soupçonnait même pas l'existence qui lui coupe la parole, mais c'est le mélange d'une angoisse pas encore tout à fait évacuée, à l'idée qu'elle a failli être la femme d'Arnolphe, et de la joie qu'elle éprouve à épouser Horace. On ne lui donne d'ailleurs pas le temps de parler. La pièce se termine sur ces mots de Chrysalde, qui presse les choses :

> Allons dans la maison débrouiller *ces mystères,*
> [...]
> Et rendre grâce au Ciel, qui fait tout pour le mieux.
>
> (V. 1177, 1179)

Dans *L'Avare,* où le dénouement est encore plus rocambolesque, Molière mêle les deux types de reconnaissance définis par Aristote. Valère, gentilhomme napolitain, s'est introduit dans la maison d'Harpagon en qualité d'intendant, pour pouvoir s'entretenir à loisir avec Élise, dont il est épris. Comme Harpagon, en voulant la marier au riche seigneur Anselme, contrecarre ses projets, il révèle son identité. Il se prétend le fils de Don Thomas d'Alburcy. On va découvrir, à la stupéfaction générale, qu'il n'est autre que le fils d'Anselme et le frère de Marianne. Molière souligne, à maintes reprises, le caractère extravagant de cette scène de reconnaissance. Comme Anselme prétend que Don Thomas d'Alburcy aurait péri jadis avec femme et enfant, Valère raconte alors sa vie romanesque. « Mais apprenez, pour vous confondre, vous, dit-il à Anselme, que son fils, âgé de sept ans, avec un domestique, fut sauvé de ce naufrage par un vaisseau espagnol, et que ce fils sauvé est celui qui vous parle. » Anselme, quoique ébranlé, a besoin de preuves. Valère les lui fournit, en évoquant « un *cachet de rubis* qui était à son père, un *bracelet d'agate* que sa mère (lui) avait mis au bras, le vieux Pedro qui se sauva avec (lui) du naufrage ». A ces mots, Marianne, bouleversée, reconnaît son frère qu'elle croyait mort, et fait elle aussi le récit de ses infortunes depuis le terrible naufrage qui sépara toute la famille. Anselme a écouté avec une émotion contenue ces deux récits. Violemment ému de retrouver tous les siens le même jour, il raconte à son tour son histoire et révèle qui il est. Molière suggère ironiquement que cette cascade de reconnaissances est tout aussi invraisemblable que l'intervention d'un *deus ex machina :* « Oh Ciel, s'écrie Anselme, quels sont les traits de ta puissance ! et que tu fais bien voir qu'il n'appartient qu'à toi de faire des miracles ! »

> ... et nous savons du reste
> Que ce grand maladroit, qui fit un jour Alceste,
> Ignora le bel art de chatouiller l'esprit
> Et de servir à point un dénouement bien cuit.

Cette remarque que note Musset dans *Une soirée perdue,* poème écrit en 1837, au sortir d'une représentation du *Misanthrope,* n'entame en rien son admiration pour celui qu'il considère comme « notre maître à tous », tant il saisit « l'âpre vérité » de la nature humaine.

Si Molière ne se soucie pas de la vraisemblance de ses dénouements, en revanche il n'introduit jamais d'élément qui viendrait entamer la cohérence de ses personnages. Le revirement de Don Juan, qui, au cinquième acte, simule la dévotion et revêt le masque de l'hypocrisie, « ce vice à la mode », s'inscrit dans la logique du personnage. Molière laisse prévoir cette transformation intérieure dès l'exposition, où Don Juan, pour se débarrasser d'Elvire qui lui demande raison de sa fuite, allègue qu'il a craint le courroux céleste et prend momentanément le langage de la dévotion.

● *Fin heureuse ou funeste ?* Le dénouement traditionnel de la comédie est le « happy end ». Shakespeare souligne ironiquement que sa comédie *Peines d'amour perdues* ne se conforme pas aux lois du genre, puisque, lorsque la pièce se termine, les mariages des quatres couples sont ajournés. La maison de France est en deuil, aussi la Princesse doit-elle différer d'un an son mariage et celui de ses trois demoiselles de compagnie. Les jeunes filles profitent de cette circonstance malheureuse pour mettre à l'épreuve l'amour de leurs prétendants. Voici ce que dit l'un d'eux :

> BIRON. — Nos amours ne finissent pas comme dans les pièces d'autrefois. Jean n'a pas sa Jeanneton ; la courtoisie de ces dames aurait bien pu terminer notre jeu en comédie.
> LE ROI. — Allons, Monsieur ; *encore un an et un jour et le dénouement viendra.*
> BIRON. — *C'est trop long pour une pièce.*

Toutes les pièces de Molière, sauf *Dom Juan,* se terminent dans la gaieté, le mariage du jeune couple étant enfin assuré.

L'issue de la tragédie est variable : elle peut être heureuse ou funeste. Au début du XVIIe siècle, le terme de tragédie est réservé aux pièces qui se terminent dans le malheur. Les dénouements heureux ne peuvent avoir place que dans la tragi-comédie (genre créé par Robert Garnier, en 1582, avec sa *Bradamante*), où tout finit bien, quoique les personnages aient frôlé le malheur. C'est pourquoi, en 1636, Corneille fit du *Cid* une tragi-comédie, appellation sur laquelle il revint plus tard. D'Aubignac s'est insurgé, à juste titre, contre cette distinction non pertinente, dont l'époque classique ne tiendra plus compte : « Or, à distinguer les tragédies par la catastrophe, il y en avait de deux espèces : les unes étaient funestes dans ce dernier événement et finissaient par quelque malheur sanglant et signalé du héros ; les autres avaient le retour plus heureux, et se terminaient par le contentement des principaux personnages. Et néanmoins, parce que les tragédies ont eu souvent des catastrophes infortunées [...], plusieurs se sont imaginé que le mot de tragique ne signifiait jamais qu'une aventure funeste et sanglante ; et qu'un poème dramatique ne pouvait être nommé tragédie si la catastrophe ne contenait la mort ou l'infortune des principaux personnages : mais c'est à tort, étant certain que ce terme ne veut rien dire, sinon une chose magnifique, sérieuse, grave et convenable aux agitations et aux grands revers de la fortune des princes ; et qu'une pièce de théâtre porte ce nom de tragédie seulement en considération des incidents et des personnes dont elle représente la vie, et non pas à raison de la catastrophe » (*La Pratique du théâtre* [1657], livre II, ch.x, Genève, Slatkine, 1971).

Cinna, qui s'achève sur la réconciliation entre Auguste et les conjurés, et sur la promesse de mariage entre Cinna et Émilie, est la première *tragédie à fin heureuse.* Corneille continuera dans cette voie avec *Rodogune, Héraclius, Pertharite* et *Attila,* qui présentent une même solution finale : la mort du traître ou du tyran permet le bonheur des autres personnages. Ce n'est donc pas l'aspect heureux ou malheureux du dénouement qui permet de distinguer comédie et tragédie, mais son invraisemblance ou sa vraisemblance.

La vraisemblance

Le respect de la vraisemblance, dicté par le désir de rendre crédible ce qui a lieu sur la scène, n'a pas cessé de hanter le XVIIᵉ siècle. Corneille, pourtant, met en doute l'efficacité scénique de la vraisemblance. Il admet qu'elle puisse convenir à la comédie, qui met en scène des personnages appartenant à l'humanité moyenne, mais non à la tragédie, peuplée d'êtres hors du commun. Ses héros soulignent eux-mêmes, avec fierté, l'aspect extraordinaire de leur destin. Schlegel, le premier, fera remarquer, dans son *Cours de littérature dramatique,* en 1809, l'invraisemblance sur laquelle repose l'intrigue d'*Horace :* comment deux villes ont-elles pu confier leur destin à des champions unis si profondément par des liens familiaux et affectifs ?

● *Les certitudes de l'histoire.* Ce désir de mettre en scène des êtres d'exception, tout en se défendant contre le reproche d'invraisemblance qui lui a été souvent adressé par les doctes comme par les partisans de Racine, explique, chez Corneille, le traitement de l'histoire. Pour ce brillant élève des jésuites, nourri de culture latine, l'histoire romaine offre un réservoir inépuisable de figures héroïques et de grands événements. Elle est en outre le garant de la vraisemblance. S'appuyant sur Aristote, qui laisse au dramaturge le choix de baser le sujet sur la vérité historique, sur l'opinion commune sur laquelle la « fable » est fondée, ou sur la vraisemblance, Corneille pense que *l'auteur dramatique peut embellir l'histoire,* présentant les actions comme elles se sont passées ou comme elles ont pu ou dû se passer, « selon le vraisemblable ou le nécessaire ». Si les actions qui composent la tragédie sont fidèles à l'histoire, d'après Corneille, elles sont vraies ; si elles lui ajoutent certains éléments, elles apparaîtront vraisemblables ; si elles la falsifient, elles doivent être « nécessaires », c'est-à-dire motivées.

● *Les beautés de la mythologie.* Racine, lui aussi, est bien conscient que la tragédie tire parfois sa grandeur d'événements peu vraisemblables. Il essaie, avec maladresse, dans la préface de *Phèdre,* de rendre crédibles les exploits légendaires de Thésée : « J'ai même suivi l'histoire de Thésée, telle qu'elle est dans Plutarque. C'est dans cet historien que j'ai trouvé que ce qui avait donné

POLÉMIQUES SUR LA VRAISEMBLANCE

● *Vrai/vraisemblable.* Peu importe, affirment certains, que l'action dramatique soit ou non véridique, pourvu qu'elle soit *crédible.* « Le récit exact de ce qui est arrivé n'est pas l'affaire du poète, disait déjà Aristote, mais lui appartient ce qui aurait pu arriver, *le possible selon la vraisemblance ou la nécessité.* »

D'Aubignac reprend presque textuellement l'idée d'Aristote : « C'est une maxime générale que *le vrai* n'est pas le sujet du théâtre, parce qu'il y a bien des choses véritables qui n'y doivent pas être vues, et beaucoup qui n'y peuvent pas être représentées [...]. Entre toutes les histoires dont le poète voudra tirer son sujet, il n'y en a pas une, au moins je ne crois pas qu'il y en ait, dont toutes les circonstances soient capables du théâtre, quoique véritables, et que l'on y puisse faire entrer, sans altérer l'ordre des succès, le temps, les lieux, les personnes, et beaucoup d'autres particularités.

« *Le possible* n'en sera pas aussi le sujet, car il y a bien des choses qui se peuvent faire, ou par la rencontre des causes naturelles, ou par les aventures de la morale, qui pourtant seraient ridicules et peu croyables si elles étaient représentées. [...] Il est possible qu'un homme meure d'un coup de tonnerre, mais ce serait une mauvaise invention au poète de se défaire par là d'un amant qu'il aurait employé pour l'intrigue d'une comédie.

« Il n'y a donc que *le vraisemblable* qui puisse raisonnablement fonder, soutenir et terminer un poème dramatique. » (*La Pratique du théâtre,* Livre II, ch. II).

Tel est aussi, dans *L'Art poétique,* le point de vue de Boileau, pour qui la vraisemblance est une condition *sine qua non* du plaisir du spectateur :

> Jamais au spectateur n'offrez rien d'incroyable
> Le vrai peut quelquefois n'être pas vraisemblable.
> Une merveille absurde est pour moi sans appas :
> L'esprit n'est point ému de ce qu'il ne croit pas.

● Corneille, épris de sublime, qui recherche des situations exceptionnelles susceptibles de créer une émotion intense, rappelle, dans son *Premier Discours,* que l'action des pièces antiques est loin d'être toujours vraisemblable. Il souligne l'invraisemblance des meurtres de Médée, de Clytemnestre, d'Oreste. « *Les grands sujets* (il entend par là les sujets antiques) *qui remuent fortement les passions,* et en opposent l'impétuosité aux lois du devoir et aux tendresses du sang, *doivent toujours aller au-delà du vraisemblable* et ne trouveraient aucune croyance parmi les auditeurs s'ils n'étaient soutenus, ou par l'autorité de l'histoire qui persuade avec empire, ou par la préoccupation de l'opinion commune qui nous donne ces mêmes auditeurs déjà tout persuadés. »

Dans l'avis « Au lecteur » dont il fait précéder *Héraclius empereur d'Orient,* il va jusqu'à prôner l'invraisemblance : « Tout ce qui entre dans le poème doit être croyable, et il l'est selon Aristote par l'un de ces trois moyens, la vérité, la vraisemblance ou l'opinion commune. J'irai plus outre, et quoique peut-être on voudra prendre cette proposition pour un paradoxe, je ne craindrai point d'avancer que *le sujet d'une belle tragédie doit n'être pas vraisemblable.* »

Le point de vue de Corneille qui souligne la fascination que peut exercer un sujet invraisemblable est particulièrement original en son temps.

occasion de croire que Thésée fût descendu dans les Enfers pour enlever Proserpine était un voyage que ce prince avait fait en Épire vers la source de l'Achéron, chez un roi dont Pirithoüs voulait enlever la femme, et qui arrêta Thésée prisonnier, après avoir fait mourir Pirithoüs. Ainsi j'ai tâché de conserver *la vraisemblance de l'histoire,* sans rien perdre des *ornements de la fable,* qui fournit extrêmement à la poésie. » Racine, qui deviendra l'historiographe du roi, consacrant les vingt dernières années de sa vie à méditer sur les événements historiques, préfère, dans la tragédie, les beautés de la mythologie aux certitudes de l'histoire. Sur ses onze tragédies, quatre seulement empruntent leur sujet à l'histoire : *Alexandre, Britannicus, Bérénice* et *Mithridate.* Lorsqu'il écrit *Britannicus,* « la pièce des connaisseurs », puis *Bérénice,* c'est pour affronter Corneille sur son propre terrain, celui de l'histoire romaine. Au reste, cela ne l'empêche pas de prendre beaucoup de liberté avec Tacite dans *Britannicus.* Les trois années d'adolescence passées à Port-Royal des Champs, où il découvre, à travers les leçons brillantes de l'helléniste Lancelot, les merveilles de la mythologie grecque, ont été déterminantes pour ses goûts esthétiques. Les tragiques grecs, dont il apprend alors les textes par cœur et dont il annote les œuvres, seront toujours ses modèles.

La durée

La durée de l'action, dans le théâtre classique, ne doit pas excéder vingt-quatre heures. Aristote inscrit l'action tragique dans ce cadre temporel, disant que la tragédie « s'efforce de s'enfermer, autant que possible, dans le temps d'une seule révolution de soleil ou de ne le dépasser que de peu ». Toutefois, l'essentiel, selon lui, c'est que la durée de l'action permette l'accomplissement du destin du héros : « Disons que l'étendue qui permet à une suite d'événements qui se succèdent suivant la vraisemblance ou la nécessité, de faire passer le héros de l'infortune au bonheur, ou du bonheur à l'infortune, constitue une limite suffisante. » C'est l'Italien Maggi, au milieu du xvie siècle, qui impose l'unité de temps, faisant du respect de cette règle une condition de la vraisemblance. « Il n'y a que le vraisemblable qui touche, dans la tragédie, écrit Racine dans la préface de *Bérénice,* et quelle vraisemblance y a-t-il qu'il arrive en un jour une multitude de choses qui pourraient à peine arriver en plusieurs semaines ? » Corneille est bien conscient, toutefois, que la règle des vingt-quatre heures n'est qu'une solution de compromis, puisque la durée de l'action et celle de la représentation ne sont pas identiques. « Le poème dramatique, écrit-il dans son *Troisième Discours,* est une imitation, ou pour mieux en parler, un portrait des actions des hommes ; et il est hors de doute que les portraits sont d'autant plus excellents qu'ils ressemblent mieux à l'original. La représentation dure deux heures, et ressemblerait parfaitement, si l'action qu'elle représente n'en demandait pas davantage pour sa réalité. » C'est pourquoi il conseille de raccourcir le plus possible la durée de l'action : « Aussi, ne nous arrêtons point, ni aux douze, ni aux vingt-quatre heures, mais *resserrons l'action du poème dans la moindre durée qu'il nous sera possible,* afin que sa représentation ressemble mieux et soit plus parfaite. » Pour tourner la difficulté, il propose de faire coïncider, pour chaque acte, les deux durées, celle de l'action et celle du spectacle, et de résoudre le problème du temps excédentaire par le temps mort de l'entracte. La durée des actions élidées, qui sont censées avoir lieu pendant l'entracte, doit être, chaque fois, d'égale longueur. « Je sais bien, écrit-il dans l'examen de *Mélite,* que la représentation raccourcit la durée de l'action, et qu'elle fait voir, en deux heures, sans sortir de la règle, ce qui souvent a besoin d'un jour entier pour s'effectuer : mais je voudrais que, pour mettre les choses dans leur justesse, ce raccourcissement se ménageât dans les intervalles des actes, et que le temps qu'il faut perdre s'y perdît, en sorte que chaque acte n'en eût, pour la partie de l'action qu'il représente, que ce qu'il en faut pour sa représentation. »

La complexité de ses intrigues amène souvent Corneille à transgresser les règles. Il lui était difficile de respecter l'unité de temps dans *Le Cid.* Le meurtre du Comte et le triomphe de Rodrigue sur les Maures se succèdent en un laps de temps très bref. La fidélité à l'unité de temps a contraint Corneille, comme il le fait remarquer dans son examen, à presser trop Chimène de demander justice au roi une seconde fois. Elle est allée le trouver la veille au soir, après la mort de son père (II, VIII). Elle n'a aucun motif d'y retourner le lendemain matin pour réclamer la mort de Rodrigue, au moment même où le roi le remercie d'avoir sauvé la Castille par sa victoire (IV, V).

Racine, lui aussi, manque de temps pour le dernier acte de *Phèdre,* où il se passe bien des événements. Hippolyte, accompagné de Théramène, fuit Trézène en char. Aricie doit le rejoindre aux portes de la ville, pour sceller leur union au temple. Mais un monstre l'attaque en chemin, contre qui il combat héroïquement. Lorsque arrive Aricie, que nous voyons s'attarder au palais pour entretenir Thésée, elle trouve Hippolyte mort et s'abandonne à sa douleur. Théramène revient en hâte pour rapporter à Thésée la triste fin de son fils. Tous ces événements ont lieu en coulisses, pendant que quelques scènes seulement nous montrent ce qui se passe au palais.

La vraisemblance interne (celle qui concerne l'action) *et la vraisemblance externe* (celle qui concerne les conditions de la représentation, à savoir l'unité de temps et l'unité de lieu) *risquent parfois d'entrer en conflit.* Corneille privilégie toujours la vraisemblance de l'action, lorsqu'il ne peut accorder les deux. Ce grand créateur sait bien que le plaisir théâtral, s'il passe au XVIIᵉ siècle par la satisfaction de la vraisemblance, met en jeu d'abord l'imagination du spectateur. C'est donc à elle qu'il s'adresse. « Surtout je voudrais *laisser cette durée à l'imagination des auditeurs* et ne déterminer jamais le temps qu'elle emporte ; si le sujet n'en avait besoin, principalement quand la vraisemblance y est un peu forcée », écrit-il dans le *Troisième Discours.*

Quant à Racine, il est rarement gêné par l'unité de temps, car il situe l'action au moment où la crise est à son paroxysme et où survient un événement qui précipite le cours des choses et les dénoue promptement. Il précise, dans la préface de *Bérénice,* qu'il a choisi un sujet « dont la durée ne doit être que de quelques heures ». Les personnages raciniens sont toujours dans une situation telle, au lever du rideau, que la catastrophe ne saurait tarder.

Nous voici, hélas, à ce jour détestable

annonce prophétiquement Jocaste au début de *La Thébaïde* (I, 1). Racine a spontanément suivi le conseil de l'abbé d'Aubignac : « Le plus bel artifice est d'ouvrir le théâtre le plus près possible de la catastrophe, afin d'employer moins de temps au négoce de la scène et d'avoir plus de liberté d'étendre les passions et les autres discours qui peuvent plaire. »

LES MODALITÉS DE LA REPRÉSENTATION

Le lieu

● *Du décor multiple au décor unique.* L'*utilisation des coulisses,* venue d'Italie, a transformé les rapports acteurs-spectateurs, permettant la naissance d'une dramaturgie nouvelle. Les acteurs, occultés pendant qu'ils ne jouent pas, n'ont d'existence que scénique. « Il n'est pas besoin, dit Corneille dans le *Troisième Discours,* qu'on sache précisément tout ce que (ils) font durant les intervalles qui séparent (les actes), ni même qu'ils agissent lorsqu'ils ne paraissent point sur le théâtre. »

Le décor en usage au début du XVIIe siècle était le *décor simultané,* constitué par trois toiles peintes, représentant trois lieux assez proches, l'une placée au fond de la scène, les deux autres sur les côtés. Des issues ménagées entre les toiles permettaient les entrées et les sorties. Ce décor *à aires de jeu convergentes,* qui offrait plus de possibilités scéniques que le décor simultané à plat du Moyen Age, était toutefois peu propice à l'illusion. Le rideau de scène, très rare au XVIIe siècle, était d'un maniement trop difficile pour qu'on le manœuvrât à chaque entracte. Aussi la scène restait-elle visible pendant tout le spectacle. Les acteurs disposaient simplement de la « tapisserie », petit rideau que l'on soulevait lorsqu'on voulait pénétrer dans une partie du décor, cachée à certains moments. Comme il n'était pas techniquement possible de changer de décor, le décor unique, qui pouvait se donner pour réel parce qu'il était construit selon les lois de la perspective picturale, apparut comme le seul susceptible de créer l'illusion. L'abandon du décor simultané transforma la dramaturgie. Corneille l'utilise encore dans *Le Cid,* mais adopte le décor unique pour *Horace.* La construction des deux pièces se ressent de cette différence. Les scènes sont liées dans *Horace,* ce qui n'est pas toujours le cas dans *Le Cid.* Si tout se passe à Séville, « le lieu particulier change de scène en scène », comme le note Corneille dans l'examen. Défilent sous les yeux du spectateur le palais du roi, l'appartement de l'infante, la maison de Chimène, une rue ou la place publique. « On détermine aisément (le lieu), pour les scènes détachées ; mais *pour celles qui ont leur liaison ensemble,* comme dans les quatre dernières du premier acte, *il est malaisé d'en choisir un qui convienne à toutes.* » La représentation de 1636, au théâtre du Marais, offrit un décor triple, présentant à la fois trois lieux au spectateur. Plus tard, le Théâtre-Français utilisera trois décors successifs. Les mises en scène contemporaines présentent des solutions diverses, selon que le but est illusionniste ou non.

● *L'espace scénique.* La règle de l'unité de lieu est une création du théâtre classique. Pour la respecter, les dramaturges ont privilégié deux décors, « le palais à volonté » et la place de ville, lieux propices à la rencontre. Mais cette contrainte est parfois source d'invraisemblance. Dans son examen de *Médée,* Corneille justifie le fait qu'il a situé l'action sur la place publique en alléguant l'exemple d'Euripide et de Sénèque, « quelque peu de vraisemblance qu'il y ait à y faire parler des rois, et à y voir Médée prendre les desseins de sa vengeance ». Corneille, conscient du problème, s'est beaucoup interrogé sur les moyens de trouver un lieu qui résolve, de façon cohérente, les problèmes d'entrée et de sortie des personnages. « Je voudrais, écrit-il dans le *Troisième Discours,* introduire des fictions de théâtre, pour établir un lieu théâtral qui ne serait ni l'appartement de Cléopâtre, ni celui de Rodogune dans la pièce qui porte ce titre, ni celui de Phocas, de Léontine, ou de Pulchérie, dans *Héraclius ;* mais une salle sur laquelle ouvrent ces divers appartements, à qui j'attribuerais deux privilèges : l'un, que chacun de ceux qui y parleraient fût présumé y parler avec le même secret que s'il était dans sa chambre ; l'autre, qu'au lieu que dans l'ordre commun il est quelquefois de la bienséance que ceux qui occupent le théâtre aillent trouver ceux qui sont dans leur cabinet pour parler à eux, ceux-ci pussent les venir trouver sur le théâtre, sans choquer cette bienséance, afin de conserver l'unité de lieu et la liaison des scènes. » C'est la solution qu'il adopte dans *Polyeucte.* L'action se passe dans une antichambre commune aux appartements de Félix et de sa fille. Ce procédé astucieux rend vraisemblables aussi bien les rencontres amoureuses entre Pauline et Polyeucte et entre Pauline et Sévère que les entrevues politiques entre Félix et Sévère.

Racine conçoit l'espace de façon analogue dans *Bérénice.* Il décrit le décor dans les didascalies et dans le dialogue, redondance inhabituelle dans le théâtre classique. « La scène est à Rome, note-t-il, dans un cabinet qui est entre l'appartement de Titus et celui de Bérénice. » Les premiers vers, à leur tour, informent le spectateur sur la configuration du lieu :

> Souvent ce cabinet superbe et solitaire
> Des secrets de Titus est le dépositaire.
> C'est ici quelquefois qu'il se cache à sa cour
> Lorsqu'il vient à la reine expliquer son amour.
> De son appartement cette porte est prochaine
> Et cette autre conduit dans celui de la reine.
>
> (I, I, v. 3-8)

L'espace scénique fonctionne ici comme le point de rencontre entre deux espaces dramaturgiques conflictuels, celui de la cour, où Titus représente Rome et où il doit agir au nom de la raison d'État, et celui de l'appartement de Bérénice. Racine inscrit sur l'espace scénique l'écartèlement de Titus, pris entre Rome, qui interdit à un empereur d'épouser une princesse étrangère, et son amour. La mise en scène doit impérativement visualiser son drame.

Molière situe l'action tantôt sur une place de ville sur laquelle donnent les maisons des principaux protagonistes, ce qui abrège les allées et venues, tantôt à l'intérieur d'une maison bourgeoise : dans le salon de Philaminte ou de Célimène, dans la chambre d'Argan, dans la grande salle de la maison d'Harpagon ou de celle d'Orgon. L'unité de lieu ne semble pas l'avoir contraint. Lorsqu'il l'enfreint, dans *Dom Juan*, c'est pour faire de l'espace un lieu symbolique où s'inscrit le caractère de son personnage. Le décor change à la fin de chacun des actes, et même au cours de l'acte III pour la visite du monument. Nous connaissons le contrat que Molière avait passé avec les peintres pour les six décors : un palais, une campagne au bord de la mer, une forêt, le tombeau du Commandeur, l'appartement de Don Juan, une autre campagne aux portes de la ville. Ces changements multiples, accentuant le rythme accéléré de la pièce, transcrivent spatialement le désir insatiable et changeant de Don Juan. L'inconstant, sans cesse poursuivi, part toujours à la recherche de nouvelles conquêtes. Seul le Ciel, cette « autre scène », présent dans le discours des personnages, peut mettre un terme à sa course frénétique : Dom Juan disparaît alors.

Toutefois, dans les farces, Molière prend quelque liberté avec l'unité de lieu. *Le Médecin malgré lui* présente trois décors successifs : une clairière dans la forêt, avec, parmi les arbres proprices à de nombreuses cachettes, la maison de Sganarelle, puis celle de Géronte, enfin son jardin, lieu ouvert où les amoureux peuvent s'entretenir, tout en échappant aux regards du père bien plus aisément que dans l'espace clos de la maison. Cette utilisation du jardin est bien différente de celle qui en est faite dans une comédie comme *L'Avare*. Ce lieu où Harpagon enterre sa cassette n'est pas représenté, car ce qui importe, c'est l'état d'Harpagon lorsqu'il découvre le vol, tandis que les jeux de cache-cache priment dans la farce.

● *L'espace dramaturgique*. Les personnages tragiques, habités par leur passion, évoluent dans l'espace sans le voir. Une seule fois, Phèdre fait allusion au palais de Thésée, lorsqu'elle a le sentiment d'y étouffer :

> Il me semble déjà que ces murs, que ces voûtes
> Vont prendre la parole, et prêts à m'accuser,
> Attendent mon époux pour le désabuser.
> (*Phèdre*, III, III, v. 854-856)

Par contre, l'espace dramaturgique occupe une place lancinante dans le dialogue racinien. Se sentant prisonniers de l'espace, les personnages évoquent le passé comme un havre où le monde, dans sa vastitude, leur était grand ouvert. La Méditerranée était, pour Thésée, le champ d'exploits toujours renouvelés. La guerre de Troie apparaît, dans *Andromaque*, comme une toile de fond, déployée tout au long de la pièce, qui illumine violemment de son incandescence les murs clos du palais de Pyrrhus.

Ces personnages désirent quitter l'espace aliénant de la scène, mais changer de lieu, chez Racine, c'est courir à la mort. Dans *Andromaque, Iphigénie, Bajazet* ou *Phèdre,* lorsque le héros fuit l'espace scénique, il rencontre la mort. Pyrrhus se fait assassiner lorsqu'il part de son palais, où se déroule toute la pièce, pour se rendre au temple où va se célébrer son mariage. Iphigénie ne doit pas quitter le camp militaire. Lorsqu'elle se dirige vers l'autel du sacrifice, espace dramaturgique dont la présence est obsédante pendant toute la pièce, c'est uniquement grâce à la péripétie finale qu'elle échappe à la mort. Quant à Roxane, qui a posté les muets à la sortie de la salle du palais, prêts à étrangler Bajazet, elle sait que « s'il sort, il est mort ». Le « Sortez ! » qu'elle lui adresse est une condamnation. Hippolyte, maudit par Thésée qui lui a enjoint d'aller par-delà les « colonnes d'Alcippe », prend le « chemin de Mycènes » pour fuir Trézène, ce lieu désormais impur à ses yeux. Croyant aller au-devant de la vie et épouser Aricie, il trouve la mort.

Les auteurs tragiques ne décrivent jamais les vêtements de leurs personnages, parce que les comédiens, au XVIIe siècle, jouent en costume d'époque. En outre, dans l'univers tragique, ces détails apparaissent superflus. C'est seulement lorsque le vêtement porte l'inscription du malheur que les personnages l'évoquent dans le dialogue. Chimène contemple avec douleur les habits de deuil qu'elle revêt depuis que Rodrigue a tué son père :

> Ces tristes vêtements, où je lis mon malheur,
> Sont les premiers effets qu'ait produits sa valeur.
>
> (*Le Cid*, IV, I, v. 1131-1132)

Phèdre, qui n'aspire qu'à mourir, voudrait se débarrasser de ses effets de reine, qui lui rappellent qu'elle est l'épouse indigne de Thésée :

> Que ces vains ornements, que ces voiles me pèsent !
>
> (*Phèdre*, I, III, v. 158)

Molière, lui, attache beaucoup d'importance au vêtement, qui offre de multiples possibilités de jeu. Il l'utilise pour accentuer le ridicule de ses personnages. Monsieur Jourdain est une figure de carnaval. Son habit neuf, que son tailleur lui a présenté comme « le plus bel habit de la cour », avec « les fleurs en enbas », déclenche l'hilarité de sa servante Nicole et les sarcasmes de Madame Jourdain : « Qu'est-ce que c'est donc, mon mari, que cet équipage-là ? Vous moquez-vous du monde, de vous être fait enharnacher de la sorte ? et avez-vous envie qu'on se raille partout de vous ? » (III, III). Le déguisement favorise de multiples ruses. C'est grâce à ce subterfuge que Toinette, déguisée en médecin, triomphe d'Argan et le soustrait momentanément à l'emprise de Monsieur Purgon.

Actes et liaisons de scènes

● **La division en cinq actes.** C'est un héritage de la pièce latine. Horace, dans son *Art poétique*, édicte en principe cette règle, inventée par les Alexandrins et introduite à Rome par Varron : « Une longueur de cinq actes, ni plus ni moins, c'est la mesure d'une pièce qui veut être réclamée et remise sur le théâtre. » La fréquence des entractes permet de résoudre les problèmes techniques que pose l'entretien de l'éclairage. Il est nécessaire de moucher les mèches des bougies toutes les demi-heures environ (ce qui correspond approximativement à la durée d'un acte dans le théâtre classique), sans quoi l'atmosphère, trop enfumée, deviendrait irrespirable. Par suite, la longueur moyenne d'une pièce est de 1 500 à 2 000 vers. Quelques puristes, d'Aubignac entre autres, dont Corneille se moque dans son *Premier Discours*, ne voulaient pas qu'une pièce dépassât 1 500 vers, soit un peu moins de deux heures de représentation, au risque

POURQUOI DES LIAISONS DE SCÈNES ?

● C'est la dramaturgie classique qui a découvert l'importance de cet agencement des scènes dont ni le Moyen Age ni l'Antiquité ne s'étaient préoccupés. Le théâtre élisabéthain, où l'acte s'éparpille en scènes qui sont en réalité des tableaux et impliquent des changements de lieux, n'était pas gêné non plus par l'absence de liaison entre les scènes. Corneille fait remarquer, dans son *Troisième Discours,* l'incohérence qui en résulte parfois : le monologue que profère Ajax, le héros de Sophocle, avant de se suicider, n'a aucune liaison avec la scène qui précède ni avec celle qui suit. Il définit, dans l'examen de *La Suivante,* trois types de liaisons de scènes :

— La *liaison de vue :* « Je tiens que c'en est une suffisante quand l'acteur qui entre sur le théâtre voit celui qui en sort, ou que celui qui sort voit celui qui entre, soit qu'il le cherche, soit qu'il le fuie, soit qu'il le voie simplement sans avoir intérêt à le chercher ni à le fuir. » ;

— La *liaison de présence :* « J'avoue que cette liaison (de vue) est beaucoup plus imparfaite que celle de présence et de discours, qui se fait lorsqu'un acteur ne sort point du théâtre sans y laisser un autre à qui il ait parlé. » Ce mode de liaison, dans lequel d'Aubignac différencie la « liaison de recherche », qu'il approuve, et la « liaison de fuite », qu'il condamne, est le plus usité dans le théâtre classique ;

— La *liaison de bruit.* Corneille en déconseille l'usage : elle « ne me semble pas supportable, s'il n'y a de très justes et de très importantes occasions qui obligent un acteur à sortir du théâtre quand il en entend. Car d'y venir simplement par curiosité, pour savoir ce que veut dire ce bruit, c'est une si faible liaison que je ne conseillerai jamais personne de s'en servir. »

● Les liaisons de scènes permettent d'éviter qu'il y ait un temps mort entre deux scènes : dans l'examen de *La Veuve,* Corneille critique sa pièce, qui pèche parce qu'« il n'y a point de liaison de scènes et par conséquent point de continuité d'action. Ainsi on pourrait dire que ces scènes détachées, qui sont placées l'une après l'autre, ne s'entre-suivent pas immédiatement, et qu'il se consume un temps notable entre la fin de l'une et le commencement de l'autre, ce qui n'arrive point quand elles sont liées ensemble, cette liaison étant cause que l'une commence nécessairement au même instant que l'autre finit. » Corneille propose *Polyeucte* comme modèle, disant qu'il n'a « point fait de pièce où l'enchaînement des scènes soit mieux ménagé ».

● La nécessité de lier les scènes est née non seulement d'un désir d'ordre, en un siècle si marqué par le cartésianisme, mais aussi des conditions de la représentation. Dans un décor unique, les motivations qui amènent tel ou tel personnage sur la scène doivent être éclaircies. De plus, comme une partie du public est installée sur le plateau et que les comédiens ne sont pas reconnaissables à leur costume, il faut que le dialogue précise qui entre et qui sort.

● C'est Diderot qui supprimera l'exigence de liaison de scènes, montrant, dans le *Discours sur la poésie dramatique,* que l'absence de liaison peut être exploitée pour créer l'émotion. Citant comme exemple Térence, qui laisse le théâtre vide jusqu'à trois fois de suite, il confie : « Ces personnages qui se succèdent et qui ne jettent qu'un mot en passant, me font imaginer un grand trouble. »

d'ennuyer le public. Chaque acte doit se terminer par une sorte de suspense, pour que l'attention du spectateur, malgré ce moment d'interruption, reste en éveil. Corneille demande qu'il « laisse en attente de quelque chose qui se doive faire dans celui qui suit ».

L'acte est lui-même divisé en scènes, ce qui n'était pas le cas au XVIᵉ siècle. D'Aubignac fixe le nombre de scènes dans un acte à pas moins de trois et pas plus de huit. Ce nombre détermine en partie le rythme de l'acte. Lorsque les scènes sont nombreuses, le rythme est enlevé, à cause de la fréquence des entrées et des sorties. Dans le cas inverse, où les personnages restent longtemps en scène, le rythme est plus lent.

● *Les liaisons de scènes.* Au sein de l'acte, qui constitue une unité, elles assurent la continuité de l'action. Les scènes ne doivent ni sembler enchaînées de façon arbitraire ni se succéder sans lien comme les tableaux des mystères médiévaux.

LES PERSONNAGES

Dans *L'Impromptu de Versailles,* cette « comédie des comédiens » où Molière se met en scène lui-même, aux prises avec « ces étranges animaux à conduire », il passe en revue les rôles tragiques types, qu'il s'amuse à distribuer à sa troupe. Il en retient trois, le roi, l'amant et l'amante, le héros. Puis il cite les rôles comiques : le marquis, qui est « aujourd'hui le plaisant de la comédie », le poète pédant, l'honnête homme de cour, la prude, la femme hypocrite, la soubrette. Ainsi la tragédie met-elle en scène des êtres très loin de nous par la naissance, la fonction, l'aura mythique qui les enveloppe, tandis que la comédie, qui offre le spectacle de l'humanité moyenne, diversifie ses rôles.

Notons que cette distinction est propre au Classicisme. Aristophane, dans ses comédies, ne peint pas uniquement un monde de petites gens. Concevant la scène comme une tribune, il y porte souvent de grands personnages politiques en vue parmi ses contemporains, des généraux, etc.

Les rôles tragiques

La grandeur est, selon Boileau, l'attribut essentiel du héros tragique :

> Voulez-vous longtemps plaire, et jamais ne lasser ?
> Faites choix d'un héros propre à m'intéresser,
> En valeur éclatant, en vertus magnifique :
> Qu'en lui, jusqu'aux défauts, tout se montre héroïque.

● *Rois et héros.* La royauté, pour Corneille, fonde cette grandeur. Lorsqu'il définit, dans l'examen de *Clitandre,* les fonctions qu'il attribue au roi, il privilégie celle qui fait du roi le héros. Le roi peut apparaître de quatre façons. Il se présente en tant que roi s'il s'intéresse uniquement à la conservation de son trône, sans avoir l'esprit agité par une passion particulière, comme Auguste dans *Cinna*. Il n'est qu'un homme quand il se préoccupe uniquement de sa passion et que cet amour ne met pas l'État en péril, comme Grimwald dans *Pertharite*. Il exerce une simple fonction de juge quand il n'est là que pour régler les intérêts des autres, et non ceux de l'État, et quand son cœur n'est pas habité par une passion : Don Fernand, dans *Le Cid,* ne joue qu'un rôle mineur, peu digne d'un roi aux yeux de Corneille. Il peut être roi et homme à la fois lorsqu'il est animé par l'intérêt de l'État et par une passion violente, comme Antiochus dans *Rodogune,* ou comme Nicomède. C'est la situation qui, pour Corneille, convient le mieux à un roi. Enfin, il peut être roi, homme et juge, comme Félix, gouverneur d'Arménie, dans *Polyeucte.* La tendresse qu'il porte à son gendre Polyeucte est étouffée par ses deux autres fonctions.

● *Disparition du personnage protatique.* Ce personnage qui ne vient sur scène que lors du prologue, pour écouter l'exposé de la situation, très utilisé au début du XVIIe siècle, disparaît avec le Classicisme. Nous emprunterons à Corneille la définition qu'il en donne dans son *Premier Discours :* « Pour ouvrir son sujet, (Térence) a introduit une nouvelle sorte de personnages qu'on a appelés protatiques, parce qu'ils ne paraissent que dans la protase, où se doit faire la proposition et l'ouverture du sujet. » Corneille souligne l'inutilité de ce type de personnage, qui n'a aucune part à l'action et qui confère à l'exposition un caractère artificiel. Lui-même n'y recourt qu'une fois, dans *Médée.* « Pollux, dit-il dans l'examen de la pièce, est un de ces personnages protatiques qui ne sont introduits que pour écouter la narration du sujet. [...] Ces personnages sont d'ordinaire assez difficiles à imaginer dans la tragédie, parce que les événements publics et éclatants dont elle est composée sont connus de tout le monde et que s'il est aisé de trouver des gens qui les sachent pour les raconter, il n'est pas aisé d'en trouver qui les ignorent pour les entendre. »

● *Le confident.* Il joue un rôle très important dans la tragédie classique. Témoin silencieux dont on oublie la présence, il accompagne toujours le héros ou l'héroïne, qui ne paraissent jamais seuls sur scène. Telle une ombre, Elvire assiste à tous les entretiens amoureux entre Rodrigue et Chimène. *Le confident a une fonction d'écoute.* Lorsque le héros éprouve le besoin de s'épancher ou d'exposer son dilemme, c'est avec lui qu'il analyse la situation. Réceptacle de toutes ses actions et de toutes ses pensées, le confident est un miroir dans lequel il essaie de saisir son image.

La présence du confident permet de limiter la place des apartés. Aussi Corneille, qui avait une « aversion naturelle pour les apartés », lui a-t-il donné un rôle bien plus important qu'il n'avait dans le théâtre de la Renaissance. Les apartés soulignent les conventions théâtrales que le Classicisme veut masquer pour accentuer le phénomène illusionniste. Il paraît plus judicieux à Corneille de donner place aux confidences avant et après une scène d'amour ou d'intrigue. Dans la seule pièce où il utilise beaucoup d'apartés, *Le Menteur,* c'est le sujet même qui l'y a contraint. L'ambiguïté permanente, que des confidences éclaireraient, doit régner jusqu'à la fin de cette comédie, pour que les multiples mensonges puissent se perpétuer.

Le rôle du confident convient parfaitement à la situation tragique, dont il souligne le pathétique. L'amitié qu'il porte au héros lui fait ressentir douloureusement les malheurs qui le frappent. Il incarne ce sentiment de compassion que la tragédie doit susciter. A partir de 1660, le Classicisme donne encore plus d'importance au confident, appelé alors « gouverneur ». Elvire, désignée comme suivante dans l'édition originale du *Cid,* est nommée « gouvernante » dans l'édition de 1660.

Racine renforce le lien d'affection qui unit le héros et le confident. L'amour d'Œnone, qui a tenu lieu de mère à Phèdre, a la violence d'une passion :

> *Cruelle,* quand ma foi vous a-t-elle déçue ?
> Songez-vous qu'en naissant mes bras vous ont reçue ?
> Mon pays, mes enfants, pour vous j'ai tout quitté.
>
> (*Phèdre,* I, III, v. 234-236)

Aussi ne pourra-t-elle supporter la malédiction de Phèdre et la devancera-t-elle dans la mort.

Racine donne au confident une part active à l'action. Dans *Britannicus,* les deux confidents jouent un rôle dramatique essentiel. Narcisse, conseiller de Néron, quoique demeurant, dans sa duplicité, le « gouverneur » de Britannicus, livre Britannicus et Junie à la férocité de Néron, après une série de trahisons. Burrhus, qui a été le gouverneur de Néron, essaie, de son côté, de réfréner la cruauté de son élève. Il paraît sur scène presque aussi souvent que Néron (dans treize scènes, tandis que Néron paraît dans quatorze scènes). Le confident n'a plus, chez Racine, le rôle un peu falot de doubler le héros. Il est un personnage doté de sentiments complexes, dont les actes influent sur le destin de tous.

Les rôles comiques

L'auteur comique, selon Boileau, doit être un observateur clairvoyant qui jette sur son temps un regard incisif :

> Que la nature donc soit votre étude unique,
> Auteurs qui prétendez aux honneurs du comique.
> [...]
> La nature, féconde en bizarres portraits,
> Dans chaque âme est marquée à de différents traits ;
> Un geste la découvre, un rien la fait paraître !
> Mais tout esprit n'a pas des yeux pour la connaître.

● *Le tableau des mœurs.* C'est toute la société de son temps que Molière fait défiler sur la scène. Nul n'échappe à la satire : médecins et apothicaires, hommes de loi véreux et usuriers, pédants et précieuses bornés, entremetteuses, professeurs et faux dévots... Cette contrainte de fidélité au réel, à laquelle échappe totalement la tragédie, est une des difficultés auxquelles se heurte le dramaturge comique. Molière nous en fait part à travers ces propos qu'il prête à Dorante, dans *La Critique de « L'École des femmes » :* il convient « d'entrer comme il faut dans le ridicule des hommes et de rendre agréablement sur le théâtre des défauts de tout le monde. *Lorsque vous peignez des héros, vous faites ce que vous voulez [...]. Mais lorsque vous peignez les hommes, il faut peindre d'après nature.* On veut que ces portraits ressemblent, et vous n'avez rien fait, si vous n'y faites reconnaître les gens de votre siècle » (sc. VI). Molière assigne lui-même, dans la préface du *Tartuffe*, un but moral à la comédie : « Si l'emploi de la comédie est de corriger les vices des hommes, je ne vois pas par quelle raison il y en aura de privilégiés. » Molière reprend ici la devise de la comédie : *Castigat ridendo mores* (« C'est en riant qu'elle corrige les mœurs »), devise imaginée par son contemporain le poète Santeul, et donnée à l'arlequin Dominique pour qu'il la mît sur la toile de son théâtre. Mais comment concilier la double exigence de la comédie, faire rire et présenter un reflet fidèle du monde ? C'est par l'outrance que la satire s'exerce. Dans ces portraits non réalistes qu'offre Molière, les travers des hommes sont toujours grossis. La voie à trouver est étroite entre le réalisme et la stylisation. L'œuvre de Molière, c'est déjà *La Comédie humaine,* mais, à la différence de ce que fera Balzac deux siècles plus tard, Molière ne tente jamais d'analyser les causes des défauts des hommes : il s'en rit.

Celui envers qui s'exerce constamment sa verve, c'est *le bourgeois.* Ce type comique, hérité de la farce, fonctionne toujours au XVIIe siècle, où la bourgeoisie jouit encore d'un faible prestige. Le noble méprise le bourgeois, qui n'est qu'un boutiquier. Il faut attendre le XVIIIe siècle pour que les mentalités changent. Le bourgeois que Molière met en scène est riche et avare comme Harpagon, tyrannique envers les siens comme Argan, égoïste comme Monsieur Jourdain, naïf comme Orgon. C'est dans l'amour qu'il manifeste le plus sa balourdise. Possessif, il se comporte avec une femme comme Harpagon avec sa cassette. Il est encore plus ridicule lorsqu'il veut se hisser, comme Monsieur Jourdain, dans la classe supérieure.

Le provincial est l'objet d'incessants quolibets. Les Sotenville, ces petits hobereaux de province qui ont voulu redorer leur blason en vendant leur fille au riche paysan Georges Dandin, M. de Pourceaugnac, qui, arrivant du fin fond du Limousin, ne connaît rien des habitudes parisiennes, la Comtesse d'Escarbagnas, qui, à Angoulême, prétend singer les manières de la capitale, Cathos et Madelon, ces deux « pecques provinciales » arrivées à Paris depuis peu, tous sont grotesques de sottise.

Le noble, lui, n'est jamais ridicule. Dorante, ce noble de cour désargenté, qui profite sans scrupule de la folie de Monsieur Jourdain pour lui soutirer sa fortune, est odieux par sa conduite et inquiétant par son pouvoir. Dans *Dom Juan,* Elvire et son frère Don Carlos, Don Louis semblent droit sortis de l'univers tragique. Elvire, habitée par « ce parfait et pur amour », incarne la fidélité amoureuse. Don Louis et Don Carlos illustrent les idéaux chevaleresques, autant de valeurs que Don Juan bafoue. Le grand seigneur libertin, défiant toutes les lois, fait peur, mais ne suscite jamais le rire. Sans la présence de Sganarelle, personnage farcesque, la pièce ne serait pas une comédie. Au sein de la noblesse, Molière se moque seulement des *petits marquis* dont il décore le salon de Célimène. Par leur mauvais goût, leur pédantisme, ce sont les snobs de l'époque.

• *Le jeu moliéresque.* Chez Molière, la conception du personnage est inséparable du jeu. L'art de faire rire, il l'a découvert chez les farceurs du Pont-Neuf, et surtout chez les Comédiens-Italiens, dirigés par un Napolitain, Scaramouche, mime incomparable. Molière imite son jeu jusqu'en 1665. Il adopte son visage : ses moustaches épaisses et tombantes, sa barbe noire. Ses contemporains ont été frappés par l'expressivité de sa physionomie, grimaces, plissements du front, par ces « roulements d'yeux extravagants », ces « soupçons ridicules » et ces « larmes niaises » avec lesquels, dans le rôle d'Arnolphe, il faisait part à Agnès de la violence de son amour. Sa démarche provoquait le rire dès qu'il entrait en scène, tout déhanché, marchant les pieds écartés, accentuant sa laideur. A partir de 1666, lorsqu'il crée, avec *Le Misanthrope,* une forme de comique moins farcesque, le jeu se transforme. Molière abandonne les grosses moustaches. Sa maladie de poitrine, qui vient de se déclarer, l'a minci. Le texte, à travers les propos de Célimène, nous renseigne sur son jeu :

> Et que me veulent dire et ces soupirs poussés
> Et ces sombres regards que sur moi vous lancez ?
>
> (IV, III, v. 1279-1280)

En 1668, Molière modifie à nouveau son type. Très amaigri, voûté, il tousse sans cesse, jeu de scène qu'il prête alors à ses personnages. C'est avec la silhouette d'un vieil homme malade, affaissé, que se présentent Harpagon, M. de Pourceaugnac, Monsieur Jourdain, Argan. Molière a toujours su exploiter les possibilités que lui offrait son physique.

● *Comédie et farce.* Molière fait toujours rire le spectateur contre un personnage qu'il rend antipathique. Même Alceste, attachant par bien des aspects, suscite le rire, celui des petits marquis, mais aussi le nôtre, à cause de son intransigeance.

> Les rieurs sont pour vous, Madame, c'est tout dire
> Et vous pouvez pousser contre moi la satire !
>
> (*Le Misanthrope* II, IV, v. 681-682)

constate-t-il tristement. Sauf dans *Georges Dandin,* farce encore médiévale, où aucun personnage ne nous apitoie, nous prenons parti. *Tel est le trait pertinent qui permet de différencier la farce de la comédie.* Notre sympathie va droit aux couples d'amoureux éternellement jeunes, dont le duo, même s'il a parfois l'aigreur du dépit, illumine de sa gaieté la plupart des comédies. Elle s'attache aussi aux membres de la famille qu'un fou met en péril. Toutefois, l'échec final du personnage ridicule, s'il satisfait notre désir de justice, puisque c'est à ce prix que s'établit le bonheur des autres, est lourd d'ambiguïté : lorsque Arnolphe s'effondre, tel une baudruche crevée, il est irrésistible, mais c'est un rire chargé d'amertume qu'il fait naître. Le public, dès l'époque romantique, a été sensible à cet aspect inquiétant du comique moliéresque :

> Quelle mâle gaieté, si triste, si profonde
> Que lorsqu'on vient d'en rire, on devrait en pleurer !

s'écriait Musset. Certaines mises en scène contemporaines mettent l'accent sur l'angoisse qui émane des pièces de Molière. Philippe Adrien donna *Monsieur de Pourceaugnac,* pièce on ne peut plus farcesque, et traditionnellement jouée sous un mode burlesque, comme un drame sombre, montrant Pourceaugnac grotesque, mais traqué.

LA *COMMEDIA DELL'ARTE*

● Le jeu *all'improvviso* des comédiens *dell'arte* (acteurs « de métier ») laissait à l'improvisation une place relativement truquée. Les acteurs connaissaient bien la trame de l'histoire qu'ils devaient mettre en scène. Ils nous ont laissé de nombreux recueils de canevas. Chaque comédien jouait toujours le même rôle, et connaissait par cœur un grand nombre de tirades ou de scènes (scènes de déclaration amoureuse, de jalousie, de vengeance, etc.). La représentation était un patchwork de passages appris et astucieusement combinés.

● La *commedia dell'arte* offre à Molière un réservoir inépuisable de types comiques. Ces personnages, ayant toujours même costume, même caractère, sont reconnus par le public dès qu'ils entrent en scène. *Pantalon,* vêtu de rouge avec un manteau noir, ce riche marchand qui est un vieillard amoureux et jaloux, ouvre la voie à tous les Géronte du répertoire. A ses côtés se tiennent *le Docteur* et *le Capitan.* A travers ces trois types s'opère la satire du pouvoir mercantile, pseudo-intellectuel et militaire. Face à eux, *le Zanni* (forme dialectale de Giovanni), paysan descendu des montagnes, qui émigre à la ville pour trouver du travail comme « faquin » et dont la population locale se moque. Ancêtre de tous les valets de comédie, il est très vite devenu *Arlequin,* paysan grossier et insolent, paresseux et rusé. Il est reconnaissable à son habit bariolé, primitivement troué, raccommodé ensuite avec des pièces multicolores, puis fait de l'assemblage de ces losanges que nous connaissons aujourd'hui. Le Zanni donne naissance aussi à la lignée de *Brighella* (dont le nom vient de *briga,* « brigue »), de *Scapin,* de *Mascarille,* de *Frontin.* Une troisième déformation du Zanni, c'est *Pulcinella,* au masque noir et au nez crochu, dont Molière, dans un des intermèdes du *Malade imaginaire,* fera l'amant de Toinette. Une opposition s'établit toujours entre les personnages comiques et les personnages sérieux non masqués, dont font partie les couples d'amoureux.

● Molière, dans ses mascarades et ses bastonnades, empruntera aux Comédiens Italiens beaucoup de leurs *lazzi.* Le terme désigne une action propre à susciter le rire, accompagnée ou non de paroles. S'il y a parole, cela se réduit généralement à une seule phrase, à un début de dialogue fondé sur l'équivoque, fait de jeux de mots, d'une phrase à double sens ou interprétée à l'envers. Un exemple classique de *lazzo* est celui de l'impatience de Pulcinella, ainsi codifié : une première fois, il jette son couvre-chef, la seconde sa peau de mouton ou son panier, la troisième son bâton.

● Les premières pièces de Molière se ressentent fort de l'influence italienne : Jodelet, dans *Les Précieuses ridicules,* a le visage enfariné ; le Mascarille de *L'Étourdi* portait sans doute le masque. Type trop conventionnel pour Molière, il est définitivement chassé par Sganarelle — dont le nom, par son étymologie, signifie « le détrompé » —, que Molière présente visage découvert et qu'il placera dans toutes les situations.

● Notre époque se penche avec fascination sur l'art de la gestuelle et du masque que la *commedia* a porté à la perfection. Des mises en scène comme celles d'Ariane Mnouchkine, de Giorgio Strehler ou de Benno Besson en témoignent.

Après la mort de Molière, la farce va tomber dans une sorte de discrédit, aux yeux du public lettré. Boileau condamne la farce, grossière à ses yeux, tout juste bonne à amuser le peuple.

> J'aime sur le théâtre un agréable auteur
> Qui, sans se diffamer aux yeux du spectateur,
> Plaît par la raison seule, et jamais ne la choque.
> Mais pour un faux plaisant, à grossière équivoque,
> Qui pour me divertir, n'a que la saleté,
> Qu'il s'en aille, s'il veut, sur deux tréteaux monté,
> Amusant le Pont-Neuf de ses sornettes fades
> Aux laquais assemblés jouer ses mascarades.

Ce jugement de Boileau reflète le goût de ce dernier quart du xviie siècle. Cette sévérité, un peu surprenante de la part d'un homme qui appréciait une farce comme *La Comtesse d'Escarbagnas,* est du même ordre que celle dont il fit preuve vis-à-vis des *Fourberies de Scapin,* disant dans son *Art poétique :*

> Dans ce sac ridicule où Scapin s'enveloppe
> Je ne reconnais plus l'auteur du *Misanthrope.*

Le public, lui non plus, n'apprécia pas cette pièce, peut-être parce que les acteurs jouèrent dans la tradition italienne, avec le masque, jeu qui commençait, en 1671, à apparaître démodé.

La farce ne sera plus jouée que sur les théâtres de foire. Il faudra attendre le xxe siècle pour qu'elle retrouve son prestige, au cinéma d'abord, des années 1916 à 1935, avec les grands comiques, Charlie Chaplin, Buster Keaton, Laurel et Hardy et les Marx Brothers, au théâtre ensuite, à partir des années cinquante, chez des écrivains comme Ionesco ou Beckett.

Vers une conception nouvelle des rôles

Rôles tragiques et comiques sont nettement différenciés dans le théâtre classique par le rang social et par des critères moraux. N'ont droit au statut de personnage tragique que ceux qui appartiennent à la haute aristocratie. Ils peuvent commettre des fautes très graves, mais non s'abaisser par la fourberie ou la trahison, traits de caractère réservés à des affranchis comme Euphorbe, dans *Cinna.* Toutefois, Corneille, qui a excellé dans les deux genres, exprime, dans le *Premier Discours,* son scepticisme sur le bien-fondé d'une telle répartition : « Lorsqu'on met sur la scène une simple intrigue d'amour entre des rois, et qu'ils ne courent aucun péril ni de leur vie ni de leur État, je ne crois pas que, bien que les personnes soient illustres, l'action le soit assez pour s'élever jusqu'à la tragédie. Sa dignité demande quelque grand intérêt d'État ou quelque passion plus noble et plus mâle que l'amour, telles que sont l'ambition ou la vengeance, et veut donner à craindre des malheurs plus grands que la perte d'une maîtresse. » Pour lui, c'est l'action qui détermine avec pertinence le caractère de la pièce, non le rang des personnages. Il critique le « bonhomme Plaute », qui a fait de son *Amphitryon* une tragédie parce qu'il y a des dieux et des rois. « C'est trop déférer aux personnages et considérer trop peu l'action », dit-il dans l'« Épître dédicatoire » de *Don Sanche d'Aragon.* Il a beaucoup hésité pour définir cette pièce, qu'il appellera *comédie héroïque :* « Voici un poème d'une espèce nouvelle et qui n'a point d'exemple chez les Anciens. » C'est une comédie, selon lui, bien que les personnages y soient ou rois ou grands d'Espagne, « puisqu'on n'y voit naître aucun péril par qui nous puissions être portés à la pitié ou à la crainte ». Boileau, quoique réaliste dans ses *Satires,* a, par ailleurs, le goût du grand. Aussi préfère-t-il au burlesque, qui rabaisse personnages et sujets, cet anti-burlesque, le genre héroï-comique, qui élève personnages et actions à la dignité héroïque. Si Corneille, et un certain nombre de ses contemporains, comme Boileau, pensent que des personnages de haut rang peuvent entrer dans l'univers comique, *seul Corneille, très en avance sur son temps, émet l'idée que la tragédie serait peut-être plus émouvante si la distance établie par le rang entre le héros et le spectateur était abolie. Un mouvement s'amorce, qui sera exploité, au siècle suivant, par le drame.* « S'il est vrai, dit Corneille, que (la crainte) ne s'excite en nous par sa représentation, que quand nous voyons souffrir nos semblables, et que leurs infortunes nous en font appréhender de pareilles, n'est-il pas vrai aussi qu'(elle) y pourrait être excité(e) plus fortement par *la vue des malheurs arrivés aux personnes de notre condition,* à qui nous ressemblons tout à fait, que par l'image de ceux qui font trébucher de leurs trônes les plus grands monarques, avec qui nous n'avons aucun rapport, qu'en tant que nous sommes susceptibles de passions qui les ont jetés dans ce précipice, ce qui ne se rencontre pas toujours ? »

C'est ce que tente de faire Molière dans *Amphitryon,* où il prend beaucoup de liberté avec la mythologie, supprimant, entre autres, la naissance d'Hercule. Parodiant Plaute, il fait de cette pièce une simple histoire d'adultère. L'absence d'Alcmène au dénouement, le silence d'Amphitryon marquent la défaite des dieux, en même temps que leur éviction de la scène des temps modernes.

LE LANGAGE DRAMATIQUE

L'hypertrophie de la parole

Le langage occupe une place majeure dans le théâtre classique. Les interdits que fait peser la règle des trois unités obligent à tout dire, puisqu'il est difficile de montrer. D'Aubignac établit une équivalence absolue entre action et discours. *« Au théâtre, parler c'est agir »,* car « les discours ne sont au théâtre que les accessoires de l'action, quoique toute la tragédie, dans la représentation, ne consiste qu'en discours [...] et si (le poète) fait paraître quelques actions sur son théâtre, c'est pour en tirer occasion de faire quelque agréable discours ; tout ce qu'il invente, c'est afin de le faire dire ; il suppose beaucoup de choses afin qu'elles servent de matière à d'agréables narrations » (*La Pratique du théâtre,* livre IV, ch. II). Ce rôle du langage, véhicule de toutes les significations, constitue une des difficultés maîtresses auxquelles se heurte l'acteur à la représentation. Jorge Lavelli, lors de sa mise en scène de *Polyeucte,* en 1986, déclarait que « la particularité du théâtre français consiste peut-être en ce que tout y est dit.

Chaque sentiment, chaque réaction de chaque personnage sont écrits et expliqués. Cette absence de flou, cette extrême précision modifient l'approche, par le metteur en scène et les acteurs, des états d'esprit des personnages, de leur comportement et des situations dans lesquelles ils se trouvent. » Le petit nombre de didascalies complexifie encore cette difficulté. Molière ne se souciait pas d'en noter, lui qui mettait en scène ses propres pièces, où il tenait le rôle principal. Corneille et Racine non plus, puisqu'ils dirigeaient souvent eux-mêmes leurs actrices. Toutefois, Corneille, lorsqu'il revoit son œuvre pour l'édition de 1660, est bien conscient que le théâtre ne saurait se passer des indications scéniques. Le premier, il eut le sentiment de leur importance. Il les définit, dans le *Troisième Discours,* comme des directives destinées aux comédiens, « qui feraient d'étranges contretemps, si nous ne les aidions pas par ces notes », mais aussi comme des éclaircissements pour le lecteur : « Ainsi je serais d'avis que le poète prît grand soin de marquer à la marge les menues actions qui ne méritent pas qu'il en charge ses vers et qui leur ôteraient même quelque chose de leur dignité, s'il se ravalait à les exprimer. Le comédien y supplée aisément sur le théâtre, mais sur le livre on serait assez souvent réduit à deviner et quelquefois même on pourrait deviner mal, à moins que d'être instruit par là de ces petites choses. » Lui-même, dès 1644, il s'applique à infléchir son écriture en ce sens.

Le rythme ample, la majesté de l'alexandrin classique exercent sur le spectateur une fascination. Pour le public du XVIIᵉ siècle, pourtant si attaché à la vraisemblance, il n'apparaissait pas artificiel que le langage fût si éloigné de la langue parlée. C'est ce qui fait dire à d'Aubignac que « les grands vers de douze syllabes [...] doivent être considérés au théâtre comme de la prose ». Corneille est plus nuancé : « J'avoue, écrit-il dans l'« Argument » d'*Andromède,* que les vers qu'on récite sur le théâtre sont présumés être prose : nous ne parlons pas d'ordinaire en vers, et sans *cette fiction,* leur mesure et leur rime sortiraient du vraisemblable. » Le spectateur du XXᵉ siècle, lui, perçoit l'alexandrin, dont la beauté vient souligner l'aspect emblématique de la scène, dans son irréalisme.

Molière use du vers, comme de toutes choses, avec la plus grande liberté. Il semble réserver l'alexandrin à des comédies particulièrement travaillées, comme *Le Misanthrope, Le Tartuffe, Les Femmes savantes...,* la prose aux pièces écrites à la hâte, comme *Dom Juan, Le Malade imaginaire...,* ou à celles qui sont proches de la farce, comme *Les Précieuses ridicules, La Marquise d'Escarbagnas, Monsieur de Pourceaugnac...* Il mélange aussi parfois le vers et la prose : dans *Le Sicilien,* pièce en prose de 1667, on peut noter la présence d'octosyllabes. Dans *Amphitryon,* en 1668, le vers libre triomphe. Corneille, à la même époque, dans *Agésilas,* qui date de 1666, mélange alexandrins et octosyllabes.

Tirades et stichomythies

Le goût des tirades, fort en vogue pendant tout le XVIIᵉ siècle, est hérité de l'Antiquité. Mme de Sévigné, dans une lettre de 1672, admire encore, chez Corneille, « ces longues tirades qui font frissonner ». Le rythme des tirades est parfois interrompu par celui de la stichomythie : échange de courtes répliques de même longueur (un vers, un demi-vers, un distique, exceptionnellement quatre vers). Le procédé, hérité du théâtre grec par l'intermédiaire de Sénèque, marque une rupture, soulignant au sein du dialogue un contraste entre l'ampleur des tirades et la vivacité de ces répliques. Ce changement de rythme indique une modification momentanée dans la relation entre deux personnages. Dans la grande scène d'amour où Rodrigue et Chimène se sont violemment affrontés, où Rodrigue a souhaité mourir des mains de sa bien-aimée, il est un bref moment de paix où les deux amants, sachant que tout les sépare, ébauchent un chant d'amour :

> RODRIGUE.
Ô miracle d'amour !
>> CHIMÈNE.
>> Ô comble de misères !
> RODRIGUE.
Que de maux et de pleurs nous coûteront nos pères !
>> CHIMÈNE.
Rodrigue, qui l'eût cru ?
>> RODRIGUE.
>> Chimène, qui l'eût dit ?
>> CHIMÈNE.
Que notre heur fût si proche, et si tôt se perdît ?
> RODRIGUE.
Et que si près du port, contre toute apparence,
Un orage si prompt brisât notre espérance ?
>> CHIMÈNE.
Ah ! mortelles douleurs !
>> RODRIGUE.
>> Ah ! regrets superflus.

(*Le Cid*, III, IV, v. 985-991)

Dans *Le Misanthrope*, la stichomythie souligne, dans la dispute entre Alceste et Philinte, un moment de tension plus forte, où la colère d'Alceste monte, et où il ne supporte plus les conseils de modération de Philinte (I, I, v. 186-196).

La stichomythie se prête aux scènes de dépit amoureux, que Molière a si souvent reproduites. Aucun des deux amants, piqué dans son amour-propre, ne veut faire le premier pas. Chacun met son point d'honneur à ne pas dire un mot de plus que son partenaire et à relancer le discours en reprenant simplement une formule identique à celle de la réplique précédente. La scène de dépit amoureux du *Bourgeois Gentilhomme*, où la querelle des valets double celle des maîtres, est particulièrement drôle (III, X). Dans un second mouvement, lorsque la rupture semble irrémédiable, au grand désespoir des deux amants qui n'en veulent rien montrer, une tentative de réconciliation s'amorce, où, là encore, chacun des deux protagonistes répond brièvement à son partenaire. Peu à peu, chacun sort de sa réserve ; la bouderie fait place au sourire, tandis que les répliques échangées s'allongent, jusqu'à ce que le rythme normal soit retrouvé, signe que l'entente règne à nouveau.

Le récit

Fait par un personnage impliqué dans le drame, le récit classique représente une forme particulière du dialogue. Corneille prend toujours grand soin d'en justifier la nécessité. Dans *Horace,* lorsque Julie revient du champ de bataille, elle s'étonne que Sabine ne sache encore rien. Corneille légitime ainsi le récit :

> JULIE.
> Quoi ? ce qui s'est passé, vous l'ignorez encore ?
> SABINE.
> Vous faut-il étonner de ce que je l'ignore
> Et ne savez-vous point que de cette maison
> Pour Camille et pour moi l'on fait une prison ?
>
> (III, II, v. 771-774)

Le récit doit être également motivé sur le plan psychologique. « Pendant les narrations, dit Corneille dans l'examen de *Médée,* il faut être attentif à l'état d'âme de celui qui parle et de celui qui écoute et se passer de cet ornement qui ne va guère sans quelque étalage ambitieux, s'il y a la moindre apparence que l'un des deux soit trop en péril, ou dans une passion trop violente pour avoir toute la patience nécessaire au récit qu'on se propose. »

La complexité de ses intrigues oblige Corneille à multiplier les récits. Le personnage du messager (page, confident ou serviteur) qui fait le va-et-vient entre le lieu où l'action bat son plein et la scène lui est indispensable. C'est lui qui informe le héros de l'évolution des événements. Aussi le récit est-il presque toujours introduit par la question impatiente d'un héros. Chimène, qui apprend par Elvire le triomphe de Rodrigue sur les Maures, l'interroge fiévreusement :

> N'est-ce point un faux bruit ? Le sais-tu bien Elvire ?
>
> (*Le Cid,* IV, I, v. 1101)

● *La place du récit.* Situé *à l'exposition,* le récit peut jouer un rôle analogue à celui de l'analepse explicative dans le roman qui débute *in medias res,* puisqu'il narre des événements passés nécessaires à la compréhension de la situation présente. *Andromaque* commence par un récit d'Oreste à Pylade, qu'il retrouve à la cour de Pyrrhus après une séparation de six mois.

Le récit se situe plus rarement *au milieu de la pièce.* Infléchissant l'action, il présente alors un caractère dramatique franchement marqué. Dans *Horace,* Corneille fragmente habilement le récit de la bataille pour faire rebondir l'action et ménager le suspense, créant ainsi, pendant deux actes, une série de péripéties. Julie, porteuse d'espoir, annonce à Sabine que les rois vont en référer aux dieux, car l'armée se mutine, jugeant inhumain le choix des trois Horaces et des trois Curiaces. Laissant Sabine toute à sa joie, elle retourne sur le champ de bataille. C'est le vieil Horace, peu après, qui vient prévenir Camille et Sabine que le combat va commencer. Les deux femmes sont en pleurs lorsque arrive Julie, avec de pathétiques nouvelles. Deux Horaces sont morts, le troisième a fui. Elle est partie avant la fin, tant le spectacle lui était pénible. Ce récit, qui bouleverse Camille, suscite le courroux du vieil Horace, prêt à tuer, de ses mains, ce fils qui a déshonoré Rome. Valère vient raconter l'issue véritable du combat, coup de théâtre marqué par la stupéfaction du vieil Horace :

> Quoi, Rome donc triomphe ?
>
> (IV, II, v. 1101)

Valère, dans un long récit, interrompu seulement par une exclamation pathétique de Camille à l'annonce de la mort de Curiace, raconte alors le triomphe d'Horace.

Les plus longs récits sont situés *à la fin de la pièce*. Construits sur le modèle de la narration antique, ils content une bataille dans laquelle le héros s'est illustré, ou sa mort. Rodrigue, tel le rhapsode antique, rapporte lui-même, à la demande du roi, ses exploits :

> Souffre donc qu'on te loue, et de cette victoire
> Apprends-moi plus au long la véritable histoire.
>
> (IV, III, v. 1241-1242)

Le récit de Théramène sur la mort d'Hippolyte est l'un des plus célèbres du théâtre classique, comme le suggère ironiquement Labiche dans *Le Voyage de M. Perrichon,* où l'un des personnages, lassé par la longueur des récits qu'il doit subir, s'écrie : « Le récit de Théramène ! » Le confident tente d'exorciser sa douleur en exprimant son admiration pour Hippolyte, héroïque jusque dans la mort. Digne des *Oraisons funèbres* de Bossuet, ce récit grandit le personnage d'Hippolyte. *Polyeucte* est la seule tragédie dans laquelle il n'y a pas de récit de la mort du héros, car, au dire de Corneille, il n'y avait pas de chrétien pour le faire, puisque Néarque est déjà mort.

● *Les types de récits.* Racine utilise, dans la première scène de *Phèdre, le récit de récit.* Hippolyte, qui rêve de suivre Thésée sur la voie de l'héroïsme que celui-ci lui a tracée, rappelle à Théramène les nombreux récits par lesquels il lui racontait, dans son enfance, l'histoire de Thésée. Ce faisant, il se lance lui-même dans le récit de ces exploits :

> Tu me contais alors l'histoire de mon père.
> Tu sais combien mon âme, attentive à ta voix,
> S'échauffait aux récits de ses nobles exploits,
> Quand tu me dépeignais ce héros intrépide...
>
> (I, I, v. 75-78)

Le but de ce récit est de souligner d'emblée le poids de la dette symbolique qui marque la relation d'Hippolyte à Thésée. Elle lui sera fatale, puisqu'il se laissera accuser en silence, par respect pour son père. Ce récit de récit, où la parole d'Hippolyte se fait l'écho de celle de Théramène, marque aussi la relation en miroir qui s'est établie entre Hippolyte et son confident.

Le récit, chez Racine, témoigne souvent de l'emprise du passé sur un personnage. Le héros éprouve le besoin de raconter la scène traumatique à laquelle il est resté fixé, comme si le temps s'était arrêté. Le personnage qui raconte est dans un état subhallucinatoire. Dans *l'évocation de cette scène onirique,* il y a intrusion du passé dans le présent. Andromaque retrace pour

Céphise l'image, toujours vivante en elle, de l'incendie de Troie. La lueur des flammes et les cris n'ont cessé de la hanter depuis ce jour.

Les *récits de songe ou d'oracle,* hérités de la tragédie humaniste qui les affectionnait, sont toujours situés au début de la pièce. Prémonitoires, ils ont la fonction d'annoncer, sous un mode ambigu, le dénouement. Ils anticipent sur l'action à venir et constituent une mise en abyme. Leur caractère sibyllin permet que le héros se méprenne sur leur sens. Pauline, bouleversée par le cauchemar qu'elle a fait la nuit précédente, le raconte à Stratonice. La partie « abymée » contient tous les événements importants de la tragédie : le retour de Sévère triomphant, puis la rivalité entre Sévère et Polyeucte, et la mort de Polyeucte perpétrée par Félix. L'oracle révélé à Camille annonce, lui aussi, les deux événements essentiels de la pièce, la paix entre Albe et Rome à la suite du combat, le meurtre de Camille unie à Curiace dans la mort. Camille interprète cet oracle comme une promesse de paix et de mariage. Toutefois, sa joie est troublée par des rêves de mort qui l'ont assaillie pendant la nuit précédente et qu'elle confie à Julie. Le confident à qui le rêve est raconté le décrypte généralement comme un présage de bonheur, tandis que l'héroïne est attristée par de noirs pressentiments. Julie essaie d'apaiser l'inquiétude de Camille en lui disant :

> C'est en contraire sens qu'un songe s'interprète...
> (*Horace*, V. 223)

Quant à l'Arménienne Stratonice, elle ne croit pas aux songes, contrairement à Pauline, qui est romaine. Le rôle du récit est d'écarter, grâce à la réaction du confident, le héros de la funeste vérité qu'il entrevoit. Ce moment d'espoir rend la cruauté du dénouement plus pathétique.

● *Récit et jeux de scène.* Le récit, chez Molière, contient de multiples potentialités de jeu. Dans *L'École des femmes,* Arnolphe, fort habilement, fait raconter à Agnès sa rencontre avec Horace et les visites incessantes du jeune homme en son absence. La jeune fille évoque d'abord la fascination avec laquelle elle a vu passer Horace. Leur premier entretien a consisté simplement en un échange de regards et de révérences. Dans cette rencontre où aucun mot ne fut proféré, le geste se fit le messager de l'amour. Aussi est-il de tradition que l'actrice qui joue Agnès mime les révérences. Agnès raconte ensuite la conversation qu'elle eut le lendemain avec une vieille femme envoyée par Horace pour lui déclarer son amour. Molière utilise ici le discours direct, tout en gardant les termes introducteurs, si bien qu'Agnès, refaisant la voix de l'entremetteuse, joue les deux personnages :

> Moi, j'ai blessé quelqu'un ! fis-je toute étonnée.
> — Oui, dit-elle, blessé, mais blessé tout de bon ;
> Et c'est l'homme qu'hier vous vîtes du balcon.
> (II, v, v. 512-513)

Il est deux types de récits que Molière affectionne, la lecture d'une lettre ou d'un livre (*Les Maximes du mariage,* dans *L'École des femmes*), ou le récit d'une histoire, conte ou opéra. Le récit est alors un détour commode pendant lequel l'un des deux personnages, celui qui raconte ou celui qui écoute, trahit ses sentiments. Dans *L'École des femmes*, Horace, au comble de la joie parce qu'il est aimé d'Agnès, lit à Arnolphe la lettre qu'elle lui a lancée de sa fenêtre. Comme Arnolphe est un vieil ami de son père et qu'il se sent un peu perdu dans cette ville où il vient d'arriver, il en a fait son confident et il est à mille lieues de supposer que M. de la Souche, le tuteur d'Agnès, et Arnolphe sont une seule et même personne. Cette longue lettre en prose est un chef-d'œuvre de fraîcheur et d'ingénuité. Son rythme contraste avec celui du dialogue versifié, soulignant la pause introduite par la lecture. Sa longueur présente un intérêt dramatique : Arnolphe ne peut qu'à grand-peine contenir sa douleur si longtemps. Il a subi toute la lecture sans l'interrompre, mais, à la fin, un cri lui échappe, à la stupéfaction d'Horace qui, absorbé par sa lecture, ne regardait pas le visage d'Arnolphe, et le découvre brusquement décomposé.

ARNOLPHE, *à part.*

Hon ! chienne !

HORACE.

Qu'avez-vous ?

ARNOLPHE.

Moi ? rien. C'est que je tousse.

(V. 947)

Cléante, l'amant d'Angélique, qui s'est introduit chez Argan en prétextant qu'il remplace le maître de musique, ne peut obtenir un tête-à-tête avec la jeune fille. Le temps presse, puisque les Diafoirus viennent d'arriver, pour que les futurs époux Angélique et Thomas soient officiellement présentés. Comme Argan souhaite que Cléante fasse chanter sa fille devant toute l'assistance, celui-ci invente un opéra, dont il expose longuement le sujet : « C'est proprement ici un petit opéra impromptu, et vous n'allez entendre chanter que de la prose cadencée, ou des manières de vers libres, *tels que la passion et la nécessité peuvent faire trouver à deux personnes qui disent les choses d'eux-mêmes* et parlent sur-le-champ » (*Le Malade imaginaire,* II, v). Transposée dans l'univers de la pastorale, c'est l'histoire de leur amour contrarié que Cléante raconte, puis chante avec Angélique, afin de lui parler à mots couverts. Mais le duo amoureux du berger Tircis et de la bergère Philis, rebelles aux volontés paternelles, est interrompu par Argan qui, furieux, découvre la supercherie. Le récit fonctionne comme une pause dont le lyrisme est souligné par le chant, mais il marque aussi un temps de l'action : il est un cri d'alarme de la part des deux amants, prêts à braver la volonté d'un père. Il scelle des fiançailles secrètes.

Molière utilise, on le voit, des éléments romanesques pour diversifier les possibilités de jeux de scène.

Le monologue

Le personnage y parle à voix haute, mais n'est pas censé s'adresser au spectateur. Ce langage intérieur risque, dans son irréalisme, de détruire l'illusion. Aussi Corneille, dans son *Premier Discours*, conseille-t-il de le proscrire s'il a pour seul but d'informer le spectateur, car il souligne alors l'artifice. Il doit être motivé par l'état d'âme de celui qui le profère. *Aussi, pour qu'il apparaisse naturel, les auteurs dramatiques lui donnent-ils souvent la forme d'un dialogue fictif.*

● *Le monologue cornélien.* Le monologue, forme qui suspend le rythme de l'action, survient chez Corneille lorsque le héros se trouve confronté à une difficulté. *Le temps du monologue, générateur d'action, est le temps de maturation nécessaire à la décision.* Le premier monologue de Don Diègue intervient immédiatement après la scène où le Comte l'a souffleté. Dans ce moment de réflexion déterminant, le vieillard exprime d'abord sa honte, se prenant lui-même à partie :

> Ô rage ! ô désespoir ! ô vieillesse ennemie !
> N'ai-je donc tant vécu que pour cette infamie ?
> *(Le Cid,* I, v, v. 237-238)

Mais les héros cornéliens ne s'avouent jamais vaincus. La force qui les anime leur permet de surmonter toutes les défaites. A l'accablement font place, chez Don Diègue, le désir de vengeance et la décision de charger Rodrigue de cette mission. La certitude de regagner l'honneur s'exprime, dans des accents épiques, par l'invocation à l'épée, jadis auxiliaire de la gloire, désormais instrument de la vengeance, qui clôt le monologue.

La place d'un monologue, dans l'architecture d'ensemble d'une pièce, est toujours chargée de signification. L'acte III de *Polyeucte* débute par un monologue de Pauline, tourmentée parce qu'elle craint à la fois la jalousie de Sévère et celle de Polyeucte. Dans les deux actes précédents, le premier centré sur le baptême de Polyeucte, le second sur le retour de Sévère, les sentiments de Pauline se sont avérés fort complexes. Sa passion violente pour Sévère, qu'elle croyait mort, n'est point encore éteinte. Son amour naissant pour Polyeucte, avec qui elle est mariée depuis quinze jours à peine, occupe déjà son âme. Plaçant ce monologue à l'ouverture de l'acte, Corneille fait de Pauline la figure de cet acte, dans lequel ni Polyeucte ni Sévère, qui sont au temple, ne paraissent. Il la désigne comme l'enjeu de tous les désirs.

● *Les stances, une forme particulière de monologue.* Corneille a utilisé fréquemment les stances, très à la mode au théâtre de 1630 à 1660, tandis que Racine n'y recourt que dans *La Thébaïde,* car la mode décline quand il commence son œuvre dramatique. Corneille défend les stances, dont ses contemporains lui ont reproché d'abuser, en alléguant, dans l'« Argument » d'*Andromède,* que la souplesse de leur construction les rend plus proches de la conversation que l'alexandrin. Du point de vue dramatique, les stances ont la même fonction que le monologue. Pause lyrique, elles donnent au héros le temps de peser la situation.

Les stances de Polyeucte sont un modèle du genre. Le héros, en prison, se prépare à recevoir Pauline. Capable d'affronter le martyre sans faiblir, il redoute de lutter contre cette femme dont il est profondément épris et qui l'attache au monde. C'est d'abord contre lui-même qu'il doit se défendre. Les stances offrent le spectacle de ce combat intérieur.

LES STANCES, CRI DU CŒUR OU EXERCICE DE STYLE ?

● Ce qui différencie les stances du monologue, c'est leur forme littéraire. Certaines d'entre elles, très célèbres, comptent parmi les plus beaux poèmes de la langue française. Savamment agencées, elles sont constituées de strophes régulières (de trois à huit), construites selon un même modèle rythmique. Chaque strophe, qui présente une unité de sens, se termine par une chute. La forme des vers y est variable, mais les plus fréquemment utilisés sont les octosyllabes et les alexandrins.

● Les stances sont particulièrement aptes, comme le montre Corneille dans l'examen d'*Andromède*, à traduire l'émotion du personnage : « La colère, la fureur, la menace, et tels autres mouvements violents ne leur sont pas propres mais les déplaisirs, les irrésolutions, les inquiétudes, les douces rêveries, et généralement tout ce qui peut souffrir à un acteur de prendre haleine, et de penser ce qu'il doit dire ou résoudre, s'accommode merveilleusement avec leurs cadences inégales, et avec les pauses qu'elles font faire à la fin de chaque couplet. La surprise agréable que fait à l'oreille ce changement de cadences imprévu rappelle puissamment les attentions égarées. »

● Toutefois, la beauté formelle des stances ne doit pas les transformer en exercice de style, sans quoi l'apparente spontanéité des propos disparaîtrait : « ... mais il faut éviter, continue Corneille, le trop d'affectation. C'est par là que les stances du *Cid* sont inexcusables, et les mots de *peine* et *Chimène,* qui font la dernière rime de chaque strophe, marquent un jeu du côté du poète qui n'a rien de naturel du côté de l'acteur. Pour s'en écarter moins, il serait bon de ne régler point toutes les strophes sur la même mesure, ni sur les mêmes croisures de rimes, ni sur le même nombre de vers. Leur inégalité en ces trois articles approcherait davantage du discours ordinaire, et sentirait l'emportement et les élans d'un esprit qui n'a que sa passion pour guide, et non pas la régularité d'un auteur qui les arrondit sur le même tour. »

● Certains théoriciens de l'époque, comme d'Aubignac, ont essayé de justifier la vraisemblance du travail formel des stances en feignant de croire que le personnage les a composées en coulisses, avant d'entrer. Corneille ne se satisfait pas de cette explication : « Mais je ne pourrais approuver qu'un acteur, touché fortement de ce qui lui vient d'arriver dans la tragédie, se donnât la patience de faire des stances, ou prît soin d'en faire faire par un autre, et de les apprendre par cœur, pour exprimer son déplaisir devant les spectateurs. Ce sentiment étudié ne les toucherait pas beaucoup, parce que cette étude marquerait un esprit tranquille, et un effort de mémoire, plutôt qu'un effet de passion. Outre que ce ne serait plus le sentiment présent de la personne qui parlerait, mais tout au plus celui qu'elle aurait eu en composant ces vers, et qui serait assez ralenti par cet effort de mémoire, pour faire que l'état de son âme ne répondît plus à ce qu'elle prononcerait. L'auditeur ne s'y laisserait pas émouvoir, et le verrait trop prémédité pour le croire véritable. »

● *Le monologue racinien.* Racine, pour conférer au monologue un maximum d'intensité dramatique, lui donne, plus encore que Corneille, la forme d'un dialogue fictif. Il suffit, pour s'en convaincre, de recenser le grand nombre de phrases interrogatives et de verbes à l'impératif (invocation à un dieu, ordre donné à un être aimé...) qu'il y utilise. Le monologue de Clytemnestre est, en ce sens, exemplaire. Elle s'interroge d'abord elle-même, car elle ne comprend pas pourquoi Agamemnon lui a interdit de conduire Iphigénie à l'autel :

> D'où vient que d'un soin si cruel
> L'injuste Agamemnon m'écarte de l'autel ?
> *(Iphigénie,* III, II, v. 819-820)

Toutefois, elle ne s'attarde pas sur cette question qu'elle ne peut résoudre. Laissant éclater sa joie à l'idée que le mariage est tout proche, c'est à l'absente qu'elle s'adresse :

> Ma fille, ton bonheur me console de tout.
> Le ciel te donne Achille ; et ma joie est extrême
> De t'entendre nommer...
> (V. 828-830)

Le monologue racinien, saisissant le personnage de l'intérieur, permet au spectateur de pénétrer dans son intimité. La distance qui le sépare du héros tragique est momentanément abolie. Thésée, qui vient de maudire Hippolyte et d'appeler sur lui la vengeance de Neptune, se retrouve seul, partagé entre sa colère contre ce fils qui l'a, croit-il, si ignominieusement trahi et son désespoir à l'idée qu'il va périr. Dans ce monologue, ce n'est plus le grand roi, le héros célèbre par tant d'exploits, qui parle, mais c'est un père déchiré qui s'adresse directement à son fils :

> Je t'aimais ; et je sens que malgré ton offense
> Mes entrailles pour toi se troublent par avance.
> Mais à te condamner tu m'as trop engagé.
> Jamais père en effet fut-il plus outragé ?
> *(Phèdre,* IV, III, v. 1161-1164)

Racine, lorsqu'il accorde à un même personnage deux monologues, souligne, par le contraste qui s'établit entre les deux moments, son évolution. Oreste, dans son premier monologue *(Andromaque,* II, III), entrevoit l'espoir d'emmener Hermione, qui vient de lui promettre de le suivre si Pyrrhus ne livre pas Astyanax. Après le meurtre de Pyrrhus, Oreste monologue, anéanti par les reproches d'Hermione :

> Est-ce Pyrrhus qui meurt ? et suis-je Oreste enfin ?
> (V, IV, v. 1567)

La confrontation de ce monologue et du précédent permet de mesurer le caractère irrémédiable des actions accomplies pendant le temps de la tragédie, si bien que la folie est pour Oreste la seule issue.

● *Polyphonie des monologues moliéresques.* Molière essaie de rapprocher le plus possible le monologue d'un dialogue fictif et de le rendre vraisemblable, tout en accentuant paradoxalement son aspect conventionnel, puisqu'il y introduit presque toujours une référence à la situation théâtrale.

Le monologue inaugural du *Malade imaginaire* (I, I) est un coup de génie. Dès les premiers mots, les défauts majeurs du personnage, l'hypocondrie et l'avarice, sont affichés. Argan, seul dans sa chambre, fait ses comptes. Il consulte un grand registre récapitulatif, contrôlant les ordonnances de son médecin et de son apothicaire pour le mois qui vient de s'écouler. Il relit avec complaisance les posologies, commente leur efficacité et s'insurge contre les tarifs prohibitifs. *Le texte marque nettement les différents registres du monologue, qui doivent correspondre à des modulations différentes de la voix :*

— La sécheresse du calcul : « Trois et deux font cinq, et cinq font dix ... » ;

— La lecture de l'ordonnance : « Plus, du vingt-quatrième, un petit clystère ... » ;

— Le commentaire et les invectives contre l'interlocuteur absent : « Ce qui me plaît de monsieur Fleurant, mon apothicaire, c'est que ses parties sont toujours fort civiles. " Les entrailles de monsieur, trente sols. " Oui ; mais, monsieur Fleurant, ce n'est pas tout d'être civil, il faut être aussi raisonnable, et ne pas écorcher les malades ... ».

Le dispositif scénique et les jeux de scène introduisent, en outre, une tentative de jugement de l'auteur sur les propos de son personnage. Argan effectue ses calculs, non en posant des additions, mais en plaçant des jetons sur une planchette dont les cases correspondent à des sommes différentes. Les gestes du personnage, qui semble installer des pions sur une table de jeu, suggèrent qu'Argan joue en permanence avec sa maladie, que l'avare calculateur est un joueur hypocondre.

Le monologue d'Harpagon est le moment le plus poignant de la pièce. Il vient de s'apercevoir qu'on lui a volé sa cassette. Le choc l'a mis dans un état semi-confusionnel. Ce vieux bourgeois austère a perdu toute retenue ; il hurle comme un porc qu'on égorge : « Au voleur ! au voleur ! à l'assassin ! au meurtrier ! » Cherchant partout le voleur, il est la proie d'une hallucination visuelle. Il croit le saisir, mais c'est son propre bras qu'il attrape : « Rends-moi mon argent, coquin !... Ah ! c'est moi. » (*L'Avare,* IV, VII). Il se calme un peu lorsqu'il se met à parler à son argent, tendrement, comme à une personne aimée. Mais l'hallucination reprend bientôt, sous forme auditive ; Harpagon a l'impression d'entendre des gens : « Euh ! que dites-vous ? Ce n'est personne. » Se tournant vers le public, il soupçonne tout le monde. « Que de gens assemblés ! » s'écrie-t-il avec angoisse. Le délire de persécution est à son comble : « Ils me regardent tous et se mettent à rire. Vous verrez qu'ils ont part, sans doute, au vol que l'on m'a fait [...]. Je veux faire pendre tout le monde ; et, si je ne retrouve mon argent, je me pendrai moi-même après. » *Voilà sans doute le seul monologue de théâtre qui échappe totalement à l'artifice,* puisque Harpagon interpelle des personnages qu'il croit voir ou entendre. Il a le sentiment de dialoguer.

Le monologue de Sosie, qui ouvre le premier acte d'*Amphitryon,* est un morceau de bravoure (105 vers). Amphitryon a délégué Sosie comme messager pour raconter à Alcmène la victoire éclatante qu'il vient de remporter. Mais

Sosie, qui n'y a pas assisté, ne peut qu'inventer. Il se livre alors à *un brillant exercice d'acteur,* dans lequel il essaie d'improviser son rôle :

> Combien de gens font-ils des récits de bataille
> Dont ils se sont tenus loin ?
> Pour jouer mon rôle sans peine,
> Je le veux un peu repasser.
>
> (V. 198-201)

Pour se mettre en situation de jeu, il campe aussitôt le décor et confie au seul objet dont il dispose, sa lanterne, le rôle d'Alcmène :

> Voici la chambre où j'entre en courrier que l'on mène,
> Et cette lanterne est Alcmène,
> A qui je me dois adresser.
>
> (V. 202-204)

Contemplant sa lanterne, il déclame un compliment à l'adresse d'Alcmène, et joue les deux rôles, faisant alterner sa voix et celle d'Alcmène, interrompant par moment ce dialogue fictif pour se complimenter de ses trouvailles et se réjouir de son talent :

> *« Ha ! vraiment, mon pauvre Sosie,*
> *A te revoir j'ai de la joie au cœur. »*
> « Madame, ce m'est trop d'honneur,
> Et mon destin doit faire envie. »
> (Bien répondu !) « Comment se porte Amphitryon ? »
>
> (V. 210-214)

Ensuite, feignant de répondre à la demande d'Alcmène, il commence le récit.

Ce qui frappe dans les monologues de Molière, c'est leur polyphonie. Tantôt le personnage joue sur plusieurs registres de sa voix, comme Argan, tantôt, tel Sosie, il imite celle d'un autre. Ces monologues contiennent aussi de nombreuses indications de gestes et font souvent référence à la situation théâ-trale ; le jeu est inscrit dans le rôle d'Argan ; l'adresse au public vient détendre l'atmosphère et susciter le rire, lorsque le délire d'Harpagon devient trop effrayant ; l'acteur Sosie répète son rôle, avant d'en affronter la pseudo-réalité.

Le langage dramatique de la comédie est, en ce sens, bien différent de celui de la tragédie, qui ne contient qu'exceptionnellement des allusions à la situation théâtrale. La tragédie, plus illusionniste que la comédie au XVIIe siècle, feint d'ignorer totalement la présence du public.

NATURE DU PLAISIR TRAGIQUE

Pas de sang sur la scène

● *Les bienséances.* Elles correspondent, selon Scherer, à une exigence morale, puisque la pièce ne doit choquer ni les goûts ni les idées morales du public. Au XVIIe siècle, les bienséances interdisent notamment de représenter le sang sur la scène. La règle n'est pas chez Aristote, qui voit, au contraire, dans « l'événement pathétique », la source essentielle du plaisir qu'offre la tragédie et qui le définit en ces termes : « une action qui fait périr ou souffrir, par exemple *les agonies exposées sur la scène,* les douleurs cuisantes et blessures et tous les autres faits de ce genre ». C'est Horace, le premier, qui interdit un tel spectacle, demandant à l'auteur dramatique de remplacer par le récit ce qui ne doit pas être montré : « L'esprit est moins vivement touché de ce qui lui est transmis par l'oreille que des tableaux offerts au rapport fidèle des yeux et perçus sans intermédiaire par le spectateur. Il est des actes, toutefois, bons à se passer derrière la scène et qu'on n'y produira point ; il est bien des choses qu'on écartera des yeux pour en confier ensuite le récit à l'éloquence d'un témoin. Que Médée n'égorge pas ses enfants devant le public, que l'abominable Atrée ne fasse pas cuire devant tous des chairs humaines [...]. Tout ce que vous me montrez de cette sorte ne m'inspire qu'incrédulité et révolte. » (*Art poétique,* v. 180-189).

Racine exprime, dans sa préface de *Bérénice,* un avis semblable : « Ce n'est point une nécessité qu'il y ait du sang et des morts dans une tragédie : il suffit que l'action en soit grande, que tous les acteurs (terme synonyme de personnage dans la langue classique) en soient héroïques, que les passions y soient excitées, et que tout s'y ressente de cette tristesse majestueuse qui fait tout le plaisir de la tragédie. »

Ce respect des bienséances, auquel s'est plié Corneille, peut-être malgré lui, est dicté par le goût de l'époque. Dans l'« Avis au Lecteur » dont il fait précéder *Œdipe,* pièce de 1659, Corneille explique qu'il s'est écarté de ses modèles, Sophocle et Sénèque, pour ne pas choquer son public. « Cette éloquente et curieuse description de la manière dont ce malheureux prince se crève les yeux, et le spectacle de ces mêmes yeux crevés qui occupe tout le cinquième acte chez ces incomparables originaux, ferait soulever la délicatesse de nos dames, qui composent la plus belle partie de notre auditoire, et dont le dégoût attire aisément la censure de ceux qui les accompagnent. »

Ce goût qui caractérise le Classicisme s'affirme en réaction contre celui de l'époque précédente. Jusqu'aux années 1635 environ, le public français, suivant l'exemple de l'Angleterre et de l'Espagne, aime les scènes de cruauté. Le théâtre de Sénèque, tant joué au XVIe siècle, le théâtre élisabéthain baignent dans le sang. La scène shakespearienne est, aux yeux de Voltaire encore, comme il l'écrit dans son *Discours sur la tragédie* en 1730, un « lieu de carnage ». *Titus Andronicus* est sans doute l'un des drames les plus affreux et les plus représentatifs de cette mode. Les scènes de mutilation y abondent ; le héros a une main coupée sur scène. Sa fille, à qui ses ennemis, après l'avoir violée, ont arraché la langue, devient muette. Pour se venger, il offre à la reine des Goths, au cours d'un festin digne de celui qu'Atrée donna à Thyeste, un pâté fait de la chair de ses enfants. Bien des dénouements shakespeariens présentent le spectacle de monceaux de cadavres. Dans *Hamlet,* lorsque Fortinbras, le prince de Norvège, arrive au château d'Elseneur, il n'y trouve que des morts : le roi, la reine, Hamlet et Laertes, dont il fait débarrasser les corps par ses soldats : « Relevez ces cadavres, dit-il : pareil spectacle sied au champ de bataille et convient mal ici » (V, II). Ses paroles trahissent son effroi devant cette vision d'horreur. « Ce massacre crie au carnage. Ah ! Quelle fête s'apprête, orgueilleuse Mort, en ton antre éternel, pour que d'un seul coup sanglant tu frappes tant de princes ? »

Les tragédies d'Alexandre Hardy, qui précéda de peu Corneille, regorgent de scènes atroces. Dans *Scédase,* pièce de 1624, les deux filles du héros sont violées par ses hôtes, qu'il fera jeter dans un puits. Corneille, dans sa première tragédie, *Médée,* en 1635, se complaît encore dans l'horrible. Créuse et son père Créon, condamnés par la jalousie de Médée, périssent dans d'atroces souffrances. Il faudra attendre des dramaturges expressionnistes comme Ernst Toller — qui, dans *Hinkemann,* en 1924, met en scène le drame et de la castration — pour retrouver ce type de violence.

Le goût a bien changé en 1664, lorsque Racine, dans la préface de *La Thébaïde,* semble s'excuser de présenter un dénouement si funeste, alors qu'il ne montre pas de scène de cruauté. « La catastrophe de cette pièce est peut-être un peu trop sanglante. En effet, il n'y paraît presque pas un acteur qui ne meure à la fin. Mais aussi, c'est *La Thébaïde.* »

● *Le corps occulté.* La mort, dans le théâtre classique, n'a lieu qu'en coulisses. Échappant au mimétique, elle n'existe que dans le discours. Aussi la bataille, où surviennent inéluctablement blessures et morts, ne peut occuper que le temps du récit et non l'espace de la scène. Lorsque Camille, dans ses imprécations, maudit Rome, Horace brandit son épée, pour laver dans le sang cette offense, et poursuit sa sœur dans les coulisses. La scène reste vide quelques secondes (situation que le théâtre classique, d'habitude, évite soigneusement), pendant lesquelles parviennent au spectateur les plaintes de Camille mourante. Lorsque Horace reparaît, Camille est morte. La scène de meurtre, ébauchée sur le théâtre, s'est accomplie loin des yeux du spectateur. L'Athalie de Racine se tue sur scène, mais expire elle aussi en coulisses. Atalide, par contre, se suicide et meurt devant le public, tandis que Racine situe en coulisses les autres morts de la pièce, celles de Roxane et de Bajazet.

● *Le récit-écran.* Si la vue du sang déplaît, son évocation dans le discours est une source de pathétique fort appréciée. La scène n'est jamais donnée à voir directement. C'est à travers le regard interposé d'un personnage bouleversé par sa vision que le spectateur perçoit les événements sanglants. Théramène, dans son récit de la mort d'Hippolyte, insiste sur l'horreur du spectacle auquel il a été confronté. Le sang baigne toute cette scène évoquée, d'abord celui du monstre, puis celui des chevaux qui tirent le char d'Hippolyte, et enfin celui du héros :

> ... tout son corps n'est bientôt qu'une plaie.
> [...]
> De son généreux *sang* la trace nous conduit :
> Les rochers en sont teints ; les ronces dégouttantes
> Portent de ses cheveux les dépouilles *sanglantes.*
>
> (*Phèdre,* V, VI, v. 1550-1558)

Théramène termine ce récit funeste en relatant le désespoir d'Aricie à la vue de ce bain de sang dans lequel gisait le « corps défiguré » de son amant :

> Elle approche : elle voit l'herbe rouge et fumante ;
> Elle voit (quel objet pour les yeux d'une amante !)
> Hippolyte étendu, sans forme et sans couleur.

C'est donc par une vision doublement interposée, à travers le regard qu'a porté Théramène sur celui d'Aricie, que le spectacle effroyable est offert aux spectateurs.

C'est dans un récit tout aussi bouleversant que Chimène raconte la mort de son père, lorsqu'elle vient crier vengeance auprès du roi. Cette complaisance morbide à évoquer les blessures de son père est, pour Chimène, le moyen de se libérer par la parole d'une vision d'horreur, pour Corneille, celui de susciter, dans l'imaginaire du spectateur, l'apparition d'une scène qu'il ne peut montrer. La mort, qui ne peut être figurée, est comme arrachée à l'espace dans le théâtre classique, où elle ne revêt qu'une dimension temporelle.

● *L'épée, objet emblème* La scène, si elle bannit la représentation du sang, montre souvent des traces de la mort. *L'objet ensanglanté,* fréquent dans la tragédie, *fonctionne comme métonymie de la mort.* Son apparition provoque l'horreur. Lorsque Horace revient du combat, Procule, le soldat romain qui l'escorte, porte ostensiblement les trois épées des Curiace encore rougies de sang. Horace contemple avec fierté ces trophées, dont Camille ne peut soutenir la vue.

Lorsque Rodrigue, après avoir tué le Comte, se présente chez Chimène, l'épée à la main, il provoque son effroi.

CHIMÈNE.
... Ôte-moi cet objet odieux,
Qui reproche ton crime et ta vie à mes yeux.
RODRIGUE.
Regarde-le plutôt pour exciter ta haine,
Pour croître ta colère et pour hâter ma peine.
CHIMÈNE.
Il est teint de mon *sang*.
RODRIGUE.
Plonge-le dans le mien
Et fais-lui perdre ainsi la teinture du tien.
CHIMÈNE.
Ah ! Quelle cruauté, qui tout en un jour tue
Le père par le fer, la fille par la vue !
Ôte-moi cet objet, je ne le puis souffrir.

(*Le Cid,* III, IV, v. 856-867).

Cette visite de Rodrigue à Chimène a choqué certains spectateurs de l'époque, ainsi que sa deuxième visite (V, I). Corneille, dans l'examen du *Cid,* essaie de la justifier, tout en reconnaissant que « la rigueur du devoir voulait qu'elle (Chimène) refusât de lui parler ». Mais elle a suscité aussi une vive émotion :

« Alors que ce malheureux amant se présentait devant elle, il s'élevait un certain frémissement dans l'assemblée, qui marquait une curiosité merveilleuse », ajoute-t-il.

L'épée contient toujours une menace de mort imminente lorsqu'elle apparaît sur la scène classique. Phèdre, en proie à la honte d'avoir avoué son amour, voudrait qu'Hippolyte la tue avec son épée. Hippolyte, médusé par la révélation qu'il vient d'entendre, garde le silence et ne réagit pas. Profitant de son désarroi, elle lui arrache l'épée qu'il porte au côté et ébauche le geste de se percer le cœur. Sans l'intervention d'Œnone, son suicide aurait lieu sous les yeux des spectateurs. Œnone, perfidement, donnera à Thésée de cette scène une version fort différente, qui accuse Hippolyte. L'épée, restée entre ses mains, lui sert de pièce à conviction.

Un plaisir paradoxal

L'action comique et l'action tragique ont en commun d'être des situations d'échec. Le même événement, sur scène comme dans la vie, peut paraître tragique ou comique selon le point de vue adopté par le témoin ou par le spectateur. Alceste, Arnolphe sont parfois à la limite du tragique. Mais le tragique est la destruction d'une force considérée, partiellement du moins, comme bonne. Curiace et Horace sont innocents. Leur sens civique cause leur malheur. L'échec de Prométhée, qui estime ne pas avoir commis de faute, est tragique dans la mesure où il atteint, à travers lui, des aspects positifs de la nature humaine. Le « voleur de feu » est porteur de civilisation. Aussi le spectateur s'identifie-t-il avec ces héros sur lesquels il s'apitoie. Dans le comique, en revanche, la force qui échoue est ressentie comme maléfique. Arnolphe est un tyran, un ennemi de la jeunesse et du bonheur. Tartuffe est un homme à abattre. Par suite, le plaisir ressenti à la comédie est une « fantaisie de triomphe », selon les termes de Charles Mauron (*Psychocritique du genre comique,* Corti, 1964). La destruction de cette force que le spectateur juge mauvaise le place en position de vainqueur. Le plaisir tragique, lui, est plus complexe. Saint Augustin, au livre III de ses *Confessions,* s'étonne du plaisir ressenti dans sa jeunesse au spectacle de la tragédie : « Mais quel est ce motif qui fait que les hommes y courent avec tant d'ardeur, et qu'ils veulent ressentir de la tristesse en regardant des choses funestes et tragiques qu'ils ne voudraient pas néanmoins souffrir ? Car les spectateurs veulent en ressentir de la douleur ; et cette douleur est leur joie. » « Le plaisir de pleurer et d'être attendri », comme le dit Racine à propos de *Bérénice,* dont il est très satisfait, car « c'est une tragédie qui a été honorée de tant de larmes », semble paradoxal. L'explication qu'en donne Boileau (dans *L'Art poétique*), pour qui la beauté de l'art transcende le pénible ou l'affreux en aimable, n'est pas pleinement satisfaisante :

> Il n'est point de serpent ni de monstre odieux,
> Qui, par l'art imité, ne puisse plaire aux yeux :
> D'un pinceau délicat l'artifice agréable
> Du plus affreux objet fait un objet aimable.

Ainsi, pour nous charmer, la Tragédie en pleurs
D'Œdipe tout sanglant fit parler les douleurs,
D'Oreste parricide exprima les alarmes,
Et, pour nous divertir, nous arracha des larmes.

● *Les deux ressorts tragiques : pitié et crainte.* Aristote explique la nature du plaisir tragique par la *catharsis. La tragédie* est « l'imitation qui est faite par des personnages en action [...] et qui, *suscitant pitié et crainte, opère la purgation propre à de pareilles émotions* ». Nous avons tous besoin d'éprouver des émotions fortes — crainte, pitié —, qui s'accompagnent dans la vie de troubles et de souffrances. Dans la tragédie, en revanche, nous les ressentons sans en avoir les tourments et nous en retirons du plaisir, parce que nous sommes « purgés » de nos affects. Aristote raisonne déjà, comme Freud, en termes d'économie libidinale. Ce que nous vivons d'émotion au spectacle de la tragédie, par personnage interposé, nous l'évacuons, économisant ainsi un déplaisir que nous éprouverions dans l'existence réelle.

Racine, qui a traduit plusieurs passages de la *Poétique,* insiste, lui aussi, sur l'aspect thérapeutique de la tragédie. Il écrit en marge de son exemplaire, couvert d'annotations précieuses, que « la tragédie, excitant la terreur et la pitié, purge et tempère ces sortes de passions. C'est-à-dire qu'en émouvant ces passions, elle leur ôte ce qu'elles ont d'excessif, et de vicieux, et les ramène à l'état de modération conforme à la raison. »

De prime abord, l'identification au héros et la purgation des passions peuvent apparaître difficilement compatibles. Mais, en fait, comme Pierre Janet l'a montré dans *De L'Angoisse à l'extase,* l'identification spectaculaire n'est pas de même nature que celle qui a cours dans la vie. Le spectateur qui ne se met que partiellement à la place du personnage éprouve intensément ses joies, plus lointainement ses souffrances. Toute passion, même triste, a « une espèce de douceur », au dire de Malebranche, que la situation spectaculaire respecte, en la purifiant.

Si la *catharsis* rend compte partiellement du mécanisme psychique qui nous permet d'éprouver du plaisir au spectacle du malheur, il faut faire intervenir un autre élément explicatif, le processus dénégatif mis en jeu par l'illusion. « La réflexion qui touche le cœur, écrit Stendhal dans *Racine et Shakespeare,* n'est pas que les maux qu'on étale sous nos yeux sont des maux réels, mais bien que ce sont des maux auxquels nous-mêmes nous pouvons être exposés [...]. Le plaisir de la tragédie procède de ce que nous savons bien que c'est une fiction ; ou, pour mieux dire, l'illusion, sans cesse détruite, renaît sans cesse. Si nous arrivions à croire un moment les meurtres et les trahisons réels, ils cesseraient à l'instant de nous causer du plaisir. »

La définition aristotélicienne de la *catharsis* convient mieux à Racine, plus tourné vers l'hellénisme, qu'à Corneille, chez qui prédomine l'héritage romain. « J'ai reconnu avec plaisir, écrit-il dans la préface d'*Iphigénie,* par l'effet qu'a produit sur notre théâtre tout ce que j'ai imité ou d'Homère ou d'Euripide, que le bon sens et la raison étaient les mêmes dans tous les siècles. Le goût de Paris s'est trouvé conforme à celui d'Athènes. Les spectateurs ont été émus des mêmes choses qui ont mis autrefois en larmes le plus savant peuple de la Grèce, et qui

LA CATHARSIS

● La théorie aristotélicienne de la *catharsis* dérive d'une conception plus générale, qui, par l'intermédiaire de Platon, remonte à Démocrite, celle d'un traitement homéopathique. Le terme, médical, signifie « purgation ». Pour Aristote, fils de médecin et passionné lui-même de sciences naturelles, *la tragédie apaise le tempérament plus ou moins émotif du spectateur par des émotions contrôlées.* La musique opère, selon lui, une catharsis semblable (cf. *Politique,* Livre VIII). Dans les cultes orgiastiques, la frénésie provoquée par les danses rituelles avait ce même effet thérapeutique.

● Aristote examine quels caractères l'action tragique doit présenter pour imprimer au spectateur les deux émotions tragiques fondamentales à ses yeux. « Puisque [...] la tragédie doit imiter des faits qui suscitent la *crainte* et la *pitié* [...], d'abord il est évident qu'on ne doit pas y voir les bons passant du bonheur au malheur (ce spectacle n'inspire ni crainte ni pitié, mais répugnance) ni les méchants passant du malheur au bonheur (c'est de tous les cas le plus éloigné du tragique car il ne remplit aucune des conditions requises : il n'éveille ni sentiment d'humanité ni pitié ni crainte) ni, d'autre part, l'homme foncièrement mauvais tomber du bonheur dans le malheur (une combinaison comme celle-là pourra bien susciter des sentiments d'humanité, mais point la pitié ni la crainte ; car l'une a pour objet l'homme malheureux sans le mériter, l'autre l'homme semblable à nous ; la pitié a pour objet l'homme qui ne mérite pas son malheur, la crainte l'homme semblable à nous ; de sorte que dans ce cas l'événement ne sera propre à susciter ni pitié ni crainte).

Reste par conséquent le héros qui occupe une situation intermédiaire entre celles-là. C'est le cas de l'homme qui, sans être éminemment vertueux et juste, tombe dans le malheur non à raison de sa méchanceté et de sa perversité, mais à la suite de l'une ou l'autre erreur qu'il a commise. [...] Il doit y avoir revirement non du malheur au bonheur mais au contraire du bonheur au malheur, ce revirement survenant non à cause de la perversité mais à cause d'une erreur grave d'un héros ou tel que je viens de dire ou meilleur plutôt que pire. » (*Poétique, op. cit.,* p. 46-47).

● Corneille, dans son *Deuxième Discours,* a longuement commenté ce passage d'Aristote. Il lui accorde qu'un homme fort vertueux ne doit pas tomber de la félicité dans le malheur. Le sentiment éprouvé par le spectateur devant cet événement injuste serait de l'indignation et de la haine envers celui qui fait souffrir. Il pense, lui aussi, qu'un méchant homme ne doit pas passer du malheur à la félicité. La chute du méchant dans le malheur, apparaissant comme une juste punition, ne pourrait pas non plus susciter pitié et crainte. Corneille semble en arriver à la même conclusion qu'Aristote, dont il reprend les termes presque textuellement : « Il reste donc à trouver un milieu entre ces deux extrémités, par le choix d'*un homme qui ne soit ni tout à fait bon ni tout à fait méchant* et qui, par une faute ou une faiblesse humaine, tombe dans un malheur qu'il ne mérite pas. »

ont fait dire qu'entre les poètes, Euripide était extrêmement tragique, c'est-à-dire qu'il savait merveilleusement exciter *la compassion et la terreur, qui sont les véritables effets de la tragédie.* » Racine attribue, lors de la mort d'Hippolyte, au ciel et à la terre, les spectateurs de la scène les plus dignes du héros, les deux sentiments que doit faire éprouver la tragédie :

> *Le ciel avec horreur voit* ce monstre sauvage,
> *La terre s'en émeut...*
>
> (*Phèdre* V, vi, v. 1521-1522)

Phèdre représente, aux yeux de Racine, le personnage tragique le plus parfait qu'il ait créé, doté, comme il le dit dans sa préface, de « toutes les qualités qu'Aristote demande dans le héros de la tragédie, et qui sont propres à exciter la compassion et la terreur. En effet, *Phèdre n'est ni tout à fait coupable ni tout à fait innocente.* » Racine, comme Aristote, a le sentiment que la vertu ne peut être sacrifiée. Aussi a-t-il rendu Hippolyte amoureux, tandis qu'Euripide le présentait comme « un philosophe exempt de toute imperfection ; ce qui faisait que la mort de ce jeune prince causait beaucoup plus d'indignation que de pitié. Il fallait qu'il le montrât coupable envers Thésée pour avoir transgressé ses ordres. » De même, Racine n'aurait pas écrit *Iphigénie* s'il avait dû, comme Eschyle ou Sophocle, immoler son héroïne : « Quelle apparence (= vraisemblance) que j'eusse souillé la scène par le meurtre horrible d'une personne aussi vertueuse et aussi aimable qu'il fallait représenter Iphigénie ? » dit-il. Par contre, il estime qu'il pouvait sacrifier Ériphile, personnage à la fois coupable et digne de pitié : « Je puis dire que j'ai été très heureux de trouver dans les Anciens cette autre Iphigénie, que j'ai pu représenter telle qu'il m'a plu, et qui, tombant dans le malheur où cette amante jalouse voulait précipiter sa rivale, mérite en quelque façon d'être punie, sans être pourtant tout à fait indigne de compassion. »

● *Un nouveau ressort tragique : l'admiration de la vertu.* Corneille, qui semble partager, dans le *Deuxième Discours,* le point de vue d'Aristote, émet pourtant des réserves sur sa théorie de la *catharsis*. Constatant, à l'inverse de Racine, que le goût du public a changé depuis l'Antiquité, il pense que la purgation des passions, dans la tragédie, ne se fait pas uniquement comme le dit Aristote. L'exclusion des personnes tout à fait vertueuses qui tombent dans le malheur bannit en principe de la scène les martyrs. Or Polyeucte, personnage qui inspire de la pitié, mais non de la crainte, a arraché bien des larmes au spectateur. De la même façon, ce qui fait la grandeur du *Cid*, pour Corneille, c'est que le héros, comme il le dit dans l'« Argument », « tombe dans un malheur qu'il ne mérite pas » et que « la persécution et le péril ne viennent point d'un ennemi, ni d'un indifférent, mais d'une personne qui doive aimer celui qui souffre et en être aimée ».

Le Hollandais Gérard Jean Vossius conteste lui aussi, dans sa *Poétique,* écrite en 1647, la nécessité de porter exclusivement à la scène un héros ni trop bon ni trop méchant. Le criminel comme Médée ou le vertueux comme Hercule peuvent, selon lui, émouvoir tout autant.

Il existe pour Corneille, outre la pitié et la crainte, un troisième ressort tragique, l'admiration de la vertu. Telle est l'origine de l'émotion dans une pièce comme *Nicomède,* où tendresse et passion ont peu de part, et où prédomine le courage du héros. « Dans l'admiration qu'on a pour sa vertu, écrit Corneille dans l'examen, je trouve une manière de purger les passions, dont n'a point parlé Aristote, et qui est peut-être plus sûre que celle qu'il prescrit à la tragédie par le moyen de la pitié et de la crainte. L'amour qu'elle nous donne pour cette vertu que nous admirons, nous imprime de la haine pour le vice contraire. » Cette conception, franchement nouvelle, ouvre la voie au drame, qui fera de la vertu le sentiment le plus émouvant.

Les deux dernières pièces de Racine, *Esther* et *Athalie,* qui offrent une opposition très marquée entre les bons et les méchants, montrent que le goût du public commence à changer. Certes, le retour au jansénisme a remodelé l'éthique racinienne, mais, en outre, la théorie de Corneille a transformé la nature de l'émotion tragique.

4 Le drame

Dans la deuxième moitié du XVIIIᵉ siècle naît le drame, genre dont l'importance est déterminante dans l'histoire des formes théâtrales, puisque c'est de lui que naîtra « la pièce » contemporaine. Certaines de ses ambitions ne seront réalisées qu'au XXᵉ siècle. *Son esthétique, où prédomine le goût du spectacle, a définitivement ruiné l'esthétique classique de la pureté.* Théâtre de théoriciens plus que de créateurs, le drame bourgeois n'a pas produit de chefs-d'œuvre — pas plus que son avatar le mélodrame —, mais il inaugure une ère nouvelle. C'est avec l'avènement du drame romantique qu'apparaîtront les grandes réalisations.

LE DRAME BOURGEOIS

Que deviennent les genres traditionnels au XVIIIᵉ siècle ?

● *La tragédie, un genre caduc.* La tragédie, à laquelle on reproche, au XVIIIᵉ siècle, de ne représenter l'action qu'à travers le discours, ne plaît plus. Rousseau prête à Saint-Preux, dans *La Nouvelle Héloïse* (IIᵉ partie, lettre 17), en 1761, le sentiment d'ennui qu'il éprouve devant un tel spectacle. Antoine Houdar de La Motte, partisan des Modernes dans la Querelle, déplore, dans son *Deuxième Discours sur la tragédie,* dès 1722, que « *ces actions frappantes qui demandent de l'appareil et du spectacle* [...] se passent presque toujours derrière le théâtre ».

Le public du XVIIIᵉ siècle, qui s'attendrit si facilement au spectacle de la vertu, taxe même la tragédie d'immoralité, sous prétexte — tel est l'argument de Beaumarchais — que la fatalité qui pèse sur le héros lui ôte toute culpabilité. Mû par un souci de moralité analogue, Fénelon, dans sa *Lettre à l'Académie,* dès 1714, souhaitait que les passions ne fussent plus le ressort de la tragédie.

Ce public, lassé des sujets antiques et des personnages héroïques, attend *des spectacles d'actualité.* « Que me font à moi, sujet paisible d'un État monarchique du XVIIIᵉ siècle, les révolutions d'Athènes et de Rome ? Quel véritable intérêt puis-je prendre à la mort d'un tyran du Péloponnèse ? au sacrifice d'une jeune princesse en Aulide ? » demande Beaumarchais. N'est susceptible de toucher le spectateur du XVIIIᵉ siècle, avide d'émotion, que ce qui lui parle directement de lui et de son temps. « Il n'y a moralité ni intérêt au théâtre sans *un secret rapport du sujet dramatique à nous* », ajoute Beaumarchais. Pour répondre à son public, le théâtre tente alors d'abolir la distance que la tragédie instaurait entre le spectateur et le personnage : « ... bien loin que l'éclat du rang augmente en moi l'intérêt que je prends aux personnages tragiques, il y nuit au contraire.

[...] Plus l'homme qui pâtit est d'un état qui se rapproche du mien, et plus son malheur a de prise sur mon âme », dit Beaumarchais dans son *Essai sur le genre dramatique sérieux*.

Voltaire a beau rêver d'être un nouveau Racine, il transforme tant, à son insu, le modèle tragique, notamment dans le choix des sujets, qu'il le détruit. S'il s'inspire de l'Antiquité dans des pièces comme *Œdipe* ou *La Mort de César*, il situe l'action d'*Adélaïde et Duguesclin* au Moyen Age, celle des *Scythes* chez des peuples aux mœurs barbares « qu'on n'avait point encore exposés sur le théâtre tragique ». La précision avec laquelle il décrit costumes et décors témoigne, un siècle avant le drame romantique, d'un désir de dépayser le spectateur par la *couleur locale*. Sans doute parce qu'il a eu la chance de voir son œuvre interprétée par des acteurs de génie, comme Mlle Clairon et Lekain, il considère la représentation comme « *ce grand art de parler aux yeux* ». Il trouve plus émouvants les effets du geste que ceux de la déclamation, que privilégiait le théâtre classique. « Qui aurait osé, comme M. Lekain, sortir les bras ensanglantés du tombeau de Ninus, tandis que l'admirable actrice qui représentait Sémiramis se traînait mourante sur les marches du tombeau même ? Voilà ce que les connaisseurs, étonnés de la perfection inattendue de l'art, ont appelé *des tableaux de Michel-Ange. C'est là en effet la véritable action théâtrale.* Le reste était une conversation quelquefois passionnée », s'exclame-t-il.

Au XIXᵉ siècle, Casimir Delavigne essaiera vainement de redonner vie à la tragédie, dans des pièces comme *Louis XI* en 1832, ou comme *Les Enfants d'Édouard* en 1833. Le genre est bel et bien mort. Dans un drame comme *Le roi s'amuse,* de Victor Hugo, œuvre de 1832, on voit bien que le modèle tragique a été vidé de toutes ses significations. Dans cette pièce qui subvertit l'ordre classique, c'est le bouffon Triboulet, et non François Iᵉʳ, qui mène le jeu. Le discours classique est apparemment conservé, dans sa pompe, dans l'utilisation des longues tirades en alexandrins, mais la dérision est introduite par l'opposition entre la grandiloquence de ce langage et la médiocrité des personnages qui le profèrent : un bouffon corrompu, un roi d'une faiblesse sans égale. Le drame a supplanté la tragédie.

● *Une comédie spirituelle.* Le public n'apprécie pas davantage la comédie classique. « Dans les mœurs modernes, écrira Balzac dans *Les Illusions perdues,* (elle) n'est plus possible avec ses vieilles lois. » L'irréalisme de ses procédés de grossissement et de stylisation choque désormais. Le rire franc, incompatible avec l'émotion, ne plaît plus. Dès 1709, dans sa « Critique de *Turcaret* », qui sert de préface à sa comédie, Lesage déplore la froideur qui règne sur les scènes comiques. Mais ses propres comédies de mœurs, où il fait la satire du monde impitoyable de la finance, ne prêtent guère à rire. Marivaux et Beaumarchais, les deux grands représentants de la comédie au XVIIIᵉ siècle, font sourire le spectateur plutôt que rire. Nous leur accorderons ici une place restreinte, quoique leurs comédies constituent les beaux moments du théâtre de l'époque, car c'est du drame que sont venues les innovations.

Les sujets de Marivaux se prêtent mal au rire. L'amour est le ressort essentiel de son théâtre comme de celui de Racine. Si Marivaux n'est jamais tragique, c'est que l'obstacle à la réalisation de l'amour n'est pas infranchissable.

Dans ce théâtre bourgeois, c'est l'argent ou la classe sociale qui sépare, ce n'est pas la passion. Lorsque Silvia découvre, dans *Le Jeu de l'amour et du hasard,* pièce de 1730, qu'elle aime Dorante, et non le valet Bourguignon, la pièce est quasi terminée, puisque l'obstacle est supprimé. « J'avais grand besoin que ce fût là Dorante ! » s'écrie-t-elle.

Ce qui fait sourire le spectateur dans l'œuvre de Marivaux, c'est *le jeu constant du mensonge à la vérité,* qui s'établit tant au niveau du langage, fait de perpétuels sous-entendus, qu'au niveau du corps, puisque le déguisement est une source de multiples quiproquos. Dans cet univers de l'apparence, où chacun veut mettre à l'épreuve les sentiments de l'autre, par tous les moyens, même l'illusion, on en arrive à dire la vérité en feignant de mentir. *La Première Surprise de l'amour,* pièce de 1722, c'est celle qui attend un misogyne et une femme misanthrope qui ne veulent plus aimer. L'amour-propre aidant, chacun va se croire aimé, sans se rendre compte qu'il est lui-même épris, et y voir plus clair dans le cœur de l'autre que dans le sien. C'est dans *Les Fausses Confidences,* pièce de 1737, que la simulation est la plus grande. Chaque personnage est un tricheur. Seul l'aveu final que fait Dorante à Araminte est vrai : « Dans tout ce qui se passe chez vous, lui dit-il, il n'y a rien de vrai que ma passion, qui est infinie ... » (III, XII). C'est parce que Marivaux conçoit le jeu comme moyen de démystification, le mensonge comme une étape vers la vérité, que sa rencontre avec les comédiens-italiens, pour qui, de 1720 à 1740, il a écrit plus de la moitié de son œuvre, a été si féconde. Ce qui a séduit Marivaux, qui veut, au théâtre, faire tomber les masques sociaux, c'est que l'univers des Comédiens-Italiens, dont Watteau a si bien rendu l'atmosphère, est fait de stratagèmes, de feintes, de mascarades.

Les seuls moments franchement comiques chez Marivaux sont suscités par l'apparition d'Arlequin. Marivaux trouvait, chez les Comédiens-Italiens, en Thomassin, l'acteur qui jouait Arlequin, un comédien qui excellait dans l'art du mime et des acrobaties. Dans *Arlequin poli par l'amour,* lorsque le maître à danser apprend à Arlequin comment faire une révérence, Marivaux note : « *Arlequin égaie cette scène de tout ce que son génie peut lui fournir de propre au sujet »,* laissant à son acteur toute liberté d'improvisation. Il conserve les *lazzi* traditionnels, se contentant de les indiquer sans commentaire, puisque chacun est codifié, tel le *lazzi* des mouches dans *Arlequin poli par l'amour :* « Pendant ce temps, Arlequin prend des mouches. » Ainsi s'explique la différence de ton entre les pièces écrites pour les Italiens et celles que Marivaux donna aux Comédiens-Français, dont le jeu était alors compassé. L'élégance plus froide de celles-ci, qui n'ont pas la fantaisie primesautière des premières, se prête moins au rire. Il suffit, pour s'en convaincre, de comparer les deux *Surprises de l'amour,* la première écrite pour les Italiens, la seconde pour la Comédie-Française.

La *satire sociale* est la principale source de comique dans la comédie du XVIIIᵉ siècle. Présente dans toute l'œuvre de Marivaux — et pas seulement dans les trois « Îles » (*L'Île de la raison, L'Île des esclaves, la Colonie*) —, comme chez Beaumarchais, elle suggère sans cesse que les petits sont victimes de la violence des grands. Ce but satirique amène Marivaux et Beaumarchais à donner une force nouvelle au vieux schéma du mariage contrarié, qu'ils subvertissent parfois, lorsque l'amour des valets est menacé par le libertinage des maîtres. Dans *La Double Inconstance,* œuvre de 1723, le prince enlève et séduit la fiancée d'Arlequin, l'un de ses paysans. A travers le regard ingénu d'Arlequin, personnage déraciné, arraché à sa campagne native et transplanté dans un milieu hostile, la cour, Marivaux condamne l'égoïsme des grands, se moque du faux langage de la cour, de l'honneur dévoyé que l'on y substitue à la vertu. Le sujet du *Mariage de Figaro,* en 1784, est plus hardi encore. A maintes reprises, Figaro, qui défend âprement son bonheur, fait la leçon au comte Almaviva, qui entend profiter du droit du seigneur avec Suzanne, sa fiancée. Il lui reproche d'abuser du pouvoir que lui donne son rang. Il lui rappelle que jadis, dans *Le Barbier de Séville,* pièce de 1775, où le schéma du mariage contrarié est utilisé de façon traditionnelle, c'est lui qui a tout mis en œuvre pour favoriser sa passion, l'aidant à enlever Rosine à Bartholo, son tuteur. L'ironie que manie si finement Figaro, sachant battre en retraite lorsqu'il sent qu'il a dépassé les bornes et que la colère du Comte va fondre sur lui, revenir à la charge dès que possible, se prête à un feu d'artifice de bons mots. L'esprit fuse en permanence dans les reparties de Figaro. C'est là un des grands plaisirs que procure la pièce. Au Comte, qui lui reproche d'être complice de la Comtesse, de le tenir à l'écart de ses confidences et qui lui dit :

> Autrefois tu me disais tout.

il répond :

> Et maintenant je ne vous cache rien.
>
> LE COMTE. — Combien la Comtesse t'a-t-elle donné pour cette belle association ?
> FIGARO. — Combien me donnâtes-vous pour la tirer des mains du Docteur ? Tenez, Monseigneur, n'humilions pas l'homme qui nous sert bien, crainte d'en faire un mauvais valet.
>
> (III, v)

La comédie, on le voit, a su se transformer, infléchissant le comique vers le spirituel ; la tragédie, genre soumis à des contraintes plus rigides, ne pouvait le faire.

Le drame répond au goût nouveau d'un siècle qui délaisse la tragédie et ne prise plus le gros rire. La « comédie larmoyante », créée par Nivelle de La Chaussée, dès 1735, avec *Le Préjugé à la mode,* suivi par Voltaire, lui a préparé la voie, en exprimant déjà ce qui sera son double but : émouvoir le spectateur et satisfaire ses exigences morales. Dans la préface de *L'Enfant prodigue,* en 1738, Voltaire fait part de son désir de créer *« un genre mixte »,* dans lequel on puisse voir « un mélange de sérieux et de plaisanterie, de comique et de touchant. C'est ainsi que la vie des hommes est bigarrée ; souvent même une seule aventure produit tous ces contrastes. Rien n'est si commun qu'une maison dans laquelle un père gronde, une fille occupée de sa passion pleure, le fils se moque des deux, et quelques parents prennent différemment part à la scène. On raille très souvent dans une chambre ce qui attendrit dans la chambre voisine ; et *la même personne a quelquefois ri et pleuré de la même chose dans le même quart d'heure. »* Avec le drame se réalise le rêve voltairien. Le théâtre veut désormais saisir la vie dans le foisonnement de ses contradictions, plutôt que de présenter la nature humaine falsifiée par une stylisation, grandeur tragique ou caricature burlesque.

Position médiane du drame

C'est par rapport à la comédie et à la tragédie que Diderot, en 1758, définit, dans son *Discours sur la poésie dramatique,* le « genre sérieux ». Il lui assigne une place médiane entre ces deux « genres extrêmes ». *Le Fils naturel,* qu'il vient de créer, en est, selon lui, la plus parfaite illustration. Dans l'intervalle qui sépare comédie et genre sérieux, il situe *Le Père de famille.* Certaines comédies de Destouches, au début du siècle, comme *Le Philosophe marié* en 1727 ou *Le Glorieux* en 1732, émaillées de tirades moralisantes, annonçaient cette « comédie sérieuse ». Diderot a longtemps caressé — sans lui avoir jamais donné forme — le projet de composer un drame qui serait situé à l'opposé du *Père de famille,* entre le « genre sérieux » et la tragédie. On peut figurer ainsi la topologie dramaturgique conçue par Diderot :

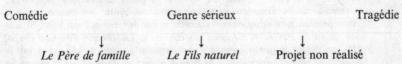

Comédie	Genre sérieux	Tragédie
↓	↓	↓
Le Père de famille	*Le Fils naturel*	Projet non réalisé

Quoique tenant à la fois de la comédie et de la tragédie, le drame ne mélange pas pour autant les genres, mais il leur emprunte de *multiples modalités de ton.* Diderot fait remarquer combien il serait incohérent de mêler, dans une même composition, des nuances du genre comique et du genre tragique. « Connaissez bien la pente de vos sujets et de vos caractères, conseille-t-il aux auteurs, et suivez-la. »

LE DRAME EST-IL UN GENRE ?

● *Une définition problématique.* Le mot *drame,* qui désigne « le genre dramatique sérieux », n'est accepté par l'Académie qu'en 1762. Pourtant Diderot a déjà créé *Le Fils naturel* dès 1757 et *Le Père de famille* en 1758. Ces réticences s'expliquent par la confusion que ce nouvel emploi du terme risque d'introduire. Avant l'apparition du genre, « drame » est synonyme d'action dramatique, acception toujours usitée actuellement. Comme le rappelle en 1773, dans *Du théâtre, ou Nouvel Essai sur l'art dramatique*, Sébastien Mercier, l'un des grands théoriciens du drame bourgeois, dramaturge lui-même, « ce mot est tiré du grec *drâma*, qui signifie littéralement action ; et c'est le titre le plus honorable que l'on puisse donner à une pièce de théâtre, car sans action point d'intérêt ni de vie ». Aussi manifeste-t-il son indignation, car « on a voulu proscrire parmi nous le mot Drame, qui est le mot collectif, le mot originel, le mot propre ».

● *Un genre ambitieux.* Cette ambiguïté lexicale témoigne de l'ambition du drame bourgeois, qui, abolissant la distinction entre les genres, tragédie et comédie, tend à devenir le seul genre dramatique. Toute action dramatique (= tout drame, selon l'acception étymologique du terme) appartient au drame, genre nouveau qui se donne pour objet une matière immense, celle de la vie. Le terme de « genre » revêt-il encore la même signification que par le passé ? Si toute pièce est drame, la théorie des genres, qui repose sur un principe d'ordre, de classement des différents types de pièces, n'apparaît plus fondée. Le terme de genre ne garde que le sens large qui oppose le « genre drama- tique », c'est-à-dire le théâtre, aux autres grands genres littéraires : roman et poésie. Au sein même du genre dramatique, il n'est plus de sous-genres. Toutefois, le drame, quoique se voulant le genre dramatique unique au XVIIIe siècle, garde historiquement son statut de genre, par opposition aux formes dramatiques auxquelles il succède et par lesquelles il est suivi. Si, à la suite de René Wellek et d'Austin Warren, dans *La Théorie littéraire* (Seuil, 1971), on définit le genre comme « une certaine somme de procédés esthé- tiques disponibles à l'écrivain », le drame en est un. Diderot, lui, a donné sa poétique dans les *Entretiens avec Dorval*, texte dialogué qui fait suite au *Fils naturel*, et surtout dans le *Discours sur la poésie dramatique*, traité qui paraît à la suite du *Père de famille*.

● *« Drame sérieux » ou « drame comique » ?* Les auteurs de drame hésitent sur la terminologie à adopter pour désigner le genre. Diderot parle parfois de « tragédie domestique et bourgeoise », soulignant le fait que le drame met en scène de sombres affaires de famille. Beaumarchais intitule l'essai dont il fait précéder *Eugénie,* son premier drame (1767), *Essai sur le genre dramatique sérieux,* reconnaissant implicitement que le comique franc n'appartient pas au drame. Il dira même que le drame est « sans sel comique », quoiqu'il distingue par ailleurs « drame sérieux » et « drame comique ». Si Plaute était parfois la référence de Molière, Diderot se réclame de Térence, dont il apprécie la gravité de ton, bien éloignée du burlesque de Plaute. Le « sublime » est, pour lui, le ton privilégié du drame. Si les appellations sont multiples pour désigner le drame, c'est qu'il peut tendre aussi bien vers la tragédie que vers la comédie. De fait, les réalisations, toujours « larmoyantes », ne font pas passer du rire aux larmes comme le voudraient les théoriciens.

● *Deux grandes réalisations du siècle des Lumières : le drame et l'« Encyclopédie ».* Si le but du drame est de transcender toutes les formes théâtrales antérieures, c'est qu'il est l'œuvre des Encyclopédistes. Lorsque Diderot donne *Le Fils naturel,* le sixième volume de l'*Encyclopédie* vient de paraître. Comme l'*Encyclopédie,* qui prétend rendre compte de tous les do- maines de l'activité humaine, le drame veut explorer les multiples registres de l'affectivité.

Le piège des contradictions

● *Une moralité touchante.* Tout le XVIIIe siècle médite sur la vertu, même Sade, lorsque, subversivement, il la bafoue, écrivant *Justine ou les Malheurs de la vertu.* Beaumarchais et Diderot, fascinés par le spectacle de la vertu, assignent un but moral au drame. Pour ces deux lecteurs de Richardson, dotés d'une sensibilité préromantique, qui font confiance à la bonté de la nature humaine, les devoirs des hommes constituent un fonds aussi riche que les ridicules et les vices traditionnellement exploités par la comédie. Beaumarchais, dans « Un mot sur *La Mère coupable* », en 1792, oppose le sérieux de son drame à l'atmosphère légère de ses deux comédies, *Le Barbier de Séville* et *Le Mariage de Figaro* (ou *La Folle Journée*), qui l'ont précédé. « Après avoir bien ri, écrit-il, le premier jour, au *Barbier de Séville,* de la turbulente jeunesse du comte Almaviva, laquelle est à peu près celle de tous les hommes ; Après avoir, le second jour, gaiement considéré, dans *La Folle Journée,* les fautes de son âge viril, et qui sont trop souvent les nôtres ; Par le tableau de sa vieillesse, et voyant *La Mère coupable,* venez vous convaincre avec nous que tout homme qui n'est pas né un épouvantable méchant finit toujours par être bon, quand l'âge des passions s'éloigne, et surtout quand il a goûté le bonheur si doux d'être père ! C'est le but moral de la pièce. » Le plaisir des larmes, créé par le spectacle de la vertu dans *La Mère coupable,* est plus profond et plus durable que celui que provoque le rire passager de la comédie. Beaumarchais est d'autant plus véhément qu'il a été très affecté par l'échec de ses deux premiers drames, *Eugénie* en 1767 et *Les Deux Amis* en 1770. Il voudrait que le troisième connaisse auprès du public le même accueil triomphal que les deux comédies qu'il a données entre-temps, *Le Barbier de Séville* en 1775 et *Le Mariage de Figaro* en 1784. « Si vous trouvez quelque plaisir à mêler vos larmes aux douleurs, au pieux repentir de cette femme infortunée, si ses pleurs commandent les vôtres, laissez-les couler doucement, continue-t-il. Les larmes qu'on verse au théâtre, sur des maux simulés, qui ne font pas le mal de la réalité cruelle, sont bien douces. On est meilleur quand on se sent pleurer. On se trouve si bon après la compassion ! »

Dans *La Mère coupable,* dont l'action se passe vingt ans après celle du *Mariage de Figaro,* le comte Almaviva découvre que Rosine l'a trompé jadis avec Chérubin. Lorsqu'il en a la preuve, tenant dans ses mains la lettre d'amour adressée autrefois par la Comtesse à Chérubin et la réponse du page, il ne laisse pas éclater sa colère, comme on pourrait s'y attendre de la part d'un homme qui était si sourcilleux en matière d'honneur dans *Le Mariage de Figaro.* Passant de l'univers de la comédie à celui du drame, le personnage a changé. Il est devenu accessible à l'émotion. Son cœur s'est ouvert. Il souffre dans son amour plus que dans son amour-propre, et pardonne, convaincu par les termes de la lettre que ces deux êtres ont agi dans une espèce d'inconscience, imputable à leur extrême jeunesse, mais qu'ils n'ont pas fauté sciemment. « Ah ! Rosine ! s'écrie-t-il. Où est le temps ?.. mais tu t'es avilie !... *(Il s'agite.) Ce n'est point là l'écrit d'une méchante femme !* » (II, I). C'est en des termes identiques qu'il commente, peu après, la lettre de Chérubin : « *Ce n'est point là non plus l'écrit d'un méchant homme !* Un malheureux égarement... »

Ce *choix des sujets larmoyants* caractérise le drame. Pour Beaumarchais, le sujet d'*Eugénie,* c'est « le désespoir où l'imprudence et la méchanceté d'autrui peuvent conduire une jeune personne innocente et vertueuse, dans l'acte le plus important de la vie humaine ». Eugénie est la proie d'un ignoble séducteur, Lord Clarendon, qui n'hésite pas à l'abuser par un faux mariage, alors qu'il est sur le point d'épouser une riche héritière, et à l'abandonner enceinte. Mais, dans un pathétique revirement final, il lui demande pardon et l'épouse. Beaumarchais a pris soin de préparer cette volte-face, puisque, dès le premier acte, Clarendon, dans un monologue, fait part de ses remords : « Que je suis loin de l'air tranquille que j'affecte », dit-il en « se promenant avec inquiétude ». Malgré tout, le brusque repentir du séducteur demeure incompréhensible. *La subordination de la pièce à l'exigence morale — faire triompher la vertu — rend le personnage incohérent.* Il est difficile de croire à la vérité de ces êtres : la naïveté d'Eugénie est sans égale, les remords de Clarendon imprévisibles.

● *Le réalisme illusionniste.* Mais qu'importe si les personnages sont schématiques ! Ce qui intéresse Diderot, ce n'est pas l'étude des caractères, mais la *peinture des conditions* (= des professions) qu'il énumère lui-même : « l'homme de lettres, le philosophe, le commerçant, le juge, l'avocat, le politique, le citoyen, le magistrat, le financier, le grand seigneur, l'intendant », et l'*étude des relations :* « le père de famille, l'époux, la sœur, les frères ». Dans les *Entretiens sur « Le Fils naturel »,* Diderot s'écrie : « Les conditions ! Combien de détails importants, d'actions publiques et domestiques, de vérités inconnues, de situations nouvelles à tirer de ce fonds ! Et les conditions n'ont-elles pas entre elles les mêmes contrastes que les caractères ? et le poète ne pourra-t-il pas les opposer ? » Diderot rêve de porter à la scène le monde de Fragonard, chez qui il aime à contempler les « conditions », ou celui de Greuze, chez qui il a découvert avec tant d'émotion, en 1765, avec *Le Fils ingrat* et *Le Mauvais Fils puni,* un intérêt identique au sien pour les scènes de la vie de famille. Sedaine, en 1765, dans *Le Philosophe sans le savoir,* étudie la « condition » d'un type social : le négociant.

Faisant pénétrer le spectateur dans l'intimité d'une famille bourgeoise, le drame saisit les personnages dans leur réalisme. Pour la première fois au théâtre, les personnages ont une biographie, un passé. Aussi le valet de comédie, personnage de fantaisie que « les honnêtes gens n'admettent point à la connaissance de leurs affaires », comme le dit Diderot, est-il banni de la scène pour son irréalisme. Les personnages principaux n'ont pas davantage de raison d'être dans un tel théâtre. Tous ont même statut, puisque ce ne sont plus les grands caractères qui intéressent, mais les relations au sein de la famille. « Un personnage n'est plus un despote à qui l'on subordonne ou l'on sacrifie tous les autres ; il n'est point une espèce de pivot autour duquel tournent les événements et les discours de la pièce. Enfin le drame n'est point une action forcée, rapide, extrême : c'est un beau moment de la vie humaine, qui révèle l'intérieur d'une famille », comme le dit Sébastien Mercier.

Les auteurs dramatiques, mus par ce souci de réalisme, prêtent à leurs personnages le langage de la vie. Le vers, qui attire trop l'attention sur les conventions théâtrales, leur apparaît démodé. « Le seul coloris qui soit permis, dit Beaumarchais, est le langage vif, pressé, coupé, tumultueux et vrai des passions, si éloigné du compas, de la césure et de l'affectation de la rime, que tous les soins du poète ne peuvent empêcher d'apercevoir dans son drame s'il est en vers. » Si le drame supprime le récit trop artificiel, il raccourcit le monologue, mais le conserve, car ce « moment de trouble pour le personnage », comme l'affirme Diderot, est une source d'émotion. Les auteurs de drame ont en Marivaux un illustre devancier sur ce point, même s'ils affectent de ne pas reconnaître un homme qui n'a jamais voulu asservir son art à l'*Encyclopédie*. Marivaux, dans l'avertissement des *Serments indiscrets,* prône *le naturel dans le style.* « J'ai tâché de saisir le langage des conversations, et la tournure des idées familières et variées qui y viennent, dit-il. *On n'écrit presque jamais comme on parle ;* la composition donne un autre tour à l'esprit ; c'est partout un goût d'idées pensées et réfléchies dont on ne sent point l'uniformité parce qu'on l'a reçu et qu'on y est fait : mais *si par hasard* vous quittez ce style et que *vous portiez le langage des hommes dans un ouvrage,* [...] si vous plaisez, vous plaisez beaucoup. » Jamais le réalisme n'a été aussi fort sur la scène qu'avec le drame. Le théâtre doit donner l'illusion qu'il reflète fidèlement la vie. Diderot est l'inventeur du « quatrième mur », qui ferme la scène et constitue une barrière, transparente certes, mais infranchissable, entre les acteurs et la salle : « Soit que vous composiez, soit que vous jouiez, ne pensez pas plus au spectateur que s'il n'existait pas, dit Diderot dans le *Discours sur la poésie dramatique.* Imaginez sur le bord du théâtre *un grand mur qui vous sépare du parterre.* Jouez comme si la toile ne se levait pas. »

● *La multiplication des péripéties.* L'écueil, dans une conception si réaliste de la scène, était de sombrer dans la banalité. Ce théâtre privilégie l'intrigue, espérant offrir au spectateur une émotion que des personnages sans relief ne peuvent susciter. Diderot, pourtant, met en garde les auteurs contre l'abus du coup de théâtre, qui ne crée qu'un effet momentané. Il rappelle que l'unité d'action doit être conservée afin que l'intérêt du spectateur soit toujours tenu en éveil, critiquant Marivaux qui ne se plie pas à cette règle, et mène parfois de pair deux intrigues. « L'action théâtrale ne se repose point ; et mêler deux intrigues, c'est les arrêter alternativement l'une l'autre », dit-il dans les *Entretiens sur « Le Fils naturel ».* Ce qu'oublie Diderot, c'est que le jeu contrapuntique qui s'établit souvent, chez Marivaux, entre les amours des maîtres et ceux des valets est une source de drôlerie. La comédie peut user de beaucoup de liberté, dont le drame se prive en s'enfermant dans les contraintes du réalisme. Toujours pédagogue, Diderot préconise de souligner l'unité de l'acte par un titre afin de s'assurer que l'unité d'action est respectée.

Malgré ces conseils que prodigue Diderot, le drame offre le spectacle de péripéties multiples, qui s'enchaînent souvent sans être motivées. Les personnages, qu'il n'est plus nécessaire de nommer ou de présenter dès l'exposition, peuvent apparaître pour la première fois en plein milieu de la pièce, voire à la fin, pour créer un effet de surprise. Dans *Eugénie,* Beaumarchais abuse de la péripétie : Sir Charles, le frère de l'héroïne, qui a fui son régiment, vit à Londres sous un faux nom et ne sait rien des malheurs de sa sœur. A la suite d'un guet-apens tendu par son colonel, il est sauvé — coïncidence extrême ! — par Clarendon, chez qui il découvre, avec effroi, sa sœur enceinte. En dépit de son exigence réaliste, le drame sombre dans l'invraisemblance. Dans cette esthétique, le hasard a remplacé la nécessité chère aux classiques. Le genre reflète l'interrogation que portent en permanence les philosophes des Lumières sur les caprices de la destinée.

Le Mariage de Figaro est une comédie dont l'esthétique est proche du drame. Une trentaine de péripéties se succèdent, à un rythme accéléré, sans aucun souci de vraisemblance. A la fin du deuxième acte, par exemple, chaque scène offre une péripétie nouvelle, qui vient annuler les effets de la précédente. Lorsque le Comte va découvrir Chérubin caché dans le cabinet de la Comtesse (sc. XVI), c'est Suzanne qu'il y trouve, car le page s'est enfui par la fenêtre, tandis qu'elle a pris sa place (sc. XVII). Mais voilà que Figaro, qui n'a pas été prévenu, met tout en péril, et, n'était-ce la finesse de Suzanne, la Comtesse serait compromise. Mais la situation rebondit aussitôt. Antonio, le jardinier, vient annoncer qu'il a vu quelqu'un sauter par la fenêtre. Figaro essaie de calmer les soupçons du Comte en prétendant que c'est lui qui était caché dans le cabinet et qu'il s'en est échappé clandestinement. Dans l'univers irréaliste de la comédie, le spectateur s'amuse de ces invraisemblances et trouve son plaisir dans la fantaisie même, d'autant que chaque personnage demeure toujours cohérent avec lui-même. Ces mêmes invraisemblances, il ne peut les accepter dans le drame, qui prétend être un théâtre de la vérité. L'échec du drame, dû à l'incompatibilité de ses deux postulations, peindre la vie dans sa quotidienneté et frapper vivement la sensibilité, était inévitable. Accumulant les invraisemblances, le drame a préparé le mélodrame.

Le goût du spectacle

La modernité du drame bourgeois, c'est sa conception de la mise en scène. L'opéra, depuis son apparition en France dans la deuxième moitié du XVIIe siècle, a sensibilisé le public à une nouvelle forme de spectacle, dont « le propre, comme le note La Bruyère, est de tenir les esprits, les yeux et les oreilles dans un égal enchantement ». Importé d'Italie par Mazarin en 1647, pour une représentation d'Orfeo, l'opéra a conquis très vite les faveurs du public, dès les années 1660 environ, et a fasciné les auteurs dramatiques eux-mêmes. Molière se met à jouer des comédies-ballets dès 1661, avec Les Fâcheux, et même une tragédie-ballet, Psyché, écrite en 1671, en collaboration avec Corneille, Quinault et Lulli. Racine et La Fontaine ont composé des livrets d'opéra. La déclamation, brusquement, est apparue froide et compassée face aux charmes de la musique et du chant, le décor de théâtre terne à côté des mises en scène fastueuses de l'opéra. Le théâtre doit désormais compter avec ce grand rival.

Les théâtres de foire, très populaires, ont immédiatement cultivé ce goût du spectacle. La comédie à vaudevilles (c'est-à-dire avec des couplets chantés sur des airs à la mode) a fait son apparition dans la première moitié du XVIIIe siècle, puis, dans la deuxième moitié du siècle, c'est la comédie à ariettes, où les chants sont accompagnés d'une musique originale. Dans ces formes mixtes, qui sont à l'origine de l'opéra-comique, alternent chant et déclamation. C'est sur ce modèle que Beaumarchais, qui a touché à tous les genres, intègre ariettes et vaudevilles, aussi bien dans Le Barbier de Séville que dans Le Mariage de Figaro.

• *Costumes et décors.* Avec l'apparition du drame bourgeois, les indications scéniques occupent brusquement une place importante. Diderot, conscient de l'impact de la mise en scène, souhaite que l'écriture dramatique la contienne virtuellement. Les auteurs dramatiques se font ainsi costumiers et machinistes. Diderot et Beaumarchais décrivent les habits de leurs personnages avec une minutie extrême. Le vêtement devient un moyen de saisir le personnage, et surtout sa « condition ». C'est là un procédé dont se souviendront les romanciers réalistes et naturalistes du XIXe siècle, mais que dédaigneront les auteurs de drames romantiques, épris de grandeur. Le théâtre du XXe siècle redonnera au vêtement un rôle important, mais en lui attribuant une fonction symbolique.

Dans le drame, le décor permet de créer l'*atmosphère intimiste* d'une maison bourgeoise. « *Pour l'intelligence de plusieurs scènes,* dont tout l'effet dépend du jeu théâtral, j'ai cru devoir joindre ici la disposition exacte du salon », dit Beaumarchais à propos d'*Eugénie.* Le décor fonctionne comme *un signe qui apporte des informations sur le personnage.* Il en indique le statut social.

Les auteurs dramatiques commencent à décrire la position des personnages sur le plateau afin de figurer les relations qu'ils entretiennent. Marquer les grands moments du drame par des tableaux, tel est le désir de Diderot, qui a toujours vu les problèmes de la scène d'un œil de peintre. « Une disposition de ces personnages sur la scène, si naturelle et si vraie, que, rendue fidèlement par un peintre, elle me plairait sur la toile, est un tableau », note-t-il dans les *Entretiens sur « Le Fils naturel ».*

Avec cette conception nouvelle de l'espace scénique et du costume s'amorce un mouvement qui bouleversera la dramaturgie au XXe siècle, lorsqu'elle se sera dépouillée de ses buts illusionnistes.

• *Le geste.* Diderot accorde beaucoup d'importance au geste, plus susceptible que le discours de créer l'émotion. Bien avant Artaud, il éprouve le sentiment que le théâtre français a trop privilégié le dialogue et qu'il faudrait restaurer dans sa dignité la pantomime des Anciens. Il souligne l'aspect conventionnel du théâtre, qui a « séparé ce que la nature a joint. A tout moment le geste ne répond-il pas au discours ? » Il est le premier à faire du geste un message quasi autonome, qui n'est pas simple explication du dialogue. « Il faut écrire la pantomime toutes les fois qu'elle fait tableau, qu'elle donne de l'énergie ou de la clarté au discours ; qu'elle lie le dialogue ; qu'elle caractérise ; qu'elle consiste dans un jeu délicat qui ne se devine pas ; qu'elle tient lieu de réponse, et presque toujours au commencement des scènes », dit-il dans le *Discours sur la poésie dramatique* (ch. XXI, « De la pantomime »).

Beaumarchais, très attentif lui aussi au geste, note des *jeux muets* destinés aux entractes, tel ce « jeu d'entracte » entre l'acte I et l'acte II d'*Eugénie,* car l'arrêt du jeu détruirait l'illusion : « Un domestique entre. Après avoir rangé les sièges qui sont autour de la table à thé, il en emporte le cabaret et vient remettre la table à sa place auprès du mur de côté. Il enlève des paquets dont quelques fauteuils sont chargés, et sort en regardant si tout est bien en ordre. »

Là aussi, Marivaux, qui utilise souvent la pantomime, fait figure de pionnier. Dans *Arlequin poli par l'amour,* l'expression de la naissance de l'amour chez Arlequin, avant d'être verbalisée, passe par un jeu de scène, longuement décrit :

> SILVIA *(voyant Arlequin)*. — Mais qui est-ce qui vient là ? Ah ! mon Dieu ! le beau garçon !
> *Arlequin entre en jouant au volant ; il vient de cette façon jusqu'aux pieds de Silvia ; là, en jouant, il laisse tomber le volant, et se baissant pour le ramasser, il voit Silvia. Il demeure étonné et courbé ; petit à petit et par secousses, il se redresse le corps ; quand il s'est entièrement redressé, il la regarde ; elle, honteuse, feint de se retirer ; dans son embarras, il l'arrête et dit :*
> Vous êtes bien pressée !

(Sc. V)

Étonnamment précurseur, Diderot a le sentiment que l'on pourrait exploiter avec fécondité *l'alternance, voire la coexistence, de scènes pantomimiques muettes et de scènes dialoguées.* Cette conception audacieuse du jeu ne sera réalisée qu'au XXe siècle, par des auteurs dramatiques comme Ionesco et Adamov. Diderot attend, comme il le dit dans les *Entretiens,* « l'homme de génie qui sache combiner la pantomime avec le discours, entremêler une scène parlée avec une scène muette, et tirer parti de la réunion des deux scènes, et surtout de l'approche ou terrible ou comique de cette réunion qui se ferait toujours ». Il a lui-même tenté l'expérience dans *Le Père de famille.* « J'ai tâché, écrit-il dans Le *Discours sur la poésie dramatique,* de séparer tellement les deux scènes simultanées de Cécile et du Père de famille, qui commencent le second acte, qu'on pourrait les imprimer à deux colonnes, où l'on verrait la pantomime de l'une correspondre au discours de l'autre ; et le discours de celle-ci correspondre alternativement à la pantomime de celle-là. Ce partage serait commode pour celui qui lit, et qui n'est pas fait au mélange du discours et du mouvement. » Très en avance sur son temps, Diderot imagine un procédé d'écriture qui sera celui de Jean Vauthier dans sa première pièce, *Capitaine Bada,* créée en 1952.

● *Musique et danse.* Cette importance attribuée à la mise en spectacle a amené Diderot et Beaumarchais à réfléchir sur le rôle de la « musique dramatique » (= musique destinée à la scène) et de la danse au théâtre. Diderot, dans ses *Entretiens sur « Le Fils naturel »,* critique la façon dont ses contemporains abordent la danse. Prisonnière de figures, de pas, elle est devenue un art figé auquel on ne pourrait redonner vie qu'en la concevant comme un spectacle théâtral. « La danse est à la pantomime, comme la poésie est à la prose, ou plutôt comme la déclamation naturelle est au chant. C'est une pantomime mesurée.

« Je voudrais bien qu'on me dît ce que signifient toutes ces danses telles que le menuet, le passe-pied, le rigaudon, l'allemande, la sarabande, où l'on suit un chemin tracé. Cet homme se déploie avec une grâce infinie ; il ne fait aucun mouvement où je n'aperçoive de la facilité, de la douceur et de la noblesse : mais qu'est-ce qu'il imite ? Ce n'est pas là savoir chanter, c'est savoir solfier.

« Une danse est un poème. Ce poème devrait donc avoir sa représentation séparée. C'est une imitation par les mouvements, qui suppose le concours du poète, du peintre, du musicien et du pantomime. Elle a son sujet ; ce sujet peut être distribué par actes et par scènes. La scène a son récitatif libre ou obligé, et son ariette. » Ainsi commence à naître l'idée, qui se développera au XXᵉ siècle, que danse et théâtre sont deux univers proches qui ont beaucoup à apprendre l'un de l'autre.

Beaumarchais critique, pour des raisons analogues, la « musique dramatique », si conventionnelle qu'elle apparaît plaquée sur la déclamation, tandis qu'elle devrait faire partie intégrante du spectacle. « Notre musique dramatique ressemble trop encore à notre musique chansonnière pour en attendre un véritable intérêt ou de la gaieté franche, écrit-il dans sa *Lettre modérée sur la chute et la critique du « Barbier de Séville »*. Il faudra commencer à l'employer sérieusement au théâtre quand on sentira bien qu'on ne doit y chanter que pour y parler ; quand nos musiciens se rapprocheront de la nature, et surtout cesseront de s'imposer l'absurde loi de toujours revenir à la première partie d'un air après qu'ils en ont dit la seconde. Est-ce qu'il y a des reprises et des rondeaux dans un drame ? »

Lui qui est un passionné d'opéra, dans la dédicace de son opéra *Tarare,* « Aux abonnés de l'opéra qui voudraient aimer l'opéra », il réfléchit sur les liens qui devraient se nouer entre musique et poésie dans l'opéra, et déplore que ces deux modes d'expression artistique s'ignorent presque. « Ce n'est point de l'art de chanter, du talent de bien moduler, ni de la combinaison des sons, ce n'est point de la musique en elle-même, que je veux vous entretenir : c'est l'action de la poésie sur la musique, et la réaction de celle-ci sur la poésie au théâtre, qu'il m'importe d'examiner relativement aux ouvrages où ces deux arts se réunissent. Il s'agit moins pour moi d'un nouvel opéra que d'un nouveau moyen d'intéresser à l'opéra. »

LE MÉLODRAME, LE THÉÂTRE DU PEUPLE

« Vive le mélodrame où Margot a pleuré ! » s'exclame, non sans raillerie, Musset dans *Après une lecture,* poème de 1842, lui qui n'appréciait pas beaucoup la vulgarité du genre.

Un avatar du drame bourgeois

Le mélodrame offre, plus encore que son prédécesseur le drame bourgeois, « ce spectacle de la vertu persécutée », puis triomphante, dont rêvait Beaumarchais. Le traître, dans *Cœlina ou l'Enfant du mystère* (1801) de Guilbert de Pixérécourt, le maître du genre, s'écrie, bourrelé de remords, avant de se suicider : « Ah ! si l'on savait ce qu'il en coûte de cesser d'être vertueux, on verrait bien peu de méchants sur la terre ! » On croirait entendre Diderot !

Très influencé par la mode du roman noir, appelé aussi « roman frénétique », notamment par les œuvres de Radcliffe et de Lewis, le mélodrame joue en permanence sur le pathétique. Pour accroître l'émotion, il utilise des décors propres à créer une atmosphère inquiétante : châteaux forts, ruines, sombres forêts, que le théâtre romantique lui empruntera.

LE MÉLODRAME, ORIGINE DU TERME

● Le terme de *mélodrame,* lorsqu'il apparaît au XVIIIe siècle, est usité dans son acception étymologique de « drame chanté ». Il désigne alors des œuvres où *la musique prend le relais de la parole, dans les moments d'émotion intense.* C'est, dit Rousseau dans ses *Fragments d'observation sur l'« Alceste » de Gluck* (1766), « un genre de drame dans lequel les paroles et la musique, au lieu de marcher ensemble, se font entendre successivement et où la phrase parlée est en quelque sorte annoncée et préparée par la phrase musicale ». Son mélodrame *Pygmalion,* écrit en 1775, est un monologue scénique où se mêlent prose et musique.

L'alternance dialogue/musique, qui caractérise cette forme antérieure au mélodrame proprement dit, est vite oubliée, quoique le mélodrame conserve quelques couplets chantés. C'est l'art de créer des moments d'émotion paroxystique qui en est retenu, lorsque le genre naît, au lendemain de la Révolution de 1789, pour occuper la scène jusqu'à la Révolution de Juillet.

● Sur le mélodrame, voir : Julia PRZYBOŚ, *L'Entreprise mélodramatique,* Corti, 1987.

Le manichéisme des personnages

Le mélodrame est un *genre conventionnel* dès sa naissance. La typologie des personnages est quasi invariable. L'héroïne est une jeune fille vertueuse, de préférence orpheline ou enfant naturelle, sauvée *in extremis* du malheur, enlevée mais jamais violée — moralité oblige ! Son protecteur, dont la générosité est parfaitement désintéressée, est tout aussi vertueux. Un jeune homme l'aime d'amour pur. Un traître odieux la menace, qui incarne à lui seul tous les vices. Il est aidé parfois de tout un peuple de complices, proscrits ou bandits. A ces personnages peut venir s'ajouter une dupe naïve, destinée, par le comique qu'elle crée, à détendre l'atmosphère. Ces personnages, figés dans un rôle, ne sont pas susceptibles d'évolution.

Des situations stéréotypées

Les situations, quoique toutes plus rocambolesques les unes que les autres, se réduisent à un même schéma. L'action, découpée en trois actes qui en scandent les étapes essentielles, présente d'abord la naissance de l'amour entre les deux jeunes gens, puis l'intervention du traître, porteur de malheur. Le mélodrame multiplie inlassablement les scènes sanglantes, combats, duels, coups de poignard, dont l'efficacité sur le spectateur, malgré l'outrance, est immédiate. Enfin, au dénouement, à la satisfaction générale, les méchants sont punis et/ou se repentent.

Dans *L'Auberge des Adrets,* de Victor Ducange, l'un des mélodrames les plus célèbres, donné en 1823, Robert Macaire, un affreux bandit échappé de prison, qui n'a reculé devant rien, même pas devant le crime, pour briser le mariage de deux fiancés, est tué par son complice qu'il voulait dénoncer. Dans un accès de repentir tout à fait imprévisible — mais attendu, conformément aux lois du genre —, il s'écrie, tirant un papier de son sein : « Lisez l'aveu de mes crimes [...]. Pardonnez-moi, je meurs. »

La reconnaissance est une autre forme, quasi obligée, du dénouement. L'orpheline, dont le bonheur est alors sans nuage, retrouve ses parents. Tel est le final de *Cœlina*. L'héroïne, pauvre enfant naturelle qui ne connaît pas ses parents, aime son cousin Stéphany. Elle est la proie de son « mauvais » oncle, le traître Truguelin. Fort heureusement, son « bon » oncle met tout en œuvre pour favoriser son bonheur. Il dévoile les crimes de Truguelin, qui se suicide, et il retrouve la mère de Cœlina mourante, qui se marie, sur son lit de mort, afin que sa fille, dont la naissance est enfin éclaircie, puisse épouser Stéphany.

Le genre est si populaire que Victor Hugo, se pliant aisément à son manichéisme, écrira *Mille Francs de récompense,* œuvre créée en exil, mais qui ne sera jouée que bien après sa mort. Glapieu, le bandit au grand cœur, digne de Jean Valjean, sauve la jeune Cyprienne de la misère. C'est grâce à lui qu'elle épousera Edgar, le jeune homme sans fortune dont elle est éprise. Il déjoue, pour ce faire, les ruses machiavéliques du traître Rousseline, qui exerce sur elle un odieux chantage dans le but de l'épouser, et il retrouve son père, un richissime baron dont elle est l'enfant naturelle et que sa mère tenait pour mort.

Ce spectacle populaire, qui avait ses théâtres, ceux du Boulevard du crime, où se côtoyaient grisettes, étudiants, ouvriers, petits-bourgeois, n'eut pas l'heur de plaire aux doctes. Le *Dictionnaire général des théâtres* refusa même, sous l'Empire, de reconnaître son existence. Il est le devancier, puis le rival du drame romantique, qui l'ignorera toujours avec superbe, jaloux sans doute de son succès, inquiet peut-être de ne pas savoir nettement s'en démarquer.

LE DRAME ROMANTIQUE

« Je ne voudrais pas écrire ou je voudrais être Shakespeare ou Schiller », confiait Musset, tout jeune, avant même de se lancer dans l'aventure théâtrale, exprimant ainsi une admiration que partageront tous les romantiques français. Depuis le début du siècle, les travaux de Mme de Staël et de Benjamin Constant, des représentations de Shakespeare avec des acteurs anglais exceptionnels comme Kean, des traductions de Schiller ont révélé une conception nouvelle de la scène.

Les *théories* du drame romantique ont précédé les réalisations, qui s'en écartent parfois sensiblement. Stendhal, dès 1823, dans *Racine et Shakespeare I* — auquel il donne une suite en 1825 —, oppose le modèle classique désuet à un théâtre résolument moderne, saluant en Shakespeare un précurseur. Vigny, dans sa *Lettre à Lord *** sur la soirée du 24 octobre 1829 et sur un système dramatique,* écrite après la première d'*Othello,* joué dans sa propre adaptation, défend un point de vue identique. Il n'a encore rien produit pour la scène.

Entre-temps paraît la « Préface » de *Cromwell* (la pièce, dont Hugo fit seulement des lectures publiques, ne fut pas représentée de son vivant), véritable manifeste hugolien, conçu en 1827, trois ans avant que ne commence, avec *Hernani,* la grande œuvre dramatique, qui s'achève en 1843, à la suite de l'échec des *Burgraves.* Quant à Musset, marginal par rapport au courant romantique dont il est loin de partager tous les goûts, sa fantaisie railleuse ne daigne pas théoriser. C'est Alexandre Dumas père, aucunement préoccupé de théorie dramatique, qui donne, en 1829, le premier drame romantique, *Henri III et sa cour.* Les années 1830-1835, qui voient la création de tous les grands drames, ceux de Hugo, de Musset et de Vigny, sauf *Ruy Blas* et *Les Burgraves,* plus tardifs, s'avèrent particulièrement fécondes. Le drame, avec le Romantisme, produit enfin ses chefs-d'œuvre. « Le XVIIIe siècle a tout mis en question, le XIXe siècle est chargé de conclure, dit Balzac dans les *Illusions perdues ;* aussi conclut-il par des réalités ; mais par des réalités qui vivent et qui marchent ; enfin, il met en jeu la passion, élément inconnu à Voltaire. »

Le refus des règles

Il est un point sur lequel s'accordent tous les Romantiques, la liberté de l'art, qui n'est plus conçu comme une imitation d'un modèle. Aussi les règles classiques, contraignantes, volent-elles en éclat. C'est au nom de ce qui les fondait : la nature, qu'elles sont laminées. « Il n'y a d'autre règle que les lois générales de la nature », affirme Hugo dans la « Préface » de *Cromwell.* Stendhal dénonce leur absurdité, définissant, dans une formule célèbre, « la tragédie romantique (= le drame) comme la tragédie *en prose qui dure plusieurs mois et se passe en des lieux divers »* (*Racine et Shakespeare II*).

● *La durée.* Les Romantiques en redécouvrent, après Shakespeare, les potentialités dramatiques. Abandonnant l'étude des « conditions », chère au drame bourgeois, ils veulent souvent *saisir l'évolution d'un personnage dans le temps,* et non plus nécessairement analyser un caractère au moment d'une crise, comme le faisaient les Classiques. Don Carlos, prince insouciant et despotique au début d'*Hernani,* devient un empereur sage et généreux. La pièce se déroule en cinq nuits, auxquelles il faut ajouter une longue ellipse temporelle constituée par le temps nécessaire à Don Carlos pour se rendre de Saragosse, dont il part à la fin du deuxième acte, à Aix-la-Chapelle, où le spectateur le retrouve au quatrième acte. La clémence d'Auguste, le héros de *Cinna,* s'inscrivant dans la logique du personnage, n'était qu'à peine surprenante et pouvait s'accomplir sur l'heure. En revanche, le pardon de Charles Quint, inconcevable au début de la pièce, est le fruit d'une maturation psychologique qu'Hernani lui-même souligne avec étonnement :

> Qui donc nous change tous ainsi ?
>
> (IV, IV, v. 1789)

Dans une telle perspective, il faut que l'auteur dramatique dispose du temps nécessaire pour que la transformation opérée n'apparaisse pas, comme dans le drame bourgeois, revirement incohérent. « Il est beau de voir Othello, si amoureux au premier acte, tuer sa femme au cinquième acte, dit Stendhal dans *Racine et Shakespeare ;* si ce changement a eu lieu en trente-six heures, il est absurde et je méprise Othello. » Notons le caractère partisan d'une telle lecture. Shakespeare resserre ici le temps afin de souligner la soudaineté de l'accès délirant. L'action commence de nuit par l'enlèvement de Desdémone, se continue, après la traversée de Venise à Chypre, par la nuit de noces d'Othello et de Desdémone, et s'achève la nuit suivante avec le meurtre.

Cette remise en cause de l'unité de temps donne toute latitude à l'auteur dramatique pour moduler la durée en fonction du sujet. L'action de *Cromwell* ne nécessite que deux jours. Dans *Chatterton,* où Vigny, comme il le déclare, en 1835, dans la « Dernière nuit de travail » — texte qui sert de préface à la pièce —, a voulu écrire « le drame de la pensée », l'action se passe en une seule journée, car le drame est intérieur. Le poète, incompris, meurtri par la société, se suicide. « C'est *l'histoire,* dit Vigny, *d'un homme qui a écrit une lettre le matin et qui attend la réponse jusqu'au soir ;* elle arrive et le tue. » Les auteurs dramatiques peuvent désormais étaler le temps ou le resserrer à leur guise.

● *Un espace symbolique.* L'unité de lieu n'a plus cours dans le drame, qui se plaît à transporter le spectateur d'un endroit à un autre. Le XVIIIe siècle prenait des libertés avec la règle classique. Marivaux et Beaumarchais utilisent souvent un lieu unique, mais composite, retrouvant la conception préclassique de la scène : dans *Le Mariage de Figaro,* tout se passe au château d'Aguas Frescas, mais chaque acte offre un changement de lieu, à l'intérieur même du château. Le drame romantique, lui, abandonne définitivement le concept d'unité. Musset, dans *Lorenzaccio,* drame de 1834, indique trente-cinq changements de décor, du palais d'Alexandre jusqu'aux faubourgs de Florence et à la plaine environnante. Au dernier acte, il fait éclater la conception traditionnelle de l'espace, situant l'action tantôt à Florence, tantôt à Venise, où s'est réfugié Lorenzo après le meurtre.

Hugo s'intéresse beaucoup au décor. Il en dessine parfois l'ébauche, les manuscrits en témoignent. C'est avec une sorte de complaisance à narrer qu'il décrit l'espace scénique. Au début des *Burgraves,* il trace d'abord le décor avec précision, utilisant des phrases nominales : « L'ancienne galerie des portraits seigneuriaux du burg de Heppenheff. » Très vite, la phrase se fait ample. Hugo, redevenant quelques instants romancier ou poète, abandonne la concision habituelle des indications scéniques : « A travers les grandes arcades de ce promenoir, on aperçoit le ciel et le reste du château, dont la plus haute tour est surmontée d'un immense drapeau noir qui flotte au vent. » Mais le décor de théâtre, s'il est propice à l'évocation d'un lieu, ne peut prétendre à la reconstitution du réel. Les mots lui manquent. Il suffit, pour s'en apercevoir, de comparer les descriptions si détaillées de la cathédrale dans *Notre-Dame de Paris,* roman écrit en 1830, et celle du vieux bourg.

Malgré son goût pour la couleur locale, Hugo, très novateur, assigne à l'espace une fonction symbolique. Conscient, comme Diderot, de l'importance de la scénographie, il considère l'espace comme un personnage muet, à la fois témoin et reflet du drame. « Les personnages parlants ou agissants, écrit-il dans la « Préface » de *Cromwell,* ne sont pas les seuls qui gravent dans l'esprit du spectateur la fidèle empreinte des faits. Le lieu où telle catastrophe s'est passée en devient un témoin terrible et inséparable ; et l'absence de *cette sorte de personnage muet* décompléterait dans le drame les plus grandes scènes de l'histoire. »

Les objets ont parfois, chez Hugo, l'étrange fonction de spatialiser les personnages au second degré. Dans *Hernani* comme dans *Les Burgraves,* les portraits des aïeux, accrochés aux murs, font partie intégrante du décor. Mais, perdant leur statut d'objets, ils s'animent lorsque le personnage s'adresse à eux. Don Ruy Gomez de Silva les prend à témoin de l'injure que lui a faite Hernani, qu'il a pourtant traité avec tout le respect dû à l'hôte :

> Ô vous, tous les Silva qui m'écoutez ici ...
> (*Hernani,* III, v, v. 1060)

A la scène suivante, il les prend comme garants de sa conduite, lorsqu'il refuse au roi de lui livrer Hernani. Il les nomme, va de l'un à l'autre, tout en les lui montrant du doigt :

> Celui-ci, des Silva
> C'est l'aîné, c'est l'aïeul, l'ancêtre, le grand homme !
> [...] *(Passant au portrait suivant :)*
> Voici don Galceran de Silva, l'autre Cid !
> (III, vi, v. 1032-1035)

Le discours est mis en espace dès le stade de l'écriture. A la représentation, grâce au support visuel des portraits, les morts, lors de cette invocation, sont dotés d'une étrange présence. Le traitement du décor, dans des scènes de ce type, représente une difficulté majeure pour le metteur en scène, qui doit se garder aussi bien du réalisme que d'un symbolisme outrancier.

● *L'unité d'action.* C'est « la seule admise [...] parce qu'elle résulte d'un seul fait : l'œil ni l'esprit humain ne sauraient saisir plus d'un ensemble à la fois », dit Hugo, dans la « Préface » de *Cromwell,* qui ajoute, retrouvant presque le point de vue de Corneille : « Gardons-nous de confondre l'unité avec la simplicité d'action. L'unité d'ensemble ne répudie en aucune façon les actions secondaires sur lesquelles doit s'appuyer l'action principale. Il faut seulement que ces parties, savamment subordonnées au tout, gravitent sans cesse vers l'action centrale et se groupent autour d'elle aux différents étages ou plutôt sur les différents plans du drame. » Si les effets de surprise sont fréquents dans le drame (Hernani survient au moment même où Don Carlos enlève Doña Sol, II, II), les péripéties n'y sont pas immotivées, comme dans le drame bourgeois ou le mélodrame. Hugo, dans *Les Burgraves,* justifie le retour de Frédéric Barberousse par son désir de réconciliation. C'est ce qui différencie son théâtre de celui de Dumas, souvent proche du mélodrame, car les péripéties multiples y apparaissent souvent invraisemblables.

Seul Musset, qui s'affranchit, dans *Lorenzaccio,* de toute la rhétorique traditionnelle, abandonne l'unité d'action. Dans cette pièce, qui se passe à Florence en 1535, *deux actions secondaires se mêlent à l'action principale.*

Lorenzo n'est pas seul à vouloir libérer Florence de la tyrannie d'Alexandre de Médicis. L'opposition républicaine des Strozzi, regroupée autour de Philippe, n'aboutit pas, car ces utopistes, qui passent leur temps à discourir, s'avèrent inaptes à l'action. Le rêve libéral de la marquise Cibo, qui veut régénérer par son amour Alexandre, échoue également, car elle se heurte à l'ambition de son beau-frère, le cardinal, qui brigue la papauté. La scène s'ouvre parfois même à des groupes de personnages qui n'ont pas de rôle à jouer dans l'intrigue : un orfèvre et un marchand de soieries, quelques bourgeois qui déplorent la décadence de la ville. Musset montre ainsi l'abâtardissement de toute cette population, qui proteste contre la tyrannie, mais qui, faute d'agir, s'étourdit dans des fêtes. Cette conception de l'action conditionne l'agencement des scènes : souvent brèves, elles sont juxtaposées comme dans une chronique. Entre celles où Lorenzo se prépare au meurtre sont intercalés des épisodes, centrés tantôt sur la Marquise, tantôt sur Philippe Strozzi. En raison de ce principe d'alternance, qui annonce Brecht, il incombe au spectateur d'établir une continuité dans cette succession apparemment décousue de scènes discontinues. C'est un procédé que Musset utilise dans ses *Comédies et Proverbes* pour créer une atmosphère de fantaisie. Dans *Les Caprices de Marianne*, comédie de 1833, les tableaux se succèdent, mais ne s'enchaînent pas.

Les ambitions de la « *Préface* » de Cromwell

« Le *drame* selon le XIXᵉ siècle, ce n'est pas la tragi-comédie hautaine, démesurée, espagnole et sublime de Corneille ; ce n'est pas la tragédie abstraite, amoureuse, idéale et divinement élégiaque de Racine ; ce n'est pas la comédie profonde, sagace, pénétrante, mais trop impitoyablement ironique de Molière ; ce n'est pas la tragédie à intention philosophique de Voltaire ; ce n'est pas la comédie à action révolutionnaire de Beaumarchais ; ce n'est pas plus que tout cela, mais c'est tout cela à la fois ; ou, pour mieux dire, ce n'est rien de tout cela. Ce n'est pas, comme chez ces grands hommes, un seul côté des choses systématiquement et perpétuellement mis en lumière, *c'est tout regarder à la fois, sous toutes les faces* », déclare Hugo dans la préface de *Marie Tudor*.

Ce drame nouveau, qui doit rendre compte de tous les aspects du monde et de l'homme, touchera tous les publics. Dans la préface de *Ruy Blas,* en 1838, Hugo s'adresse aux femmes, qui seront sensibles, dans cette œuvre, à la passion, aux penseurs, qui, intéressés par l'étude de caractère, en apprécieront la portée philosophique, à la foule, qui ne manquera pas d'être séduite par l'action. Le drame offre tous les plaisirs, satisfaisant aussi bien la sensibilité que l'intellect.

● *Un drame lyrique et épique.* Jamais théâtre ne fut plus ambitieux que le drame hugolien, qui prétend jouer de toute la gamme des formes poétiques. La « Préface » de *Cromwell* s'ouvre sur une peinture des *trois âges de la poésie*. Dans les temps primitifs, où l'homme s'émerveille des beautés de la création, naît, avec la Genèse, la poésie *lyrique*. Dans les temps antiques, la poésie « devient *épique*. Elle enfante Homère. » Le drame appartient aux Temps modernes : il est *shakespearien*. D'emblée sont salués, dans un élan d'enthousiasme, les trois grands modèles hugoliens : la Bible, Homère et Shakespeare, à qui Hugo dédiera, en 1864, *William Shakespeare*. Ce ne sont pas les étapes de l'évolution de l'humanité, héritées sans doute de Vico et un peu simplistes, qui importent ici, mais la conception du drame, défini comme une poésie complète, qui, s'abreuvant aux sources lyriques et épiques, les transcende. Seul Shakespeare, « ce dieu du théâtre, en qui semblent réunis, comme dans une trinité, les trois génies caractéristiques de notre scène : Corneille, Molière, Beaumarchais », a réalisé, aux yeux de Hugo, ce miracle. Seul également son propre génie pouvait moduler, dans une même pièce les registres lyrique et épique. C'est dans une grande tirade, à la fois lyrique et épique, que Milton adjure Cromwell de ne pas briguer la royauté (III, ıv). Le lyrisme baigne les duos d'amour de Doña Sol et d'Hernani. La grandeur épique empreint les discours de Don Ruy Gomez de Silva, « ce vieillard homérique selon le Moyen Age », comme le dit Hugo dans sa préface. Le monologue que profère Don Carlos devant le tombeau de Charlemagne est résolument épique.

● *Le mélange du comique et du pathétique*. Avec le Romantisme, l'être s'étonne de se découvrir double. C'est pour le saisir dans ses contradictions, dans sa beauté et sa laideur, dans sa dimension et sublime et grotesque, que Hugo entend mêler le comique au pathétique. Voici comment, fasciné, il décrit Cromwell, dans la « Préface » : « C'était un être complexe, hétérogène, multiple, *composé de tous les contraires,* mêlé de beaucoup de mal et de beaucoup de bien, plein de génie et de petitesse ; une sorte de Tibère-Dandin tyran de l'Europe et jouet de sa famille ... » Les personnages hugoliens souffrent tant de ne pouvoir assumer leurs contradictions qu'ils en meurent. Marion de Lorme et la Tisbe, courtisanes et amoureuses, sont des êtres déchirés. Ruy Blas, laquais imposteur et ministre génial, aimé d'une reine, « Ver de terre amoureux d'une étoile » (II, ıı, v. 798), se tue parce qu'il ne peut plus concilier les deux rôles, lorsque son identité est révélée. Ce qui intéresse Hugo, lui qui médite, dans toutes ses préfaces, sur la profondeur psychologique de ses personnages, c'est de montrer la complexité de l'être humain, chez qui le corps et le cœur ne sont pas toujours en harmonie. « La paternité sanctifiant la difformité physique, voilà *Le roi s'amuse,* la maternité purifiant la difformité morale, voilà *Lucrèce Borgia* », dit-il dans la préface de *Lucrèce Borgia*. Hugo a le sentiment que le théâtre, jusqu'ici, a représenté l'homme comme un pur esprit, négligeant sa dimension charnelle. Le drame devra en tenir compte : « Le corps y joue son rôle comme l'âme, et les hommes et les événements, mis en jeu par ce double agent, passent tour à tour bouffons et terribles, quelquefois terribles et bouffons tout ensemble. » Hugo, quoique pressentant les potentialités dramatiques que recèle le corps, ne lui confère pas d'existence scénique. Elles ne seront exploitées qu'au XXᵉ siècle.

Le mélange des tons reste surtout théorique, car la plupart des pièces de Hugo sont des drames noirs. Deux pièces seulement intègrent des éléments comiques. Le début de l'acte II de *Cromwell* se déroule dans la magnificence de White-Hall, où des ambassadeurs viennent faire leur tour à Cromwell. Cette scène grandiloquente est interrompue par l'arrivée de Lady Cromwell : « ... Ah mon Dieu, c'est ma femme ! » (II, ıı, v. 1179), s'écrie le Protecteur consterné. L'atmosphère change, devenant brusquement cocasse. Cromwell écoute les

LAID OU GROTESQUE ?

● A l'âme appartient le sublime, au corps, le laid. Tel est le point de vue de Hugo, dans la « Préface » de *Cromwell* : « ... dans la poésie nouvelle, tandis que le sublime représentera l'âme telle qu'elle est, épurée par la morale chrétienne, lui (le corps) jouera le rôle de la bête humaine. Le premier type, dégagé de tout alliage impur, aura en apanage tous les charmes, toutes les grâces, toutes les beautés. Le second prendra tous les ridicules, toutes les infirmités, toutes les laideurs. [...] *Le beau n'a qu'un type ; le laid en a mille.* »

● Sans paraître s'en apercevoir, Hugo substitue ensuite au terme de *laid* celui de *grotesque*. Il brosse à grands traits une histoire du grotesque, sociologique et littéraire. *Le grotesque*, il le définit comme *un mode d'expression spontané, populaire, qui n'est jamais soumis aux codes sociaux ou littéraires.* Il le voit surgir dans les fêtes carnavalesques antiques et médiévales, tout comme dans la littérature antique (il cite Pétrone, Juvénal, Apulée...), à partir du moment où l'unité tragique et épique de l'homme et de son destin commence à être entamée. C'est à la Renaissance, surtout, que le grotesque fait irruption, chez ces « trois Homère bouffons : l'Arioste en Italie, Cervantès en Espagne, Rabelais en France ». Le grotesque, dans lequel entrent pour une bonne part le burlesque et le bizarre, déclenche le rire sous toutes ses formes, du rire gras à l'ironie la plus fine. Entretenant avec le sublime un rapport contrasté, il le mettra, mieux que tout, en relief.

● Le propre de la conception hugolienne est de confondre laid et grotesque. Pourtant le laid n'est pas grotesque en lui-même. Il ne le devient que déformé par la caricature. « Le comique est *de l'ordre* du laid », disait Aristote, qui s'expliquait sans doute davantage, dans la partie perdue de la *Poétique,* sur le rapport qu'entretiennent les deux termes. Il ne faudrait pas non plus établir une équivalence absolue entre les deux catégories voisines du comique et du grotesque. Le grotesque médiéval a pu engendrer un rire salubre, libérant le corps des interdits qui pèsent sur lui ; en revanche, le grotesque romantique, proche du tragi-comique, suscite un rire grinçant. Il exclut le comique léger. On conçoit aisément qu'il ait eu les faveurs d'un genre qui prétendait mélanger les tons. « A la différence du grotesque du Moyen Age et de la Renaissance, directement lié à la culture populaire et empreint d'un caractère universel et public, le grotesque romantique est un grotesque *de chambre,* une manière de carnaval que l'individu vit dans la solitude, avec la conscience aiguë de son isolement. La sensation carnavalesque du monde est en quelque sorte transposée dans le langage de la pensée philosophique idéaliste et subjective, et cesse d'être la sensation vécue (on pourrait dire *corporellement* vécue) de l'unité, du caractère inépuisable de l'existence, qu'elle était dans le grotesque du Moyen Age et de la Renaissance » (Mikhaïl Bakhtine, *L'Œuvre de François Rabelais et la culture populaire au Moyen Age et sous la Renaissance,* Gallimard, coll. Tel, 1970, p. 47).

● Le bouffon, ce produit du grotesque, retrouve chez Hugo une fécondité digne de Shakespeare. Tantôt Hugo en fait un personnage mineur, comme les quatre fous de Cromwell ou Angely dans *Marion de Lorme.* Tantôt il le promeut au rôle principal, mettant Triboulet aux prises avec François Ier, qu'il mène comme un enfant. Le roi lui-même peut sembler un bouffon, tel Frédéric Barberousse, déguisé en mendiant dans *Les Burgraves.*

plaintes de son épouse, qui a mal dormi et qui regrette la vie simple de jadis. Le grand homme politique a cédé la place au bon petit-bourgeois. Dans *Ruy Blas,* l'arrivée du vrai Don César de Bazan crée, à l'acte IV, une série de burlesques quiproquos. Ce grand seigneur dévoyé, échappé aux barbaresques, tombe, par la cheminée, dans le logis secret de Ruy Blas, qui passe, aux yeux de tous, pour Don César de Bazan. Ailleurs, les traits comiques sont rares. On ne peut guère citer que, dans *Marion de Lorme,* la scène où le comédien Le Gracieux mystifie M. de Laffemas (III, VIII). L'univers du *Roi s'amuse,* malgré les pirouettes de Triboulet, est trop sombre pour que le rire puisse naître.

Le mélange des tons est plus marqué chez Dumas. Dans *Henry VIII et sa cour,* la scène du deuxième acte où les mignons se divertissent, et où le Vicomte de Joyeuse joue au bilboquet, introduit une note plaisante dans un drame funeste.

Le goût du sublime

● *Le drame historique.* Hugo et Dumas, par leur goût du sublime, réintroduisent au théâtre un certain classicisme. Le drame, s'il cherche à représenter le monde, n'est pas pour autant réduplication de la nature. « C'est un miroir où se réfléchit la nature, dit Hugo dans la « Préface » de *Cromwell.* Mais si ce miroir est un miroir ordinaire, une surface plane et unie, il ne renverra des objets qu'une image terne et sans relief, fidèle, mais décolorée ; on sait ce que la couleur et la lumière perdent à la réflexion simple. Il faut donc que le drame soit *un miroir de concentration* qui, loin de les affaiblir, ramasse et condense les rayons colorants, qui fasse d'une lueur une lumière, d'une lumière une flamme. »

Ce n'est plus, comme dans le « genre sérieux », la vie quotidienne qui est la matière du drame, mais l'histoire. Louis Sébastien Mercier, en 1772, avait donné, avec *Jean Hennuyer, évêque de Lisieux,* le premier drame historique, pièce qui n'avait suscité aucun écho à une époque éprise de réalisme. Balzac, qui porte sur son temps un regard perspicace, lie le goût du drame aux bouleversements qui ont secoué la France depuis la fin du XVIII⁰ siècle. Le drame historique offre la grandeur dont s'est dépouillée la politique, en devenant un jeu dérisoire et incohérent, même s'il montre que les idéaux étaient déjà sapés dans les temps qu'il ressuscite. Dans les *Illusions perdues,* roman conçu de 1837 à 1843, lorsque les grands drames viennent d'être créés, Balzac prête à Blondet, un ami de Lucien de Rubempré, ces propos : « Le besoin de l'époque est le drame. Le drame est le vœu d'un siècle où la politique est un mimodrame perpétuel. N'avons-nous pas vu, en vingt ans [...], les quatre drames de la Révolution, du Directoire, de l'Empire et de la Restauration ? »

L'histoire, traitée sous un mode épique, constitue pour les Romantiques un réservoir inépuisable d'événements grandioses. Hugo, qui ne se soucie guère de vérité historique, met sur un même plan, dans la préface des *Burgraves,* « la chronique, la légende et l'histoire ». Procédant comme dans ses romans historiques, il porte à la scène quelques personnages authentiques, qu'il déforme au gré de sa fantaisie, tel Richelieu dans *Marion de Lorme,* et invente les autres.

La fidélité à l'histoire est une contrainte incompatible avec la scène. Les pièces d'Alexandre Dumas père, qui visent à la reconstitution historique, sont mal construites. L'action d'*Henri III et sa cour,* située en 1578, est simple : c'est la passion de la duchesse de Guise et de Saint-Mégrin, à laquelle le duc de Guise met violemment un terme en faisant assassiner son rival. Plus de la moitié des scènes, dictées par un souci de pittoresque, n'ont aucun lien avec l'action, car Dumas présente une multitude de personnages historiques inutiles, tel Brantôme, qui vient offrir à la duchesse ses *Dames galantes.*

C'est la *destinée collective* que contemple Hugo dans le grand livre de l'histoire, non la chronique événementielle. Il conçoit *Ruy Blas* comme une suite d'*Hernani,* mettant lui-même en écho, dans la préface de *Ruy Blas,* ces deux drames. Après le tableau de l'Espagne encore à demi féodale, c'est celui de la décadence de la monarchie. « Ces grandes apparitions de dynasties qui illu-minent par moments l'histoire sont pour l'auteur un beau et mélancolique spectacle sur lequel ses yeux se fixent souvent, écrit-il. Il essaie parfois d'en transposer quelque chose dans ses œuvres. Ainsi il a voulu remplir *Hernani* du rayonnement d'une aurore et couvrir *Ruy Blas* des ténèbres d'un crépuscule. Dans *Hernani,* le soleil de la maison d'Autriche se lève ; dans *Ruy Blas,* il se couche. »

Si, dans *Ruy Blas,* Hugo a porté à la scène l'Espagne de la fin du XVIIe siècle, c'est pour analyser, à travers l'universalité de cette époque, le déclin de toute monarchie. Les drames hugoliens, quoique inscrits dans l'histoire, ont toujours quelque chose d'intemporel. Hugo cherche à établir un lien entre une époque passée et celle du spectateur. Anne Ubersfeld a bien montré, dans *Le Roi et le bouffon* (Corti, 1974), que la monarchie de Charles II, telle qu'elle est représentée dans *Ruy Blas,* ne pouvait manquer d'évoquer, pour les contem-porains de Hugo, celle de Louis XVI, encore proche dans les esprits, et la situation de la monarchie de Juillet. « De là, écrit-elle, cette tension entre la précision historique jusque dans les détails matériels ou politiques (meubles, armes, vêtements, institutions) et le refus de particulariser un drame dont la symbolique doit rester claire et perceptible à tous. »

A travers une philosophie de l'histoire, Hugo cherche une explication de l'âme humaine. « Quel que soit le drame, s'écrie-t-il dans la préface des *Bur-graves,* qu'il contienne une légende, une histoire ou un poème, c'est bien, mais qu'il contienne avant tout *la nature et l'humanité.* » Dans ce drame historique, Hugo choisit comme personnages les grands féodaux de Rhénanie. Job, « l'aïeul » de la famille, qui a « près de cent ans », n'est autre que le frère de Frédéric Barberousse. *Hugo veut mettre en œuvre la fatalité dans une lignée maudite et en examiner les effets sur quatre générations :* Job, Magnus son fils, Hatto son petit-fils, et Gorlois, fils bâtard de Hatto. Si Job et Magnus incarnent les vieux idéaux chevaleresques, Hatto et Gorlois, ignobles et vils, s'abrutissent dans les orgies. Hugo, qui se rêve un nouvel Eschyle « racontant la chute des Titans », a voulu, comme il l'explique dans la préface, « faire de toute cette famille comme le symbole palpitant et complet de l'expiation ; mettre sur la tête de l'aïeul le crime de Caïn, dans le cœur du père les instincts de Nemrod, dans l'âme du fils les vices de Sardanapale, et laisser entrevoir que le petit-fils pourra bien un jour commettre le crime tout à la fois par passion comme son bisaïeul et par corruption comme son père ... » Sur cette famille plane un fratricide ancien, perpétré en secret. Job laissa pour mort son frère Donato (qui se cacha

CLAUDEL,
UN HÉRITIER DU DRAME HUGOLIEN

Dans sa trilogie, écrite de 1908 à 1916, *Claudel,* qui se réfère lui aussi au modèle antique, *poursuit le même but que Victor Hugo dans « Les Burgraves ».* Il m'a semblé, écrit-il en 1919, et telle est la raison de cette suite d'œuvres scéniques [...], que le drame ou action complexe ou collective, ayant un commencement et une conclusion, et dont le poète essaye de faire un tour complet et isolé, embrassé d'un seul coup par l'imagination et par l'intelligence, ne tenait pas toujours dans les limites étroites d'une seule génération. Les parents lèguent à leurs enfants non pas seulement certaines aptitudes physiques et morales, mais une œuvre à continuer, mais les conséquences à recueillir, mais des germes à développer, mais en un mot un certain rôle inachevé dans un drame dont le scénario, qui comportait l'intervention à un moment donné de certains acteurs, continue après leur disparition à se dérouler. » »

Le drame historique permet à Claudel de suivre l'évolution d'une même famille sur trois générations. « Les trois pièces du cycle des Coûfontaine marquent trois « temps », trois épisodes, dont l'histoire du siècle dernier a fourni les scènes successives, d'un même conflit qu'on pourrait appeler la lutte de l'homme et de Dieu », écrit Claudel. *L'Otage,* dont l'action se passe au lendemain de la Révolution, puis sous le premier Empire, met aux prises Turelure, le défroqué révolutionnaire, ancien fils de bûcheron devenu préfet, et l'aristocrate Sygne de Coûfontaine. Quoique éprise de Georges, son cousin, elle se sacrifie pour sauver le pape, détenu en « otage » dans son château, et épouse Turelure cet ancien serviteur, lui donnant « toute l'ancienne société par contrat de mariage ». Leur fils Louis-Napoléon Turelure-Coûfontaine, dans *Le Pain dur,* situé trente ans plus tard, sous Louis-Philippe, porte, dans son caractère comme dans son double prénom, la contradiction des deux races dont il est issu, de l'esprit aristocratique et de la Révolution. Il se dresse contre son père et le tue traîtreusement. « Les hommes n'ont plus de père et en effet c'est à l'assassinat d'un Père, à l'intérieur de la Maison profanée, qu'en une espèce de parodie sinistre nous voyons contraints les personnages qui ne sont plus éclairés par des commandements, mais intérieurement asservis par une sorte de nécessité mécanique. » Dans *Le Père humilié,* dont l'action se situe en 1870, l'aveugle Pensée, fille du parricide Louis-Napoléon Turelure, perd à la guerre celui dont elle partage l'amour, Orian de Homodarmes, neveu du pape, le « père humilié ». C'est Orso, le frère d'Orian, également amoureux d'elle, qui vient lui annoncer ce deuil. Il lui signifie en même temps l'ordre posthume d'Orian qui lui intime d'épouser son frère afin de donner un nom à l'enfant qu'elle porte en elle. « Le sacrifice de Sygne est arrivé à son ultime conclusion ? » demande Claudel.

ensuite sous le nom de Frédéric Barberousse), dans un accès de jalousie, parce qu'ils aimaient la même femme, Ginevra, et vendit comme esclave celle qui ne voulait pas de lui. Telle est l'origine de la dégénérescence de la race. Guanhumara, la Ginevra d'autrefois, « cette esclave vieille, livide, enchaînée, sauvage comme la nature qu'elle contemple sans cesse, farouche comme la vengeance qu'elle médite nuit et jour », est revenue depuis peu au vieux bourg, lorsque commence la pièce. Figure de « la fatalité qui veut punir », elle a choisi, dans son machiavélisme, Otbert, le tout jeune fils qu'elle a jadis enlevé à Job, comme instrument de son dessein :

> Le frère ici tua le frère
> Le fils ici tuera le père.
>
> (III, I, v. 1669-1670)

Le drame, conçu comme « une trilogie », en hommage à *L'Orestie,* est divisé en trois actes, dont les titres soulignent les trois volets. « L'Aïeul » est centré sur Job, « Le Mendiant » sur Frédéric Barberousse, que l'on croyait mort. « Le Caveau perdu » réunit les deux frères là où s'est accompli jadis le meurtre et où doit se perpétrer la vengeance de Guanhumara. En fait, l'Empereur y accorde le pardon, tandis que s'opèrent les scènes de reconnaissance (retrouvailles des deux frères, du père et du fils). Au dénouement, dit Hugo, il fallait « faire briser la fatalité par la providence, l'esclave par l'empereur, la haine par le pardon ».

● *Des personnages qui font frémir.* « Les petits détails d'histoire et de vie domestique doivent être scrupuleusement étudiés et reproduits par le poète, mais uniquement comme des moyens [...] de faire pénétrer jusque dans les coins les plus obscurs de l'œuvre cette vie générale et puissante au milieu de laquelle *les personnages sont plus vrais et les catastrophes, par conséquent, plus poignantes.* » L'histoire, comme le prouve cette note écrite après la représentation de *Ruy Blas,* permet aux auteurs de drame de *camper des personnages démesurés au destin funeste.* Tous les héros romantiques pourraient reprendre à leur compte ces propos de Don Carlos s'adressant à Charlemagne :

> Verse-moi dans le cœur, du fond de ce tombeau
> Quelque chose de grand, de sublime et de beau !
>
> (*Hernani,* IV, II, v. 1563-1564)

Hugo, comme Corneille, insiste sur le caractère exceptionnel du destin de ses personnages. Quand Ruy Blas confie à Don César qu'il est amoureux de la reine, il lui dit :

> Invente, imagine, suppose.
> Fouille dans ton esprit. Cherches-y quelque chose
> D'étrange, d'insensé, d'horrible et d'inouï.
> *Une fatalité dont on soit ébloui !*
> Oui, compose un poison affreux, creuse un abîme
> Plus sourd que la folie et plus noir que le crime,
> Tu n'approcheras pas encore de mon secret.
>
> (I, III, v. 357-363)

Ce *fatum* (le terme, qui nous vient de la tragédie grecque, désigne le destin), qui bouleverse les spectateurs, fait « frémir » les personnages eux-mêmes : terme clé du théâtre de Hugo et de Dumas, dont l'occurrence est très élevée.

Tous les héros romantiques sont des passionnés. Chez eux l'amour fait irruption dans l'être avec la même soudaineté que chez les héros de Racine :

> Je vous vis au milieu de ces bandits jaloux
> Je vous aimai...
>
> (I, III, v. 403-404)

déclare Otbert à Regina dans *Les Burgraves*. Ces personnages expriment la violence de leur amour en termes d'absolu. Lorsque Hernani brosse à Doña Sol un tableau effrayant de la vie de proscrit qu'elle mènera à ses côtés, elle répète, comme sourde à ses paroles : « Je vous suivrai » (I, II), puis elle donne libre cours à sa passion, qui est devenue pour elle la vie même. Dans *André del Sarto*, premier drame de Musset (1833), la passion de Lucrèce, l'épouse du peintre, ne souffre pas le partage. Elle est prête à tout quitter, sans regret, pour suivre son amant, disant à sa confidente : « Je ne sais ni tromper ni aimer à demi » (I, XI). Quant au peintre, lorsqu'il apprend son infortune, il s'empoisonne, et meurt au désespoir, en proférant ces derniers mots : « Oh ! combien je l'aimais » (II, XIV). La passion est si vive, dans *Antony*, l'un des plus grand succès de Dumas, qui date de 1831, qu'elle se fait meurtrière. Adèle, mariée à un colonel, retrouve Antony qu'elle a aimé autrefois. Après bien des hésitations, elle s'apprête à fuir avec lui, mais le retour inattendu de son mari contrecarre ses projets. Désespérée, elle refuse de lui ouvrir et appelle la mort de ses vœux. C'est son amant qui la poignarde en lui donnant un baiser. Au colonel qui enfonce la porte et trouve sa femme morte, Antony, éperdu, crie : « Elle me résistait, je l'ai assassinée » (V, IV).

Les personnages de Hugo et de Dumas ont l'âme noble.

> Vous êtes mon lion superbe et généreux !
>
> (III, IV, v. 1028)

dit à Hernani Doña Sol, subjuguée par sa grandeur. Mais ce qui les différencie des héros classiques, c'est qu'ils sont placés en bas de l'échelle sociale. Ce sont des bannis, des laquais, des bouffons, des prostituées. Ruy Blas se définit lui-même comme :

> Ce misérable fou qui porte avec effroi
> Sous l'habit d'un valet les passions d'un roi.
>
> (I, III, v. 439-440)

Noblesse de cœur et noblesse de sang, loin de se confondre comme dans le théâtre classique, s'excluent bien souvent. L'opposition entre la grandeur des héros, mis au ban de la société, et la dégradation des maîtres, particulièrement avilis dans *Le Roi s'amuse* et *Marion de Lorme*, est flagrante. Ruy Blas accable de son mépris Don Salluste, qui s'est servi de l'amour qu'il porte à la reine pour se venger d'elle :

> Monseigneur, nous faisons un assemblage infâme.
> J'ai l'habit d'un laquais, et vous en avez l'âme.
>
> (V, III, v. 2153-2154)

130

Le drame romantique représente également une rupture par rapport au drame bourgeois et au mélodrame. Dans ces pièces, l'ordre familial est troublé par un individu peu recommandable. Il ne se reconstitue qu'au dénouement, lorsque le fauteur de trouble est puni ou se repent. Dans le drame romantique, l'élément perturbateur, c'est le héros : hors-la-loi comme Hernani, courtisane comme Marion de Lorme, marginal comme le poète Chatterton. Être maudit, il charrie la destruction avec lui :

> Cependant, à l'entour de ma couche farouche,
> Tout se brise, tout meurt. Malheur à qui me touche !

s'écrie Hernani (III, ɪᴠ, v. 1001-1002).

La mort de ces personnages qui côtoient en permanence le malheur est inéluctable. Le drame romantique ne représente pas la mort elle-même, comme si ses auteurs répugnaient à dégrader leurs personnages. Lorsqu'ils meurent sur scène, tels Doña Sol, Hernani, Ruy Blas, qui s'empoisonnent, ils gardent leur dignité. Toute référence à la souffrance corporelle est soigneusement évitée. Doña Sol, après un cri de douleur :

> Ciel ! des douleurs étranges !
>
> (V, ᴠɪ)

meurt apaisée dans les bras d'Hernani. Contrairement à ce qui se passe dans le roman — cet univers des mots —, où la mort du héros est une des scènes les plus longuement traitées, au théâtre elle est brève, car difficilement figurable.

Le drame romantique, jouant, comme le théâtre classique, sur le pathétique, utilise les mêmes ressorts : *pitié* et *crainte*. « Ayez la terreur, mais ayez la pitié », dit Hugo dans la préface des *Burgraves*. Le spectateur de l'époque romantique, s'il ne prise plus les mêmes formes, attend les mêmes émotions que ses prédécesseurs.

● *Vers/prose.* Hugo, dès la « Préface » de *Cromwell,* bannit la prose dont se servent Dumas, Vigny et Musset dans tous leurs drames. Le vers, comme l'histoire ou le *fatum,* conférant au drame sa grandeur, permet d'éviter les écueils du mélodrame. C'est, au dire même de Hugo, « une des digues les plus puissantes contre l'irruption du commun ».

Dans cet alexandrin, pourtant si décrié — « un cache-sottise », de l'avis de Stendhal —, Hugo voit une forme susceptible de se plier à toutes les exigences dramatiques, à condition d'éviter la tirade trop conventionnelle. Ce nouveau mètre aura beaucoup plus de souplesse que l'alexandrin classique. Il en diffère essentiellement par l'enjambement, qui disloque le rythme classique. Pour briser la cadence de l'alexandrin, Hugo mêle parfois le *chant* à la déclamation, sur le modèle shakespearien. Ancêtre de notre « voix off », une « voix du dehors », comme il le note dans ses didascalies, envahit parfois la scène : c'est la chanson d'amour des lavandières, que la reine « écoute avidement » dans *Ruy Blas* (II, ɪ), ou le chant de triomphe des Burgraves, que Guanhumara ne peut entendre sans laisser éclater sa haine (I, ɪ). La redécouverte de Shakespeare, qui interrompt le dialogue par des chansons, comme la *Romance du saule* dans *Othello,* ou *C'était un amant et sa mie* dans *Comme il vous plaira,* a permis que les idées de Diderot fissent leur chemin.

Quoi qu'en dise Hugo, la tirade, le long monologue reviennent en force dans son théâtre, et c'est ce néoclassicisme qui en fait la puissance et la beauté. Le monologue de Don Carlos, dans *Hernani,* est un des plus longs du théâtre français (IV, II), si bien que les metteurs en scène avaient pris l'habitude d'écourter le quatrième acte. Vitez, en 1985, reprit le texte dans son intégralité.

Toutefois, après quatre drames en vers, *Cromwell* (1827), *Hernani* (1830), *Marion de Lorme* (1831) et *Le roi s'amuse* (1832), Hugo se laisse tenter par la prose avec *Lucrèce Borgia* et *Marie Tudor,* en 1833, et avec *Angelo, tyran de Padoue,* en 1835. Comme le public boude ces trois œuvres, il revient définitivement au vers avec *Ruy Blas* en 1838.

La modernité de la prose de Musset surprend, particulièrement dans *Lorenzaccio,* si on la confronte au langage dramatique de Hugo et de Vigny. Lorenzo, personnage aux multiples facettes, demeure énigmatique par son langage fragmenté. Le spectateur ne connaît de lui que ce qu'il fait sur scène et ce qu'en disent les autres personnages, dans des discours contradictoires. Sa mère et sa tante pleurent sa pureté de jadis, le duc méprise sa faiblesse, le cardinal suspecte sa duplicité, Philippe Strozzi semble lui accorder une certaine confiance. Une seule fois, il tente de se justifier aux yeux de Philippe, prétendant qu'il s'est adonné à la débauche pour approcher Alexandre et perpétrer le meurtre (III, III). Mais il éprouve lui-même le sentiment que le vice est un masque qui a fini par coller à sa peau. Où est le vrai Lorenzo ? C'est lui qu'interroge Philippe, sans obtenir de réponse : « Si je t'ai bien connu, si la hideuse comédie que tu joues m'a trouvé impassible et fidèle spectateur, que l'homme sorte de l'histrion » (III, III). Lorenzo se livre peu au spectateur. Le monologue, qui a presque disparu dans le théâtre de Musset, est toujours très bref dans cette pièce. Un seul monologue fait exception par sa longueur, celui où Lorenzaccio vit, par anticipation, le meurtre qu'il ne se résout pas à commettre (IV, IX). Ce discours n'est pas un moment où Lorenzo explicite sa conduite. Il diffère radicalement du monologue classique ou romantique, qui présuppose une adéquation entre la parole du personnage et sa vérité. Dans cet instant de crise nerveuse, Lorenzo saute d'une idée à une autre, passe avec une rapidité déconcertante d'un temps à un autre, évoquant le passé, anticipant sur l'avenir, revenant à la situation présente. Ce discours, qui n'est pas construit, ne se conclut pas, car le personnage qui le profère n'a pas d'unité. Lorenzo s'interrompt brusquement. « Il sort en courant », note simplement Musset. Par cette distorsion du langage dramatique, l'œuvre de Musset, qui seule réalise pleinement le projet stendhalien, annonce les audaces du théâtre contemporain.

5 *La pièce contemporaine*

La révolution dramaturgique qui se produit brusquement au milieu du xxᵉ siècle, aux environs des années cinquante, avec les premières pièces de Genet, de Ionesco, d'Adamov, de Vauthier, de Beckett, etc., était difficilement prévisible. Pourtant auteurs et metteurs en scène la préparent depuis 1880 environ, à travers une série de remises en question, les uns en *abandonnant peu à peu l'unité d'action,* que Musset avait déjà sérieusement entamée, *et la conception illusionniste de la scène,* les autres *en transformant l'espace théâtral.* La notion de genre éclate, car chaque écrivain se met à utiliser la scène à sa fantaisie, sans se plier aux canons d'une forme préexistante. Aussi le terme de « pièce », utilisé approximativement à partir des années 1880, prévaut-il peu à peu sur les autres appellations.

LES CAUSES DES BOULEVERSEMENTS INTERVENUS SUR LA SCÈNE FRANÇAISE DE 1880 A NOS JOURS

Le théâtre français, au début du xxᵉ siècle, sort de l'isolationnisme et s'ouvre aux influences étrangères, découvrant les théâtres orientaux et l'Expressionnisme. Les problèmes de l'illusion et des rapports du théâtre au réel se posent alors en termes nouveaux sur la scène française. Ce n'est qu'en mesurant la part de ces apports étrangers dans la création nationale qu'on peut en mesurer la spécificité. Parallèlement, le lieu théâtral se transforme, ce qui modifie la conception illusionniste de la scène.

Le modèle de l'Orient

Les théâtres orientaux, ignorés antérieurement en Europe, sont découverts avec passion au tout début du xxᵉ siècle, dévoilant à l'Occident le rôle primordial du corps dans le jeu théâtral. En 1895, lorsque Lugné-Poë porte à la scène *Le Chariot de terre cuite,* une des pièces les plus célèbres du répertoire sanskrit, c'est une révélation. En 1931, le spectacle donné par une troupe balinaise à Paris marque beaucoup les sensibilités. Chacune de ces formes dramatiques, indienne, chinoise, japonaise et indonésienne, où la parole n'occupe qu'une place restreinte, a transmis à l'Occident des secrets de fabrication.

● *La fragmentation de l'action dans le théâtre indien*. Dans le théâtre sanskrit de l'époque classique, celle de Kâlidasa (Ier siècle av. J.-C.), tout est symbole. Les acteurs miment leur rôle, en chantant et en dansant, tandis qu'un récitant commente l'action. Les gestes véhiculent un langage muet que la tradition a minutieusement conservé. Le costume, codifié, apporte sur les personnages des renseignements précis. L'action compte moins que les moyens à travers lesquels elle s'exprime. Aussi les auteurs dramatiques indiens n'hésitent-ils pas à l'interrompre, tantôt par des *interventions du récitant,* tantôt par une *pause lyrique* — le verset, qui alterne avec la prose dialoguée où s'exprime l'action —, tantôt en mêlant à l'action principale des *actions secondaires,* qui sont parfois de simples épisodes. Cette fragmentation de l'action est quasi inconnue dans la dramaturgie française, où le héros est toujours au centre de l'action. *Brecht découvrira la fécondité de ces trois procédés d'écriture.*

● *Le théâtre chinois, un spectacle complet*. La musique et le chant occupent, dans ce spectacle fastueux, une place importante. Scènes de pantomime, acrobaties, ballets de combat, escrime — numéros traditionnels du cirque en Occident — sont associés ici intimement à l'action dramatique. Le jeu, situé à l'opposé de l'illusionnisme occidental, est codifié en un très grand nombre de formules apprises par cœur. Le mouvement scénique, issu de danses anciennes, est stylisé.

● *Nô et hallucination*. L'un des fondateurs du *Nô* est, au XIVe siècle, Zeami. Ce Molière japonais, qui était à la fois auteur, musicien, chorégraphe, metteur en scène et acteur, a écrit plusieurs traités sur la composition du Nô. Art populaire à l'origine, le genre, qui s'est peu à peu figé, est devenu un divertissement aristocratique.

Un Nô met en scène deux protagonistes essentiels. Le *waki* (« celui du coin ») reste, pendant la représentation, assis dans un coin de la scène. Il joue à la fois un rôle de spectateur et de voyant, parfois de médium, car l'acteur masqué qui, lui apparaît, le *shite,* fantôme, divinité ou démon, est le produit de ses visions ou de ses rêves. Le waki arrive, au cours d'un voyage, en un lieu illustre. Le shite, qu'il rencontre là, vieillard ou jeune femme, lui rappelle la légende du lieu, pour lui révéler ensuite qu'il n'est autre que le spectre du héros ou de la divinité qui hante cet endroit. Le shite disparaît, pour revenir peu après, revêtu d'un brillant costume, sous ses traits véritables. Il évoque, par une danse, sa vie passée. La scène à laquelle assiste le waki prend la forme d'une hallucination ou d'un rêve. *Ionesco et Adamov,* fascinés par le monde du rêve, *utiliseront un personnage très semblable au waki,* celui du rêveur, qui, dans un coin de la scène, contemple les figures de son rêve ou de sa fantasmagorie, l'un dans *Le Piéton de l'air,* l'autre dans *Si l'Été revenait.*

● *Double représentation de l'action dans le théâtre de poupées japonais et dans le théâtre d'ombres de Java*. Lorsque le Nô est devenu, au XVIIe siècle, un théâtre aristocratique, le théâtre de poupées apparaît. La grande taille de ces poupées exige, pour chacune, l'intervention de trois manipulateurs, qui opèrent en scène en même temps sans être occultés. Ils parviennent à donner à la poupée un

INFLUENCE DE LA DRAMATURGIE ORIENTALE
SUR LE THÉÂTRE EUROPÉEN

● Claudel, séduit par le Japon où il séjourna longtemps, écrit en 1922, sur le modèle du Nô, un « scénario pour un mimodrame », *La Femme et son ombre*, représenté en 1924 au Théâtre impérial de Tokyo avec beaucoup de succès. Cette courte pièce muette est un jeu d'apparitions. En voici un passage :

> « Par le pont de gauche arrive avec sa suite un Guerrier de l'ancien temps. La lanterne qui brûle à droite (derrière l'écran) est censée commémorer la femme qu'il aimait et qu'il a perdue.
> Tout à coup, il lui semble voir derrière l'écran l'Ombre d'une Femme. Il la poursuit jusqu'au bout de la scène, puis en revenant sur ses pas ; arrivée près de la lanterne elle s'évanouit. »
>
> (Première version, *Théâtre*, Pléiade, t. II, p. 647)

Le personnage de l'Ombre double « d'un homme avec une femme, debout, que l'on voit projetée sur un écran au fond de la scène », dans *Le Soulier de satin*, est droit sorti de ce « scénario » (deuxième journée, sc. XIII). Zeami situe l'action dans le vieux Japon, lors d'une lutte qui oppose deux clans. L'un des chefs des Minamoto, battu par les Taïra, doit s'enfuir. Le héros, son jeune fils, blessé en chemin, se suicide car il craint de ralentir la fuite de son père ou d'être fait prisonnier, s'il s'arrête seul. Un dilemme du même type se pose aux personnages de Brecht, qui vont chercher, par-delà une montagne, des médecins qui mettront fin à l'épidémie qui décime la ville. L'enfant qui les accompagne ne supporte pas la fatigue de l'ascension. Faut-il le laisser périr afin de ramener au plus vite les secours ? Doivent-ils faire demi-tour pour sauver l'enfant ?

● Brecht s'inspire directement d'un Nô de Zeami, *Tomonaga*, dans son opéra didactique *Celui qui dit oui Celui qui dit non*, écrit en 1929.

● Artaud est fasciné par l'*aspect métaphysique du théâtre oriental*. Les Orientaux n'ont pas perdu le sens de cette terreur mystérieuse qui est un des éléments les plus efficaces au théâtre, et leurs représentations jouent sans cesse sur l'hallucination et la peur. A Bali, le théâtre dansé a une origine religieuse. Lorsque l'acteur qui porte le masque de l'animal sacré arrive, son apparition entraîne toujours un déchaînement sauvage chez les spectateurs, qui se mêlent aux acteurs et qui entrent en transe. C'est ce mélange d'extrême stylisation et de sauvagerie quasi primitive qui a séduit Artaud dans le théâtre balinais, auquel il a consacré un article célèbre. Une des pièces auxquelles il a assisté débute par une entrée de fantômes. Les personnages « hiéroglyphiques » apparaissent d'abord sous leur aspect spectral, comme s'ils étaient hallucinés par le spectateur. Le théâtre, pour retrouver sa violence constitutive, doit se retremper, selon lui, aux sources des mythes primitifs, des vieilles cosmogonies.

mouvement quasi vivant. Tout le texte est déclamé par un récitant. Assis sur le devant de la scène, il annonce le sujet, évoque le décor, décrit les personnages, qui apparaissent comme si sa voix avait suscité leur venue. Il prend des intonations différentes, selon la poupée à laquelle il prête la parole. Son visage mime les attitudes des différentes poupées. *Beckett et Ionesco se souviendront de ce divorce* qui peut exister *entre un personnage, un visage et une voix,* de cette scission du personnage en plusieurs éléments qui le représentent simultanément. Le récitant joue un rôle complexe, puisqu'il raconte l'histoire, tout en mimant ce qui est représenté par les poupées, et en leur prêtant sa voix. L'action est représentée deux fois, à travers le jeu des poupées et celui du récitant. L'illusion fonctionne par une série de médiations.

Dans le théâtre d'ombres à Java, les spectateurs peuvent voir à la fois les figurines elles-mêmes, leurs ombres sur la toile et le *dalang,* c'est-à-dire le manipulateur qui les fait bouger. Là encore, la représentation de l'action est double. En outre, elle est deux fois irréelle, puisque les figurines sont de bois et que leurs ombres sont immatérielles. Jean Genet, dans *Les Paravents,* jouera sans cesse sur ce double registre de la réalité ou de l'irréalité de l'ombre, en mettant sur scène, sur deux plans différents, les vivants, plus irréels que les morts, et les ombres des morts, qui contemplent, comme un spectacle factice, le jeu des vivants. *Pour les Javanais comme pour Genet, le théâtre est, par essence même, baroque.* Il est un lieu de chimères et ne cherche pas à créer une illusion de réalité, puisqu'il n'offre de cette réalité que l'ombre de ses représentations.

Le théâtre contemporain se rapproche de la dramaturgie orientale dans son désir de faire du théâtre un spectacle complet, où la musique, la danse, le chant aient autant d'importance que la parole. Il est devenu emblématique comme les théâtres orientaux. Mais l'auteur oriental ne peut s'exprimer qu'à l'intérieur de contraintes immuables. Par contre, nos contemporains créent leurs propres symboles, que le spectateur doit interpréter, tandis qu'en Orient un symbole est dicté par un code strict.

L'Expressionnisme

L'Expressionnisme, mouvement artistique suédois et allemand, situé approximativement entre 1890 et 1920, a joué, lui aussi, un rôle capital dans le théâtre français. Son influence, même si elle n'a pas été immédiate, a été déterminante. Ce qui apparaît novateur alors dans cette dramaturgie, c'est son désir d'explorer l'inconscient et l'abandon de l'unité.

● *Les arcanes de l'inconscient.* Strindberg, admirateur de Hartmann, qu'il a lu dès 1873 et dont la *Philosophie de l'inconscient* date de 1868, crée ses personnages en s'inspirant de ce qu'il appelle la « nouvelle psychologie ». Comme Huysmans et Maupassant, il s'intéresse aux expériences de Bernheim et de Charcot sur l'hypnose et la suggestion. C'est parce que le théâtre expressionniste veut saisir les manifestations de l'inconscient qu'il est souvent autobiographique. Un de ses thèmes de prédilection est celui du double. Ses héros, angoissés, toujours à la recherche de leur image, tentent de s'y repérer. Ce thème, chez Strindberg, est l'écho direct d'expériences hallucinatoires douloureuses qui ont été les siennes lors de la crise de 1897, et dont il a fait le récit dans *Inferno III. Le Chemin de Damas,* écrit l'année suivante, est la transposition scénique de ses hallucinations. Le double s'appelle l'Inconnu. Dans bien des pièces expressionnistes, le nom du héros n'est pas précisé, car les personnages sont en quête de leur identité. Adamov, Beckett, Ionesco et Tardieu se souviendront de cette interrogation constante que porte le héros expressionniste sur lui-même, et du mystère qui entoure son nom.

Ce personnage a souvent le sentiment confus, qui peut aller jusqu'au délire de persécution, d'expier une faute obscure. Autour de lui gravitent des êtres ignobles qui le tourmentent. Chez Strindberg, l'opposition est nette entre les *personer,* c'est-à-dire les héros, et les *bifigurer,* c'est-à-dire les personnages secondaires, les ombres qui les persécutent. *Adamov,* très influencé par Strindberg — à qui il dédiera un ouvrage critique en 1955, *Strindberg —, retrouvera spontanément cette opposition entre les héros victimes et les personnages persécuteurs.*

- *Influence du phénomène pictural.* L'Expressionnisme est pictural avant d'être littéraire ou cinématographique. *Le Cri,* tableau de 1893 du Norvégien Edvard Munch, grand ami de Strindberg, est considéré comme la première œuvre expressionniste. Les premières pièces de Strindberg, antérieures au *Cri* et qualifiées, en leur temps, de naturalistes, ne seront jugées expressionnistes qu'après coup.

Les peintres expressionnistes, Munch, Kandisky, Matisse, essaient de retrouver l'image que l'objet dépose en nous et d'en suivre les contours à travers les déformations que l'inconscient lui fait subir. Aussi découvrent-ils la *technique de la simultanéité,* représentant sur une même surface des objets vus de face et de profil, le concret et l'abstrait, l'image du passé et celle du présent. *Ce nouveau mode de représentation influence les auteurs dramatiques, qui ne vont plus rechercher l'unité dans la construction de la pièce, mais la multiplicité des points de vue.* Aussi le théâtre réintroduit-il la ballade dramatique, sur le modèle de *Léonore* de Bürger, qui interrompt l'action. L'idée d'intercaler des chants dans le drame, née au cabaret, vient de Wedekind, dont les deux pièces *L'Esprit de la terre* et *La Boîte de Pandore,* mieux connues sous le titre unique de *Lulu,* datent de 1895 et 1902, et sera reprise par Brecht. Les scènes ne s'enchaînent plus de façon logique et l'acte, facteur d'unité, a disparu, pour être remplacé par le tableau. Yvan Goll, auteur dramatique tenté aussi bien par l'Expressionnisme que par le Surréalisme, définit ainsi, dans un entretien avec Raymond Cogniat, la nouveauté de cette dramaturgie : « Plus d'actes. Simplement une suite de scènes, avec un point culminant. L'avantage qui en résulte est une bien plus grande liberté et un rapprochement sensible vers l'art cinématographique, par la juxtaposition des milieux les plus différents. Le drame de l'homme moderne y est plus facilement matérialisé » (*Comœdia,* 13 janv. 1924). Büchner apparaît rétrospectivement comme un précurseur dans *Woyzeck,* où les scènes se succèdent de façon hétérogène. La pièce, écrite en 1836, et vite tombée dans l'oubli, n'a été redécouverte qu'au début du XXe siècle, à travers l'opéra de Berg.

L'Expressionnisme est resté longtemps méconnu en France. *Mademoiselle Julie, Créanciers, Père,* représentés à Paris en 1893 et en 1894, *Le Songe,* monté par Artaud en 1928, ne suscitent pratiquement pas d'écho. Ce n'est qu'en 1945, à travers la mise en scène de *La Danse de mort* par Jean Vilar, que la France découvre vraiment Strindberg.

L'espace théâtral et ses métamorphoses

Tandis que les théâtres orientaux et l'Expressionnisme révélaient à la France des formes dramatiques, l'architecture théâtrale, de son côté, bouleversait les rapports acteurs-spectateurs et la nature de l'illusion. Le lieu théâtral se compose toujours de deux unités complémentaires : une partie de l'espace réservée au jeu, l'autre aux spectateurs. C'est un endroit où l'on regarde et où l'on est vu. A chaque époque correspond un type de lieu déterminé par les nécessités d'une dramaturgie. Le théâtre antique, le théâtre médiéval, le théâtre élisabéthain, les théâtres orientaux disposent chacun d'une structure architecturale propre.

● *Abandon du théâtre à l'italienne.* Au XIXᵉ siècle, le théâtre européen est un « théâtre à l'italienne » à scène fermée, conçu en Italie, à la Renaissance. La séparation de la salle et de la scène ne date que de 1830, lorsqu'on commence à utiliser l'éclairage au gaz. A la fin du XIXᵉ siècle, la pénombre de la scène, propice aux effets d'illusion et à l'utilisation des décors en trompe-l'œil, peut laisser croire que la scène est soit le monde réel, comme le veulent les Naturalistes, soit un monde magique, comme le souhaitent les Symbolistes. La salle et la scène sont devenues deux mondes nettement séparés. Le cadre de scène fonctionne comme un quatrième mur. Mais, en 1880, lorsqu'on commence à utiliser l'électricité, il devient difficile de créer une illusion réaliste. Si le théâtre à l'italienne a fait l'unanimité en Europe jusque vers 1880, on assiste, dès le début du XXᵉ siècle, à un retour à un type de scène plus ancien, la scène ouverte, utilisée dans le théâtre grec, médiéval, élisabéthain. Antoine, fondateur du Théâtre-Libre (le théâtre des Naturalistes), fut le premier à critiquer le théâtre à l'italienne, pour ses mauvaises conditions de visibilité et d'audition. Mais il en renforça le caractère illusionniste en faisant supprimer le *proscenium,* qui permettait une certaine interpénétration de la salle et de la scène, et en interdisant à l'acteur de venir jouer au premier plan. Le théâtre à l'italienne connut une certaine désaffection après l'échec du théâtre naturaliste, car la scène fermée crée un type d'illusion que Jarry et les Surréalistes ont mis en question. Il y a aujourd'hui un regain d'intérêt pour les théâtres à l'italienne, qui, suivant l'exemple de la Comédie-Française, tendent à se spécialiser dans les pièces du répertoire qui nécessitent un jeu illusionniste.

● *Rôle des metteurs en scène.* Ils sont à l'origine de la transformation de l'espace théâtral au début du XXᵉ siècle. Dès 1895, Adolphe Appia, dans *La Mise en scène du drame wagnérien,* condamne la scène à l'italienne. En 1911, il fait construire « la cathédrale de l'avenir », l'Institut Jaques-Dalcroze, un lieu unique où il n'existe ni scène, ni salle, ni rideau, qui oppose un gradin réservé aux spectateurs à un vaste espace où l'on peut disposer les praticables qui modèlent l'espace scénique. Gordon Craig, en 1920, dans *L'Art du théâtre,* souhaite une scène à la fois architecturée et mobile. Aussi se sert-il d'un jeu de *screens* (= paravents), qui comportent chacun quatre, six, huit ou douze panneaux, articulés dans les deux sens. Le moindre déplacement des panneaux suffit à transformer l'espace. Cette idée féconde est à l'origine des *Paravents* de Jean Genet. Celui-ci modèle l'espace grâce à des paravents, différenciant ainsi des groupes de personnages opposés par leur appartenance sociale ou idéologique, par leurs amours ou par leurs haines, par leur caractère de vivants ou de morts. Tandis que les paravents de Craig sont monochromes et ne sont recouverts d'aucun dessin, ceux de Jean Genet racontent une histoire ; ils ont valeur aussi bien narrative que dramatique. Ils se couvrent de graffiti tout au long de la représentation et sont le témoignage de la révolution qui gronde et qui n'est presque jamais représentée sur la scène.

● *Progrès techniques et nouveautés architecturales.* Ce qui a permis aux metteurs en scène de transformer, dès le début du XXᵉ siècle, le lieu théâtral, ce sont les *innovations techniques* lumineuses et sonores. Grâce à l'*utilisation des projecteurs,* l'éclairage peut modeler, avec des variations infinies, l'espace scénique. Aussi, dans le théâtre actuel, le décor construit est-il quasi abandonné. Voici comment Duras conçoit *La Musica :* « La mise en scène devrait être de caractère cinématographique. Éclairage violent des visages qui équivaudrait aux plans rapprochés et plongée de ces visages dans le noir, parfois. Le reste de la scène devrait être gagné par l'ombre à mesure que progressent les propos » (*Théâtre I,* Gallimard, 1965, p. 141).

La *stéréophonie,* le *son panoramique* permettent de placer le spectateur à l'intérieur de l'action dramatique, puisque le son peut venir de tous les côtés à la fois. En outre, *les modes de perception du spectateur se sont trouvés profondément modifiés à cause du cinéma.* Le théâtre cherche à se différencier du « septième art » en soulignant la présence vivante de l'acteur et en recherchant un plus grand contact acteurs-spectateurs, mais ce n'est pas un hasard si certains projets comme le théâtre mobile ou les auditoriums tournants tentent d'instaurer un rapport salle-scène fondé sur la mobilité de l'espace et la multiplicité des points de vue à laquelle le cinéma a habitué le public. Plusieurs formules coexistent, qui bouleversent l'édifice théâtral traditionnel en 1950, et cela n'est pas sans incidence sur l'écriture dramatique. Elles tendent à unifier l'espace salle-scène et à établir un contact direct acteurs-spectateurs. Dans une *scène de type architecturé,* salle et scène se situent dans le prolongement l'une de l'autre ; les comédiens et le public sont face à face. Dans le *théâtre en rond,* les acteurs sont entourés par le public, et le contact entre les deux groupes va presque jusqu'à l'attouchement, comme pour inviter le spectateur à participer au spectacle. Le *théâtre à scène annulaire,* dans lequel la scène se déploie autour du public, tend aussi à briser la barrière qui sépare acteurs et spectateurs, en modifiant constamment au cours du spectacle les positions relatives de l'acteur et du spectateur. Les *théâtres à scènes simultanées,* où les salles sont en perspective, modifient totalement l'esthétique scénique traditionnelle. Certains metteurs en scène, après mai 68, mettant en cause la notion même de lieu théâtral, tentent de porter le théâtre dans la rue. D'autres s'installent dans des lieux qui n'ont pas été conçus pour le théâtre, Ariane Mnouchkine dans une ancienne cartoucherie, Vitez dans un hangar de Vitry. De nombreux spectacles, tels les spectacles off d'Avignon, se créent en marge des festivals. Certains créateurs refusent en effet de se laisser emprisonner dans des formes trop institutionnalisées, de peur qu'elles ne deviennent des supermarchés de la culture.

VERS UNE DRAMATURGIE NOUVELLE : DE 1880 A 1950

Découverte de l'Orient et de l'Expressionnisme, transformations du lieu théâtral, ont fait prendre conscience lentement aux auteurs français que le réalisme n'est qu'une convention, qu'un des codes possibles dans lesquels on peut transcrire la réalité. C'est ce qui a permis l'éclosion de pièces novatrices. Après une période de tâtonnement, du Naturalisme au Symbolisme, surviennent les grandes créations. Claudel et Jarry écrivent presque en même temps leur première pièce, *Tête d'or* en 1890 et *Ubu roi* en 1896, rompant définitivement avec la tradition. Les Surréalistes continueront dans la voie de Jarry. Dorénavant, le théâtre ne prétendra plus imiter le réel. Après ces grandes réalisations, Artaud et Brecht se mettent à théoriser sur une dramaturgie nouvelle.

Le théâtre naturaliste

● *Le refus d'embellir*. Au théâtre, depuis le XVIᵉ siècle, sont privilégiés les nobles sentiments, les grandes passions et les belles scènes, que le drame romantique, dans sa fulgurance, a exploités pour la dernière fois. Malgré la brièveté de son existence, il a marqué tout le XIXᵉ siècle. Alexandre Dumas fils, avec *La Dame aux camélias*, en 1852, le perpétue, mettant en scène, avec force pathétique, la courtisane régénérée par l'amour. Avec *Cyrano de Bergerac*, en 1897, et *L'Aiglon*, en 1900, Edmond Rostand lui redonnera vie, dans un ultime sursaut.

Zola, le premier, part en guerre contre l'irréalisme de ce beau langage, des conventions sociales et morales que présuppose une telle conception du théâtre. Avec véhémence, dans sa *Lettre à la jeunesse,* écrite en 1881 après une représentation de *Ruy Blas* à la Comédie-Française, il critique Victor Hugo, dont il admire par ailleurs la poésie. Il prône un théâtre qui reflète la société sans complaisance. Cette volonté de présenter au public un portrait de l'homme avec sa laideur et ses bassesses, sans ménager sa susceptibilité, tout cela est neuf en 1880, et annonce une attitude qui sera celle de Jarry.

● *Un décor réaliste*. Ce qui a trait aux problèmes de l'illusion, loin d'être novateur, reste au contraire très proche des exigences de Diderot chez Zola, qui veut masquer les conventions et reproduire la réalité sur la scène, par l'art du trompe-l'œil. Le décor, aussi vrai que nature, doit représenter cette « tranche de vie » que les romanciers naturalistes essaient minutieusement de saisir. Il fonctionne, au dire de Zola, comme des *descriptions continues*. Ce souci de vérité ne va pas sans outrance. Antoine, pour jouer *Les Bouchers* de F. Icres, accroche sur la scène de véritables quartiers de bœuf.

● *Incompatibilité des exigences réalistes et de la scène.* Zola et Antoine prétendent recréer sur scène la vie authentique. Voulant substituer la réalité à sa représentation, refusant toute stylisation, ils nient la théâtralité. C'est avec beaucoup de déception que Zola, en 1881, dans *Le Naturalisme au théâtre* (texte qui veut faire pendant au *Roman expérimental*, écrit l'année précédente), déplore la pauvreté du théâtre de son temps. Selon lui, les personnages de Victorien Sardou, chez qui l'intrigue prime, sont des pantins ; les pièces réalistes d'Alexandre Dumas fils ne sont que des documents humains ; les comédies de mœurs d'Émile Augier, qui fait la satire de la riche bourgeoisie, foisonnent de poncifs. L'œuvre de Becque, avec *Les Corbeaux* en 1882 et *La Parisienne* en 1885, ne répondra pas, malgré son réalisme, à son attente. Par ailleurs, il n'a que mépris pour le *vaudeville,* très à la mode dans la deuxième moitié du siècle. Cette comédie légère, dont Labiche, puis Feydeau sont les deux représentants, perpétue, avec ses couplets chantés, la tradition du théâtre de foire. Labiche lui-même souligne la futilité d'un genre si conventionnel, prêtant ironiquement à l'un des personnages de *Un jeune homme pressé,* pièce de 1848, ces propos : « Oh ! Dieu ! je les ai en horreur (les vaudevilles) ! C'est toujours la même chose, le vaudeville est l'art de faire dire *oui* au papa de la demoiselle qui disait *non.* » Zola est persuadé que le théâtre est en retard par rapport au roman, mais aussi qu'il est « chose de convention » et qu'il mourra de cette faiblesse, puisqu'il est incapable de saisir la réalité. Son amertume lui vaut cette maxime catégorique : « Le théâtre sera naturaliste ou ne sera pas. » Antoine, déçu lui aussi par les auteurs français, présente des œuvres étrangères, révélant le Norvégien Ibsen. Cet échec du théâtre naturaliste marque un tournant décisif, qui va affranchir le théâtre de son but imitatif.

L'onirisme des Symbolistes

A ce réalisme illusionniste, le Symbolisme, vers 1890, substitue la transfiguration poétique, situant la vérité de l'univers théâtral dans un ailleurs de rêve. Mallarmé, qui s'explique sur ses théories dramatiques dans un article consacré à Wagner, et dans *Crayonné au théâtre,* prône un retour aux mythes et souhaite que tout rationalisme soit banni de la scène. Malheureusement, il ne terminera jamais *Hérodiade,* drame lyrique conçu dès 1866. Il est impossible de juger du caractère scénique de cette pièce réduite à trois poèmes, l'ouverture où monologue la nourrice, un dialogue entre Hérodiade et sa nourrice, et un intermède lyrique.

    Pelléas et Mélisande, de Maeterlinck, en 1892, est le chef-d'œuvre du Symbolisme. Maeterlinck conserve abusivement le terme de « drame » pour désigner cette pièce pathétique, qui n'intègre jamais d'éléments comiques. Dans cette œuvre lyrique pour laquelle Debussy composa la musique, *l'atmosphère est perpétuellement étrange.* L'intrigue en est simple. Le prince Golaud, qui découvre, lors d'une chasse, Mélisande perdue dans la forêt, épouse cette toute jeune fille venue d'on ne sait où. Dès qu'elle rencontre Pelléas, le frère cadet de

Golaud, les deux jeunes gens se prennent l'un pour l'autre d'une passion ardente, mais chaste. Golaud, farouchement épris de sa femme, tue son frère dans un accès de jalousie, et Mélisande se laisse mourir de chagrin. *Tout se passe ici comme dans un rêve.* Les événements ne semblent pas obéir aux lois qui régissent le monde réel. Golaud se blesse, en tombant brutalement de cheval, au moment même où Mélisande, en compagnie de Pelléas, perd l'anneau que son époux lui a donné. Ce geste qu'il ignore, le terrasse, comme s'il était doté d'un pouvoir occulte. Les personnages eux-mêmes semblent droit sortis d'un songe. Voici comment Arkël, le vieux roi, voit Mélisande : « Je t'observais, tu étais là, insouciante peut-être, mais avec l'air étrange et égaré de quelqu'un qui attendrait toujours un grand malheur au soleil, dans un beau jardin... » (IV, I). L'onirisme baigne encore davantage *L'Oiseau bleu* du même Maeterlinck, féérie de 1909.

Ubu roi, *la première pièce moderne*

Lorsque Alfred Jarry, en 1896, donne *Ubu roi,* la pièce fait l'effet d'une bombe. On se souvient du scandale qu'elle causa et de l'émoi que provoquèrent les premiers mots tonitruants du Père Ubu — « merdre ! » —, où la grossièreté est à peine déguisée. Jarry, héritier de Lautréamont et de Rimbaud, ne fait aucune concession au public.

Directement inspirée de *Macbeth,* la pièce est la parodie d'un drame historique. Ubu, poussé par sa femme, l'ambitieuse Mère Ubu, assassine le roi de Pologne et deux de ses fils, pour voler son royaume au souverain. Après une victoire éphémère, il est vaincu par le seul survivant de la lignée royale, Bougrelas. D'une farce de potache, Jarry a créé ce qu'il appelle un « drame en prose », quoique la pièce, constamment burlesque, n'ait rien d'un drame. Considérée à juste titre comme la première pièce d'avant-garde, elle procède directement de l'esthétique de la farce par son indifférence absolue à la profondeur individuelle des personnages et à la vraisemblance du décor.

● *La subversion permanente.* Avec son goût du canular, Jarry s'amuse à démanteler le *langage,* associant les mots, par homophonie, au mépris du sens, sous divers prétextes :

> MÈRE UBU. — [...] elle est au moins égale de la Vénus de *Capoue.*
> PÈRE UBU. — Qui dites-vous qui a des *poux ?*
> MÈRE UBU. — Vous n'écoutez pas, Monsieur Ubu, prêtez-nous une oreille plus attentive.

(V, I)

L'*orthographe,* elle aussi, est sans cesse mise à mal. La déformation orthographique, dans des mots comme « phynance », « oneille », apparaît à la fois comme un divertissement et un moyen de recréation du langage. L'œuvre est un jeu verbal où Jarry, ce grand lecteur de Rabelais, *se plaît à parodier les formes dramatiques antérieures,* tournant en dérision les scènes traditionnelles : les scènes de songe prémonitoire, les scènes macabres chères aux Romantiques (la descente de Mère Ubu dans la crypte où sont enterrés les rois de Pologne).

Scènes politiques (le conseil des ministres, III, II), épiques (la remise solennelle de l'épée par l'ancêtre, II, v), guerrières (la bataille contre les Russes, IV, IV) sont traitées sous un mode burlesque. Le grotesque est à son comble dans la fameuse scène où Ubu, dont la cupidité ne supporte aucun frein, s'octroie toutes les richesses du royaume, celles des nobles, des magistrats et des financiers, les faisant défiler un à un devant lui, puis disparaître dans une trappe. Parodiant le modèle épique, Jarry crée une « geste » d'Ubu. *Ubu roi* est immédiatement suivi par *Ubu cocu,* puis viennent, en 1900, *Ubu enchaîné,* en 1901, *L'Almanach illustré du Père Ubu* et, en 1906, *Ubu sur la Butte.* Son personnage, qui réapparaît dans tout un cycle, semble immortel comme le mal qu'il incarne.

● *Naissance d'un type.* Le personnage d'Ubu (incarné alors par Gémier), dès la représentation de 1896, s'impose comme un type. Mallarmé n'écrit-il pas à Jarry, après le spectacle : « Vous avez mis debout, avec une glaise rare et durable au doigt, un personnage prodigieux et les siens, cela en sobre et sûr sculpteur dramatique. Il entre dans le répertoire de haut goût et me hante. » Doté de tous les défauts — laideur, saleté, grossièreté, bêtise, couardise, méchanceté —, cet anti-héros a l'allure d'un pantin. Mais cet être instinctif et viscéral est redoutable. Sa femme et ses partisans, ses ennemis qui ne valent guère mieux, sont tout aussi grotesques. Jarry pose ainsi le problème du vide entre une fausse légitimité, absurde et négative, celle de Venceslas, et une fausse anarchie, celle de Ubu, personnage dépourvu de raison, qui n'aspire qu'au pouvoir. Tous ces personnages hideux suscitent la répulsion du spectateur.

Pour souligner l'aspect caricatural de ses personnages, Jarry délimite, par la nomination, trois groupes de personnages, reprenant, en l'amplifiant, un procédé farcesque :

— Père et Mère Ubu, parfois appelés les *Ubs* ;

— Le roi de Pologne Vences*las* et ses trois fils : Boles*las*, Ladis*las* et Bougre*las* (un bougre, hélas !) ;

— L'empereur de Russie Ale*xis* et ses hommes, le général La*scy*, Stanislas Leczin*ski*, Jean Sobie*ski*, Nicolas Ren*sky*.

Cette espèce de système burlesque à désinences *-ubs, -as, -ski* fonctionne comme une classification.

● *Un espace emblématique.* Tout réalisme est radicalement banni de la scène par cette formule célèbre : « L'action [...] se passe en Pologne, c'est-à-dire Nulle Part », prononcée par Jarry au terme d'un *Discours* à la première représentation, le 10 décembre 1896. *Jarry condamne définitivement le décor en trompe-l'œil :* « Mentionnons, écrit-il dans *De l'inutilité du théâtre au théâtre* (*Le Mercure de France,* sept. 1896), que ledit trompe-l'œil fait illusion à celui qui voit grossièrement, c'est-à-dire ne voit pas, et scandalise qui voit d'une façon intelligente la nature, lui en présentant la caricature par celui qui ne comprend pas. Zeuxis a trompé des bêtes brutes, dit-on, et Titien un aubergiste. » Comme les changements de décor sont nombreux, Jarry opte pour une toile de fond unique et préconise l'*utilisation de pancartes.* Refusant tout décor construit, *il propose de créer des décors « héraldiques » :* « Toute partie du décor dont on aura un besoin spécial, fenêtre qu'on ouvre, porte qu'on enfonce, est un accessoire et peut être apportée comme une table ou un flambeau. » Qui plus est, *les accessoires doivent être résolument faux,* car l'objet scénique fait partie intégrante du personnage. Jarry imagine de représenter le cheval d'Ubu par une tête de cheval en carton, que l'acteur se pendrait au cou comme dans l'ancien théâtre anglais. On ne peut abstraire Ubu des objets qui le constituent : le « croc à merdre », qui, selon un principe d'équivalence fréquent chez Jarry, peut devenir « crochet à phynances » ou « crochet à nobles », le balais « innommable », le sabre, le « voiturin », etc., comme le montre Henri Béhar (*Jarry dramaturge,* Nizet, 1980).

Cette transformation simultanée de l'espace scénique et du personnage, opérée par Jarry, bouleverse la nature de l'illusion. Le théâtre ne cherche plus à reproduire la réalité, pas plus qu'il ne donne l'image d'un ailleurs de rêve. Il représente crûment la condition humaine de façon burlesque.

Les fantaisies surréalistes

Le Surréalisme fait son apparition à Paris au lendemain de la Guerre de 14-18. Les Surréalistes sont les continuateurs de Jarry. Nourris de Freud, ces écrivains, très attentifs à leurs rêves, en notent les traces mnésiques dans leurs poèmes comme dans leurs fantaisies dramatiques. Privilégiant la « surréalité », où s'abolit l'opposition entre le rêve et le réel, ils donnent libre cours à leur imagination. Le *Manifeste du Surréalisme,* d'André Breton — qui date, dans sa première version, de 1924, dans la seconde, de 1930 —, débute par l'éloge de l'imagination, de la folie et du freudisme. Aussi le théâtre surréaliste donne-t-il la première place à l'*insolite*. Ces auteurs dramatiques créent une forme d'illusion nouvelle. Au lieu d'imposer comme vrai ce qui est représenté, ils donnent au spectateur le sentiment que leur pièce n'est qu'un énorme canular. Ce théâtre ne repose plus sur l'adhésion du spectateur. Le théâtre surréaliste, apprécié seulement par un petit nombre d'initiés, se heurta à l'incompréhension générale. Il fallut attendre le succès du théâtre des années cinquante pour qu'on le redécouvrît.

● *Les Mamelles de Tirésias*. C'est dans la préface de cette pièce, écrite en 1917, avant la naissance du Surréalisme proprement dit, qu'apparaît, pour la première fois, sous la plume d'Apollinaire, le terme de « Surréalisme » : « Quand l'homme a voulu imiter la marche, il a créé la roue qui ne ressemble pas à une jambe. Il a fait ainsi du surréalisme sans le savoir. » Apollinaire représente ici, sous un mode ludique, un phénomène de transexualisme, la métamorphose de Thérèse en homme. Les ballons qui s'échappent vers le ciel, de plus en plus nombreux, symboles des seins à jamais perdus de Thérèse, nous entraînent, par un phénomène de prolifération, dans le monde burlesque de la farce. Tandis que Thérèse, la virile héroïne devenue Tirésias, contemple avec satisfaction les ballons, son mari, qui ne veut pas que la terre se dépeuple, met au monde quarante mille quarante-neuf enfants sous les yeux étonnés d'un habitant de Zanzibar. Les fonctions des deux sexes ont été permutées de façon cocasse, sans qu'aucune angoisse naisse de cette étrange métamorphose. Comme Jarry, avec qui il était très lié, Apollinaire abandonne toute logique dans la construction dramatique, justifiant, dans le prologue, cette attitude par une référence à la vie, qui ne se déroule pas selon un ordre logique :

> Mariant souvent sans lien apparent *comme dans la vie*
> La musique la danse l'acrobatie la poésie la peinture
> Les chœurs les actions et les décors multiples
> Vous trouverez ici des actions
> Qui s'ajoutent au drame principal et l'ornent
> Les changements de ton du pathétique au burlesque
> Et l'usage raisonnable des invraisemblances.

● *« Victor ou les Enfants au pouvoir »*. Roger Vitrac, dans cette pièce de 1928, met en scène un enfant de neuf ans qui a la taille d'une grande personne, c'est-à-dire un personnage délibérément faux. Victor, qui « ne respecte rien », au dire de la bonne, et surtout pas le langage, se moque de l'utilisation grotesque qu'en font les adultes : « Oui, dit-il, parodiant son père — ce qui permet à Vitrac de faire allusion au Dadaïsme tout récent —, le fameux *dada* qui devait naître du gros coco » (I, i). Les personnages qui l'entourent prononcent constamment des phrases toutes faites, qu'ils emploient à tort et à travers. Ils font des jeux de mots par association de sonorités, si bien que le dialogue apparaît incohérent : « Qu'a-t-on ? Qu'a-t-on, Caton l'Ancien, nom de Dieu », s'écrie Charles (I, viii). Comme Victor ne peut supporter la bêtise des propos qui lui sont tenus, il va plus loin que les autres dans la voie du non-sens, leur présentant, dans un miroir déformant, leur propre absurdité. Lui qui sème la discorde et qui veut choquer son entourage, comme Vitrac son public, il se plaît à introduire la confusion au sein du langage.

Le théâtre Surréaliste reflète, comme l'Expressionnisme auquel il succède, la problématique de ce début du XXᵉ siècle, préoccupé par la découverte du monde irrationnel. Ces deux mouvement ont débarrassé la dramaturgie de la notion, désormais périmée, d'unité, principe d'ordre incompatible avec l'exploration de l'inconscient.

L'ancien et le nouveau chez Claudel

L'œuvre de Claudel signe la clôture d'une époque, dont il perpétue le sens de la grandeur, de la démesure, tout en ouvrant une ère nouvelle. Dès *Tête d'or,* qui affirme « la comparution de l'homme nouveau », cette dualité est soulignée.

● *Le Classicisme*. La beauté de la langue de Claudel, qui utilise souvent le rythme ample du verset sur le modèle biblique, l'apparente à nos plus grands dramaturges classiques. Il y a, chez cet admirateur de Rimbaud, une foi profonde dans le pouvoir du verbe qui mène à Dieu. « Rien ne m'a paru plus beau que la parole humaine, écrit-il dans une lettre de 1891 adressée à Albert Mockel, poète belge ; c'est pourquoi je l'ai étalée sur le papier, rendant visibles les deux souffles, celui de la poitrine et celui de l'inspiration. J'appelle *vers* l'haleine intelligible, le membre logique, l'unité sonore constituée par l'ïambe ou rapport abstrait du grave et de l'aigu.

« Le vers sert à représenter le rapport inexplicable de l'instinct muet et du mot proféré. J'ai adopté une disposition typographique spéciale pour éviter que le vers n'ait l'air de finir dans le vague, mais il heurte un obstacle, revient en arrière et s'achève. »

L'intrigue, puissante et complexe dans tous les drames de Claudel, joue un rôle aussi important que chez Shakespeare, envers qui il ne tarit pas d'éloges. La passion amoureuse s'exprime avec force. Violaine, dans *L'Annonce faite à Marie,* dit à son fiancé : « A jamais ce qui est à moi cela ne cessera pas d'être vôtre. » (II, III). L'amour, chez Claudel, n'existe que dans la séparation. L'absence le nourrit. Quelque chose, sur cette terre, en interdit toujours la réalisation, mais plus fort que la mort, il est affirmé comme un lien indissoluble. Lointaine descendante des héroïnes courtoises, Prouhèze appartient charnellement à Don Camille, tandis que son âme est, pour l'éternité, à Rodrigue. Son époux sait qu'il ne gagnera jamais son amour.

> DON CAMILLE. — Il y a une chose du moins que je puis faire qui est de vous faire fouetter.
>
> DOÑA PROUHÈZE. — Mon corps est en votre pouvoir, mais votre âme est dans le mien !
>
> DON CAMILLE. — Quand vous me tordez l'âme, n'ai-je pas le droit de torturer un peu votre corps ?
>
> (*Le Soulier de satin,* troisième journée, sc. X)

● *Modernité*. La présence du monde, dans son immensité, grandit la scène claudélienne. Ce voyageur infatigable était fasciné par tout ce qui se découvrait à lui dans chaque pays nouveau. *L'Échange,* pièce de 1893, résulte du choc produit par le spectacle du Nouveau Monde, *Le Repos du septième jour,* qui date de 1896, du contact avec la Chine.

Avec *Le Soulier de satin*, pièce écrite au Japon de 1921 à 1924 (créée par Barrault, dans la version pour la scène, en 1943, avec une musique de Honegger), Claudel rompt définitivement avec la construction dramaturgique traditionnelle. « *La scène de ce drame est le Monde,* et plus spécialement l'Espagne à la fin du XVIᵉ siècle, à moins que ce ne soit le commencement du XVIIᵉ siècle, écrit-il dans les didascalies inaugurales. L'auteur s'est permis de comprimer les pays et les époques, de même qu'à la distance voulue plusieurs lignes de montagne séparées ne sont qu'un seul horizon. » La pièce transporte le spectateur de l'Espagne aux Baléares, en Sicile, en Bohême, en Amérique, à Panama, tout comme la lettre que Prouhèze a envoyée à Rodrigue court depuis dix ans « des Flandres à la Chine et de la Pologne à l'Éthiopie » (troisième journée, sc. X). Si Claudel divise la pièce en « journées », ce n'est pas en référence aux usages dramatiques de l'Espagne du Siècle d'or. Dans ces journées, très différentes des « parties » de ses premiers drames, il brise la continuité spatio-temporelle. Il les fragmente en scènes qui peuvent être simultanées ou se dérouler à des moments et dans des lieux très différents. Claudel est persuadé qu'il n'est pas possible d'agir quelque part sans que l'action ne se répercute partout. Il compare cette pièce à une « tapisserie », car le destin privé de Rodrigue, l'homme de l'Amérique, et de Prouhèze, qui représente l'Afrique, s'y développe en contrepoint de l'histoire du monde. C'est dans une légende chinoise où sont intriqués le drame d'un amour et le cycle du cosmos que Claudel a trouvé le sujet de sa pièce : la légende de « deux amants stellaires qui, chaque année, après de longues pérégrinations, arrivent à s'affronter, sans jamais pouvoir se rejoindre, d'un côté et de l'autre de la voie lactée » (Pléiade, t. II, p. 1476). Claudel noue, dans toute son œuvre, les destins individuels et collectifs, sauf dans *L'Échange* et dans *Partage de midi,* pièces centrées exclusivement sur un drame privé.

Antoine Vitez, ébloui devant les mille facettes du *Soulier de satin,* déclara, lors de sa mise en scène de juillet 1987 au festival d'Avignon : « Cette pièce est un catalogue des modes théâtraux. Tous les styles de théâtre, toutes les formes qui correspondent aux différentes époques de la poésie dramatique s'y trouvent répertoriés et inventoriés. Notre travail donc consiste à essayer de jouer de toutes les manières et sur tous les registres inscrits dans le texte. »

Claudel, affichant le même mépris que Jarry vis-à-vis du réalisme, accentue les conventions théâtrales. Le décor et le jeu souligneront, parallèlement, les artifices scéniques : « Dans le fond, la toile la plus négligemment barbouillée, ou aucune, suffit, dit-il dans la préface du *Soulier de satin.* Les machinistes feront les quelques aménagements nécessaires sous les yeux même du public pendant que l'action suit son cours. Au besoin, rien n'empêchera les artistes de donner un coup de main. Les acteurs de chaque scène apparaîtront avant que ceux de la scène précédente aient fini de parler et se livreront aussitôt entre eux à un petit travail préparatoire. Les indications de scène, quand on y pensera et que cela ne gênera pas le mouvement, seront ou bien affichées ou lues par le régisseur ou les acteurs eux-mêmes qui tireront de leur poche ou se passeront de l'un à l'autre les papiers nécessaires. S'ils se trompent, ça ne fait rien. Un bout de corde qui pend, une toile de fond mal tirée et laissant apparaître un mur blanc devant lequel passe et repasse le personnel sera du meilleur effet. Il faut que tout ait l'air provisoire, en marche, bâclé, incohérent, improvisé dans l'enthousiasme ! [...] L'ordre est le plaisir de la raison ; mais le désordre est le délire de l'imagination. »

En ce premier quart du XXᵉ siècle, Jarry et Claudel ont profondément modifié la dramaturgie. C'est à Artaud et à Brecht que revient ensuite la tâche de théoriser.

Artaud, ou l'apothéose du corps

Artaud, que la découverte de l'Orient et son appartenance, quelques années durant, au Surréalisme ont profondément marqué, expose ses théories dramaturgiques dans *Le Théâtre et son double.* L'ouvrage, qui paraît en 1938, réunit ses écrits depuis 1932. Ces textes témoignent de sa longue expérience d'acteur et de metteur en scène, acquise au « théâtre Alfred Jarry », fondé en 1920 avec Vitrac et Robert Aron. Ce titre est un hommage à celui qu'il considère comme son précurseur.

● *En finir avec le théâtre de texte.* Artaud remet en cause la dramaturgie occidentale, qui « ne voit pas le théâtre sous un autre aspect que celui du théâtre dialogué » (« La mise en scène et la métaphysique »). Il désire inventer un langage spécifiquement théâtral, destiné aux sens et indépendant de la parole, un langage créé par la musique, la danse, la pantomime, et même le décor. Ce langage par signes doit avoir valeur idéographique. Artaud rêve de retrouver les modes d'expression de certaines pantomimes directes, où les gestes, au lieu de représenter des mots, des phrases, comme dans la pantomime européenne, qui n'est, selon lui, qu'une déformation des parties muettes de la *commedia dell'arte,* représentent des idées, des attitudes de l'esprit. Il donne comme exemple le symbole oriental qui représente la nuit par un arbre sur lequel un oiseau, qui a déjà fermé un œil, commence à fermer l'autre. Dans un tel spectacle, la parole ne sera qu'un moyen d'expression parmi d'autres. Lui-même a réalisé deux pantomimes. Dans *La Pierre philosophale,* les acteurs miment l'action en silence. Il n'y a pas de dialogue. Les indications scéniques concernent uniquement les gestes et Artaud conseille d'utiliser une voix off pour commenter les situations de cette « pantomime ». Il propose simplement un canevas, et non un texte. Toute liberté créatrice est laissée à l'acteur. Dans *Il n'y a plus de firmament,* certaines répliques sont notées dans un embryon de texte, quoique une grande liberté d'improvisation soit laissée aux acteurs.

● *Deux conceptions de la cruauté.* Les deux pantomimes d'Artaud illustrent les deux tendances de la cruauté qui coexistent dans son œuvre. Les trois personnages de *La Pierre philosophale,* porteurs de noms symboliques, constituent l'éternel triangle de l'adultère : le docteur Pale, chirurgien qui porte sur son visage la couleur de la mort, sa femme Isabelle et Arlequin, types de la *commedia dell'arte.* Isabelle, nouvelle Emma Bovary, est une « petite provinciale qui s'ennuie [...], ses désirs, aspirations inconscientes se traduisent en vagues soupirs, plaintes, gémissements ». Le docteur Pale est un sadique à demi fou. Quant à Arlequin, personnage traditionnellement double, il est d'un côté un monstre tordu et hideux, bel objet de dissection pour le chirurgien, de l'autre, il a l'aspect de l'Apollon qu'Isabelle attendait dans ses rêves. Cette coupure du personnage souligne symboliquement la dissemblance des regards du mari et de la femme, qui voient, avec Arlequin, l'occasion de réaliser leurs désirs : disséquer, aimer. *Une cruauté sanguinaire baigne cette pantomime.* Au début de la pièce, le docteur dépèce un mannequin, avec un sadisme effrayant. Suit une scène d'amour grotesque entre le mari et la femme. Arlequin, qui entre alors en scène, est l'objet d'une double curiosité. Dans la scène suivante, le docteur le coupe en morceaux et, fatigué par ce travail, il s'endort. L'amour naît aussitôt entre Arlequin et Isabelle.

La cruauté est de nature bien différente dans *Il n'y a plus de firmament.* Dans cet « argument pour la scène », l'angoisse de la fin du monde s'exprime sous forme allégorique. L'affolement règne, dans les rues d'une ville, à l'annonce d'un événement cosmologique terrible, dont on ne connaît jamais exactement la nature. La Lune, dit-on, risque de tomber. La Terre, d'abord à une minute de Sirius, puis à des milliards d'années-lumière, parcourt le firmament à une allure folle. L'annonce de cet événement, dont les conséquences vont être catastrophiques pour l'humanité, joue le rôle de catalyseur pour révéler la violence de la nature humaine.

Les réalisations théâtrales d'Artaud n'ont laissé qu'une trace fugitive, mais ses théories dramaturgiques ont joué un rôle capital dans l'évolution qu'a connue le théâtre à partir des années cinquante. Certains lui ont emprunté sa conception du spectacle complet, d'autres sa théorie de la cruauté, d'autres son refus du théâtre de texte. Les spectacles de *happening,* apparus dans les années soixante, viennent en droite ligne d'Artaud, eux qui tendent à mettre en jeu chez le spectateur les conflits les plus archaïques. On peut se demander si cela est possible dans nos sociétés où l'art n'a plus rien à voir avec la religion, et où le groupe social a perdu sa cohérence. Jacques Derrida, dans *Le Théâtre de la cruauté et la clôture de la représentation* (*Critique,* n° 230, juill. 1966), fait remarquer que le théâtre, tel que l'a conçu Artaud est difficilement jouable, car

ARTAUD ET LE « THÉÂTRE DE LA CRUAUTÉ »

● Artaud s'explique dans ses deux manifestes, en 1932 et en 1933, sur sa théorie du « théâtre de la cruauté ». Porter la cruauté au théâtre c'est révéler le monde inconnu du rêve, de l'inconscient, qu'il a découvert avec les Surréalistes. « Le théâtre ne pourra redevenir lui-même, c'est-à-dire constituer un moyen d'illusion vraie, qu'en fournissant au spectateur des précipités véridiques de rêve, où son goût du crime, ses obsessions érotiques, sa sauvagerie, ses chimères, son sens utopique de la vie et des choses, son cannibalisme même, se débondent, sur un plan non pas supposé et illusoire, mais intérieur », dit-il dans « Le théâtre de la cruauté ». (Dans *Le Théâtre et son double*, Gallimard, Idées, 1964, p. 139).

● Dans « Le théâtre et la peste », Artaud compare le théâtre à cette épidémie qui a longtemps hanté l'imagination occidentale, car, dans des moments de tension extrême, il révèle, comme la peste, ce que l'homme a toujours cherché à refouler : la cruauté.

● Artaud s'est longuement défendu de vouloir donner un sens grand-guignolesque à la cruauté. Mais il demeure fasciné par les thèmes de la tragédie du sang. « Avec cette manie de tout rabaisser qui nous appartient aujourd'hui à tous, « cruauté », quand j'ai prononcé ce mot, a tout de suite voulu dire « sang » pour tout le monde, écrit-il dans « En finir avec les chefs-d'œuvre ». Mais *théâtre de la cruauté* veut dire théâtre difficile et cruel d'abord pour moi-même. Et, sur le plan de la représentation, il ne s'agit pas de cette cruauté que nous pouvons exercer les uns contre les autres en nous dépeçant mutuellement les corps, en sciant nos anatomies personnelles, ou tels des empereurs assyriens, en nous adressant par la poste des sacs d'oreilles humaines, de nez ou de narines bien découpés, mais de celle, beaucoup plus terrible et nécessaire, que les choses peuvent exercer contre nous. Nous ne sommes pas libres. Et le ciel peut encore nous tomber sur la tête. Et le théâtre est fait pour nous apprendre d'abord cela. » (*op. cit.,* p. 121). Artaud oscillera toujours entre ces deux pôles de la cruauté, une cruauté physique, sauvage, qui fait couler le sang, qui châtre et torture le corps, celle qu'Arrabal portera sur la scène, et la cruauté métaphysique qui blesse l'âme, celle dont Beckett se souviendra dans son théâtre.

Artaud ne veut pas que ce théâtre soit une re-présentation, mais qu'il saisisse la vie dans ce qu'elle a de non représentable. Les *théâtres d'improvisation,* tels le Living Theatre de Julian Beck, le Théâtre-Laboratoire de Wroclaw de Jersy Grotowski, l'Odin Teatret d'Eugenio Barba, et l'Open Theatre de Joseph Chaikin, les *théâtres de création collective,* comme celui de Mnouchkine, reconnaissent eux-mêmes l'importance de leur dette envers Artaud.

La distanciation brechtienne

Les *Écrits sur le théâtre* (L'Arche, t. I et II, 1963) rassemblent l'essentiel des textes théoriques de Brecht écrits à partir de 1918. Son œuvre n'est connue vraiment en France qu'en 1950, avec *L'Exception et la règle.* Baty, vingt ans auparavant, avait monté *L'Opéra de quat'sous* sans succès.

● *Le théâtre épique.* Brecht conçoit le théâtre comme une tribune. Pour faire réfléchir le public, il veut détruire l'illusion, car elle endort l'esprit critique. *Il fustige violemment le théâtre aristotélicien,* terme synonyme, chez lui, de théâtre d'illusion. En faisant croire à la réalité des événements représentés, un tel théâtre exerce sur le public une fonction hypnotique, amenant le spectateur à s'identifier au héros. Afin de produire un phénomène de *distanciation* entre le spectateur et le spectacle, qui désaliénera le spectateur, Brecht prône un « théâtre épique ». L'expression contient une contradiction — drame et épopée sont deux genres distincts —, que Brecht est le premier à souligner, mais il insiste sur le fait qu'elle a perdu de sa rigidité à partir du moment où le théâtre a pu incorporer des éléments narratifs, grâce aux techniques nouvelles de l'audiovisuel. Ce théâtre aura une dimension « épique » comme la poésie des bardes ou des troubadours qui chantaient les prouesses guerrières des lointains héros. Alors que le théâtre d'illusion tente de recréer un faux présent, le théâtre épique, strictement historique, rappelle constamment au public qu'il n'assiste qu'à un exposé d'événements passés.

L'abandon de l'illusion réaliste affranchit l'auteur dramatique d'un certain nombre de conventions. Dans le théâtre épique, les personnages se présentent directement eux-mêmes au public et non plus à travers le dialogue. Leurs noms peuvent être projetés sur un écran. Un *récitant* commente l'action. Il décrit, à certains moments, les pensées et les mobiles des personnages. C'est là un procédé d'éloignement qui tend à sauvegarder la liberté de réflexion du spectateur. Parfois, il peut anticiper et informer le public du dénouement. Grâce à cette prolepse, le spectateur, débarrassé des inquiétudes qui concernent le devenir des héros, a l'esprit libre pour juger le déroulement de l'action. En effet, Brecht pense que le plus important au théâtre, c'est l'action. La notion de « fable » ou d'« histoire », chez Brecht, a remplacé la vieille notion d'intrigue dramatique. C'est une juxtaposition d'épisodes liés au comportement d'un personnage face à un problème permanent. Pour Brecht, ce ne sont pas tant les personnages qui importent, mais les rapports qui les unissent et les opposent, l'histoire dans laquelle ils sont engagés. L'individu a perdu son rôle d'épicentre. Le *gestus,* c'est-à-dire la conduite des personnages les uns envers les autres, est devenu l'unité de base du théâtre.

● *Fragmentation de l'action, du langage, du décor.* Alors que l'action progresse de façon continue dans le théâtre d'illusion, elle est fragmentée dans le théâtre épique. La structure de *Mère Courage,* pièce de 1939, est dominée par un principe d'alternance. Un groupe de scènes montre comment Courage perd ses enfants, tandis que d'autres scènes, plus courtes, la présentent dans ses fonctions de commerçante. Cette opposition, contenue dans le titre, souligne le fait qu'amour maternel et désir de profiter de la guerre sont des exigences incompatibles, et insère l'histoire exemplaire de Courage dans une « Chronique de la guerre de Trente Ans ». Aussi plusieurs événements en rapport avec la guerre, et possédant une certaine autonomie par rapport à l'histoire de Courage (les scènes avec les recruteurs, les prostituées, etc.), sont-ils introduits. L'action, dans son agencement, est atomisée. La *séquence* — qui peut être parlée, pantomimique, ou à la fois parlée et pantomimique — devient l'unité. La scène n'est plus ici qu'une juxtaposition de séquences. Tantôt les séquences se succèdent rapidement dans un même lieu, tantôt elles sont concomitantes et deux lieux différents sont représentés simultanément. Il existe tout un jeu de correspondances entre les séquences — dans lequel se fait sentir l'influence du cinéma — qui invite le spectateur à bâtir sa compréhension de la pièce en les confrontant.

A cette fragmentation de l'action correspond, sur le plan du langage, une structure à trois niveaux. Le langage de l'action est souvent mêlé d'éléments archaïsants, afin de rappeler le caractère révolu des événements qui sont joués. Ainsi note-t-on, dans *Mère Courage,* des termes et des tournures de phrases empruntés à l'allemand du XVIIᵉ siècle. Le langage, qu'on a qualifié de « schweykien » — du nom du soldat Schweyk, personnage de Hašek que Brecht admire beaucoup —, se caractérise par une certaine façon de présenter les faits, en utilisant différents procédés de démystification, comme le faux plaidoyer, ou la mise à l'envers de formules. Quant aux *songs,* ce sont des passages versifiés et chantés, avec refrain et division en strophes. Ils introduisent une rupture au niveau formel, car ils tranchent sur le texte environnant en prose, destiné à être récité, et au niveau de l'action, qui est interrompue par ce chant du héros. A la différence du monologue classique, le *song* ne prolonge pas l'action. La liaison entre le song et l'action repose sur un effet de contraste. Dans *Mère Courage,* le cynisme joyeux du song de la scène I est démenti par le premier échec de Courage, à qui son fils échappe. Les songs, comme les autres éléments du spectacle, font appel, chez le spectateur, à une faculté de rapprochement. La discontinuité du langage, l'interruption de l'action par cette pause dramatique visent à éviter la participation totale du spectateur, en introduisant des ruptures dans le déroulement de l'action.

Le *décor* est, lui aussi, dans sa discontinuité, élément de distanciation. Brecht prône l'utilisation de projections cinématographiques ; le metteur en scène peut faire apparaître, sur le fond de la scène, des documents, des pièces d'archives, des statistiques, ajouter ou retrancher, comme dans la technique des collages. Le cinéma doit être utilisé comme une succession de tableaux. Il joue le rôle d'un « chœur optique », car « il peut confirmer ce qui est présenté par l'action, ou réfuter, rappeler à la mémoire ou prophétiser. Il est à même de reprendre le rôle joué jadis par les apparitions d'esprit », écrit Brecht dans « Sur une dramaturgie non aristotélicienne ».

• *Rôles nouveaux dévolus au spectateur et à l'acteur.* Le *spectateur* ne doit plus être un consommateur qui assiste passivement au spectacle, « avalant » tout ce qu'on lui propose avec une attitude que Brecht qualifie de « culinaire », mais un observateur qui déchiffre un message. Sans sa participation active, la représentation est incomplète. Le spectateur, inclus dans l'événement théâtral, est « théâtralisé ».

L'*acteur* doit se souvenir, pendant toute la représentation, qu'il joue des événements passés et prendre un rôle de narrateur par rapport au personnage qu'il incarne. Brecht suggère différents moyens pour qu'il reste maître de son jeu. « Le comédien qui renonce à la métamorphose intégrale dispose de trois procédés qui l'aideront à distancier les paroles et les actions du personnage à représenter :

1. La transposition à la troisième personne ;
2. La transposition au passé ;
3. L'énoncé d'indications scéniques et de commentaires.

« La transposition à la troisième personne et au passé permet au comédien de se placer à une juste distance de son personnage. Il cherche en outre des indications de mise en scène et il les dit pendant qu'il répète. [...] En introduisant sa réplique par une indication de mise en scène dite à la troisième personne, le comédien provoque le heurt de deux cadences, la deuxième (celle du texte proprement dit) se trouve dès lors distanciée », écrit-il dans *Nouvelle technique d'art dramatique* (*Écrits sur le théâtre*, t. I, p. 333-334). Brecht interdit toute identification aux acteurs, parce qu'il sait que la salle et la scène échangent des relations comparables à celles de vases communicants et que l'émotion des comédiens gagne aussitôt le public. La première condition pour détruire l'illusion, c'est que l'acteur se distancie lui-même par rapport à son personnage. Alors seulement le spectateur peut se distancier lui aussi.

Mais le théâtre peut-il exister sans illusion ? L'œuvre de Brecht a suscité un nouveau type d'illusion, une illusion au second degré, dans laquelle le spectateur sait très bien, puisqu'on ne cesse de le lui rappeler, que la scène est un monde irréel. Un plaisir nouveau est né, l'illusion de n'être pas dupe de l'illusion.

Brecht et Artaud sont partis en guerre contre le théâtre occidental pour des raisons opposées. Artaud rêve d'annuler toute frontière entre le réel et sa représentation, tandis que Brecht ne cesse de rappeler leur irréductibilité. Tous deux exigent la participation du spectateur, mais si Artaud attend de lui une fusion totale avec l'âme des acteurs, Brecht lui demande une attitude réflexive. Théâtre de la cruauté, théâtre épique, telles sont les deux orientations maîtresses de la dramaturgie lorsque les premières pièces d'avant-garde paraissent, autour des années cinquante. Tous les auteurs contemporains, qu'ils se réclament d'Artaud ou de Brecht, doivent à l'un comme à l'autre, et la révolution dramaturgique qui s'est accomplie en ce milieu du XXe siècle a été préparée par ces deux grands théoriciens.

LA RÉVOLUTION DRAMATURGIQUE DES ANNÉES CINQUANTE, SON HÉRITAGE

Fécondité des années cinquante

« Quelle belle époque que celle des années cinquante ! s'exclame rétrospectivement Adamov, dans son autobiographie *L'Homme et l'Enfant*. Nous nous faisions tous, Serreau, Roche, Blin bien sûr, d'autres, moi-même, une idée à peu près semblable de ce que devait être le théâtre. Nous étions les auteurs, les acteurs, les metteurs en scène de l'avant-garde opérante, face au vieux théâtre dialogué condamné » (Gallimard, Folio, 1968, p. 102).

Au lendemain de la Deuxième Guerre mondiale, de 1947 à 1953, se révèlent à Paris, dans les petits théâtres de la rive gauche, les auteurs dramatiques qui, sans éclat, vont révolutionner la scène européenne : Genet, Ionesco, Adamov, Vauthier et Beckett. Trois d'entre eux sont des étrangers qui écrivent en français : Beckett l'Irlandais, Ionesco le Roumain, Adamov le Russe arménien. C'est Jean Genet dont le public découvre le premier l'existence, grâce à la mise en scène des *Bonnes* par Louis Jouvet, en 1947. Malgré un léger scandale causé par la violence et l'érotisme de la pièce, l'œuvre ne fait pas grand bruit. Genet a déjà écrit des poèmes en prose, *Notre-Dame-des-Fleurs* et *Le Miracle de la rose,* passés inaperçus, ainsi qu'une pièce, *Haute Surveillance*. En décembre 1949, *La Cantatrice chauve* de Ionesco, représentée aux Noctambules par Nicolas Bataille, surprend par son apparente incohérence, mais, considérée comme un canular, elle n'attire pas grand public. Quelques mois après, Jean-Marie Serreau révèle Adamov, en montant, également aux Noctambules, *La Grande et la Petite Manœuvre*. Cet ami intime d'Artaud, nourri de Strindberg et de Brecht, a déjà publié *L'Aveu*, œuvre autobiographique, et écrit deux pièces, *La Parodie* et *L'Invasion*. Le spectacle ne passe pas non plus la rampe. En 1952, Reybaz crée *Capitaine Bada,* la première pièce de Jean Vauthier, qui ne suscite aucun écho. C'est grâce à l'enthousiasme et à l'opiniâtreté des metteurs en scène que ces œuvres boudées par le public, tantôt choqué, tantôt indifférent, voient le jour. En janvier 1953, Blin met en scène *En attendant Godot* de Beckett. Ce compagnon de Joyce n'est encore qu'un inconnu, quoiqu'il ait déjà écrit la majeure partie de son œuvre romanesque. La pièce jouit d'un succès quasi immédiat. La célébrité rapide de Beckett attire l'attention du public français sur les autres auteurs dramatiques d'avant-garde. En juin 1959, le « Discours sur l'avant-garde » que prononce Ionesco pour l'inauguration des *Entretiens de Helsinki sur le théâtre d'avant-garde* consacre l'existence de ce nouveau théâtre, dont la célébrité va très vite s'imposer à l'étranger. Vingt ans après la création des premières pièces, deux de ces dramaturges voient leur génie officiellement reconnu : en 1969, Beckett reçoit le prix Nobel ; l'année suivante, Ionesco entre à l'Académie française.

Ces écrivains sont à l'origine de la révolution qui bouleverse la dramaturgie depuis les années cinquante. Héritiers, Ionesco surtout, de Jarry et des Surréalistes, ils cultivent l'insolite, *introduisant l'incohérence au sein du langage*. Nourris de Freud et marqués par les Expressionnistes, particulièrement Adamov, ils mettent en scène un personnage profondément divisé. Lecteurs enthousiastes d'Artaud, eux qui sont fascinés par les théâtre orientaux et attentifs aux audaces des metteurs en scène, ils vont *donner au corps et à l'espace scénique un rôle de premier plan.*

On peut se demander pour quelles raisons l'importance de ce courant, classique aujourd'hui, n'a pas été immédiatement perçue. A la différence du « nouveau roman », qui a son manifeste dès 1963, avec *Pour Un Nouveau Roman* de Robbe-Grillet, ce « nouveau théâtre » n'a ni chef de file ni théoricien. Beckett et Vauthier, qui se retranchent derrière un mur de silence, ne s'expliquent jamais sur leur art. Seul Ionesco nous livre bien des renseignements précieux sur sa conception de la dramaturgie, dans *Notes et contre-notes,* ouvrage publié en 1966 et où sont regroupés une série de textes — interviews, articles ou conférences — écrits depuis 1950. Adamov, dans *L'Homme et l'Enfant,* ouvrage autobiographique achevé en 1967, fournit lui aussi quelques indications sur la genèse de ses pièces. Deux préfaces, malgré leur brièveté, nous renseignent sur les orientations nouvelles de ces dramaturges, celle qu'Adamov écrit, en 1955, pour le deuxième tome de son théâtre et celle que publie Genet pour la troisième édition des *Bonnes,* en 1963, « Comment lire *Les Bonnes* ». Ce qui transparaît dans le discours que tiennent ces écrivains, c'est le refus de plaire au public et le parti pris d'irréalisme. Très vite, ils sont suivis, dans leur recherche avant-gardiste, par bon nombre d'écrivains européens : Robert Pinget, Roland Dubillard, Boris Vian, l'Allemand Günter Grass, Fernando Arrabal, Espagnol qui écrit en français, l'Anglais Harold Pinter, qui se réclame de Beckett, etc. Comme se plaît à le souligner Ionesco, l'avant-garde est devenue maintenant l'arrière-garde. Trois d'entre ces auteurs, hélas, nous ont déjà quittés : Vian est mort en 1959, Adamov en 1970, et Genet en 1986.

La tour de Babel

Pour un certain nombre d'auteurs dramatiques, dans les années cinquante-soixante, le langage ne recèle qu'illogismes, incertitudes et contradictions. L'influence de la *psychanalyse* est ici manifeste. Comme l'a montré Freud, deux instances psychiques, les forces de l'inconscient et celles de la conscience, entrent en conflit dans toutes les productions humaines, et en particulier dans le langage. Par suite, la vérité que l'homme clame au grand jour est bien souvent démentie, sans qu'il le sache, par une autre profondément refoulée. Le sens des paroles proférées échappe donc à celui-là même qui parle, et a fortiori à celui qui l'écoute. De plus, l'inconscient ne connaît ni la contradiction ni la négation. Il faut donc nécessairement reconnaître l'existence de deux niveaux psychiques pour que deux propositions contradictoires puissent être vraies en même temps. Aussi les auteurs dramatiques des années cinquante jouent-ils souvent, dans leur écriture, sur différents niveaux d'énonciation, tout comme les « nouveaux romanciers », Robbe-Grillet, Butor, Nathalie Sarraute, etc., qui poursuivent, sur le plan du langage, une réflexion identique. Certains, Beckett et Duras, sont à la fois romanciers et auteurs dramatiques. « Comment prendre conscience de nos contradictions, demande Ionesco dans *Notes et contre-notes,* les rendre au moins égales ? Il faudrait réaliser historiquement, au même moment, une sorte d'idée double, une intention et son contraire, savoir que lorsqu'on désire une chose, c'est aussi (et même surtout) son contraire que l'on désire ; et installer le tout dans sa contradiction interne vivante. »

Les autres sciences humaines ont entamé, elles aussi, les certitudes sur la fiabilité du langage. Les *logiciens modernes,* depuis Gödel, dont les théories datent de 1930, ont mis l'accent sur le fait que tout système symbolique, en particulier le langage, engendre nécessairement, par sa complexité, des contra-dictions. La *linguistique,* ruinant les thèses mentalistes, a montré que le langage n'est le reflet ni de la pensée logique ni de la réalité extra-linguistique, et qu'il fonctionne comme outil de communication, à condition toutefois qu'il existe un consensus social et que la mémoire individuelle ne fasse pas défaut. Les auteurs dramatiques ont utilisé ces deux points de faiblesse du langage, qui n'est plus, à leurs yeux, qu'une dérisoire tour de Babel.

Ces écrivains, dénonçant l'ambiguïté de toute parole, veulent montrer que le drame de l'homme, c'est de ne pas pouvoir communiquer. Aussi, exploitant tous les obstacles susceptibles d'entraver la communication, portent-ils à la scène des amnésiques et/ou des marginaux, tels les clochards de Beckett, les « solitaires » de Ionesco, les rêveurs de Tardieu, les épaves d'Adamov. Certains de leurs personnages, les vieux de Ionesco dans *Les Chaises,* Nagg et Nell dans *Fin de partie* de Beckett, sont des vieillards quasi sourds. Ils créent des êtres victimes de fantasmagories, d'hallucinations qui les coupent du monde, des héros prisonniers du langage, enfermés dans le labyrinthe de la parole. C'est une scène de rue, dans laquelle l'impossibilité de communiquer est poussée à son paroxysme, qui est, selon les dires mêmes d'Adamov, dans *L'Homme et l'enfant,* à l'origine de sa première pièce : « A la sortie du métro, Maubert-Mutualité, un aveugle mendie. Deux midinettes passent, fredonnant la rengaine bien connue : « J'ai fermé les yeux, c'était merveilleux. » Elles ne voient pas l'aveugle, le bousculent, il trébuche. Je tiens l'idée de la pièce que je veux écrire : *La Parodie.* « Nous sommes dans un désert, personne n'entend personne » (cf. Flaubert). »

● *« La Cantatrice chauve », une pièce exemplaire.* Dans sa première pièce, en 1950, Ionesco tourne constamment en dérision le principe aristotélicien de non-contradiction. Les *mots* y sont associés en raison de leur incompatibilité ; Ionesco multiplie à loisir les erreurs syntagmatiques du type « de l'eau an-glaise », ou paradigmatiques, comme « La vache nous donne ses queues ». *Les phrases* se succèdent en se contredisant, comme si chaque affirmation, aussitôt énoncée, était oubliée : « Elle a des traits réguliers et pourtant on ne peut pas dire qu'elle est belle. Elle est trop grande et trop forte. Ses traits ne sont pas réguliers et pourtant on peut dire qu'elle est très belle. Elle est un peu trop petite et trop maigre », dit Mme Smith. L'*enchaînement des scènes* est source d'ambiguïté, car chaque scène nie l'authenticité de la précédente. Ainsi, dans la scène I, Mme Smith décrit longuement le dîner qu'elle vient de prendre avec son mari et, à la fin de la scène, elle informe les spectateurs qu'ils vont se coucher. Au début de la scène II, la bonne annonce l'arrivée des Martin, que les Smith ont invités à dîner. Elle affirme que les Smith n'ont pas encore dîné. Les *didascalies* concernant les gestes et le décor jettent sur le *dialogue* un démenti constant :

> LE POMPIER. — Je veux bien enlever mon casque, mais je n'ai pas le temps de m'asseoir. *(Il s'assoit sans enlever son casque.)*

Dans cette « tragédie du langage », selon l'expression de Ionesco, la contradiction se situe à tous les niveaux. Telle est la clé du titre, explicité par cet échange burlesque de répliques :

> LE POMPIER. — A propos, et la cantatrice chauve ?
> Mme SMITH. — Elle se coiffe toujours de la même façon.

Le final, par sa structure cyclique, souligne l'incohérence du langage. Les Martin prennent la place des Smith, tout recommence, à cette différence près que les répliques ont été interverties.

Dans le sillage de Ionesco, Romain Weingarten, lecteur de Lewis Carroll, associe les mots sans aucun souci du sens, dans *Alice. Dans les jardins du Luxembourg,* comme le fera, en 1975, René de Obaldia, dans *Monsieur Klebs et Rozalie,* où l'héroïne est un robot qui profère des clichés.

• *Une conception nouvelle de la nomination.* Le nom, catégorie particulière au sein du langage, est entaché de doute lui aussi. Les personnages, en quête d'identité, sont parfois désignés par un nom commun vague, « Le Premier Homme », dans *L'Homme aux valises* de Ionesco, « Un homme », dans *Acte sans paroles I* de Beckett ou dans *Strip-Tease de la jalousie* d'Arrabal, pièce de 1966. Des pronoms personnels, « Elle » et « Lui », suffisent parfois, comme dans *Délire à deux* de Ionesco ou dans *Le Square* de Marguerite Duras. Le nom, tronqué, se réduit même à une syllabe, ou à une lettre, tels « N », le héros de *La Parodie* d'Adamov, ou « F » et « L », les deux personnages d'Arrabal dans *Une chèvre sur un nuage.* La lettre est alors l'initiale rébus d'un nom à jamais perdu. L'influence des Expressionnistes est ici manifeste, comme celle de Kafka, que le public français vient de découvrir avec la mise en scène du *Procès* par Barrault, en 1947, et la création, en 1950, du *Gardien du tombeau* (la seule œuvre dramatique de Kafka). Ces personnages, comme dans le drame expressionniste, éprouvent un sentiment angoissant de dépersonnalisation, tel « l'individu-en-train-de-fondre-dans-la-foule », qui s'écrie, dans *Les Amants du métro* de Tardieu : « Je suis en train de devenir personne, même pas un numéro, une idée, une abstraction, une petite vapeur, un pfouh, un pouh-pouh ! un pfuit ! un zzzzzz !... J'étais un « individu », un « citoyen », je m'appelais : Monsieur... heu... heu... Ah !... Monsieur comment ? » (*Théâtre II,* Gallimard, p. 56).
Le nom propre ne sert pas pour autant à désigner. Un dérèglement insensé semble avoir tant bouleversé l'ordre au sein du langage que le nom ne confère plus d'identité. Dans *Amédée* de Ionesco, le personnage-titre, énonçant un paradoxe type, affirme, en réponse au facteur qui le questionne sur son nom, qu'il est bien Amédée Buccinioni, mais qu'il n'est pas Amédée Buccinioni, car un tiers des Parisiens s'appellent comme lui. Le nom n'est plus un signe de reconnaissance. Dans *Les Eaux et forêts* de Duras, Femme 1, successivement appelée « Missis Thompson », « Missis Johnson », « Missis Thompson », et

enfin « Missis Simpson », s'écrie, en colère : « J'en ai marre, moi, à la fin, d'être appelée comme ça, marre ! » Mais lorsque Femme 2 l'appelle par son nom, elle se sent désemparée, car ce nom est vide de sens :

FEMME 2. — Ah ! mais alors vous êtes Marguerite Victoire Sénéchal ? [...]
HOMME. — Qui c'est ça, Marguerite, Victoire, Sénéchal ?
FEMME 1. — Moi. Mais qu'est-ce à dire ?

(Théâtre I, Gallimard, 1965, p. 20)

La perte du nom, dans le théâtre contemporain, apparaît comme le symbole de la solitude du héros, que personne ne reconnaît dans un nom et qui ne s'y reconnaît pas lui-même.

La nomination devient, chez certains auteurs dramatiques qui systématisent le procédé de Jarry, un système classificateur qui permet de déterminer des groupes de personnages. Adamov, dont l'univers est particulièrement manichéen, oppose systématiquement les héros victimes et les personnages persécuteurs, désignant les uns par un nom propre, les autres par un nom commun. La nomination fonctionne alors comme un masque ou une étiquette. Dans *Le Sens de la marche,* au groupe des héros — Henri, sa sœur Mathilde, Georges et Albert, ses deux amis, Lucile, la jeune fille dont il est épris — s'oppose celui des représentants des forces de l'ordre, tous désignés par un nom commun ; le Père, le Commandant, le Prédicateur, le Directeur d'école, etc.

Sartre et Camus, qui donnent leurs principales pièces pendant la Deuxième Guerre mondiale (*Les Mouches* et *Huis-Clos* sont créés pendant la guerre, *Caligula* en 1945), ont éprouvé eux aussi le sentiment de l'absurdité du monde. Mais ils soutiennent que l'existence est absurde tout en utilisant les outils de la vieille rhétorique, conservant paradoxalement au sein du langage un ordre rationnel qui échappe à l'absurde. Ionesco, Beckett, Adamov, Tardieu, frappés à leur tour par l'incohérence du monde, ont formulé cette prise de conscience en des termes nouveaux, plaçant l'absurde au cœur du langage. Qui plus est, l'Existentialisme, affirmant que l'existence précède l'essence et ébranlant ainsi le concept de nature humaine, transforme la conception de la personne tout en conservant au théâtre un personnage cohérent. Ces auteurs, préoccupés davantage par la philosophie sous-jacente de leur théâtre que par les problèmes de la scène, n'auraient pu, sans cela, en faire leur porte-parole. Dans le théâtre contemporain, par contre, l'effondrement du langage va de pair avec celui du personnage, comme le suggère Ionesco par l'évanouissement de la jeune Élève, dans les *Exercices de conversation,* lorsqu'elle découvre, avec effroi, le désordre qui règne dans le langage. Peter Handke souligne l'importance de ce lien, plus systématiquement encore en 1966, dans *Outrage au public* et dans ses autres *Pièces parlées,* où le personnage n'existe plus, où la notion de rôle a disparu.

Transformation du langage dramatique

Parce que le langage est en question dans ces œuvres contemporaines, les écrivains sont amenés à l'utiliser dans deux de ses fonctions auxquelles la dramaturgie recourait peu antérieurement, sa « fonction phatique » et sa « fonction métalinguistique ». Comme la communication est perturbée, le langage dramatique se transforme, le dialogue ne fonctionnant plus tout à fait comme un jeu de demandes et de réponses.

● *Fonction phatique et fonction métalinguistique.* La communication entre les héros est si précaire que la parole apparaît simplement comme le moyen d'instaurer un contact et de faire durer cet échange. L'angoisse que cette communication, si ténue, vienne à se rompre accentue la rapidité du dialogue. Aussi les personnages jouent-ils parfois avec les mots sans se préoccuper du sens, puisque leur but est de prolonger l'entretien le plus longtemps possible. Cet aspect ludique du langage résulte de l'utilisation de sa fonction phatique. Vladimir et Estragon, dans *En attendant Godot,* se renvoient les mots comme une balle, de peur que leur conversation ne s'arrête et qu'ils ne se trouvent confrontés au problème de cette séparation fort redoutée qu'ils évoquent parfois. Quant aux héros de *L'ABC de notre vie,* Monsieur Mot et Madame Parole, véritables machines à mots, ils « vont se lancer et se relancer quelques mots ni trop vite ni trop lentement, comme des balles de tennis. Ils prononcent les mots du dictionnaire avec le maximum d'impersonnalité », note Tardieu dans les indications scéniques. L'Anglais David Storey, dans *Home,* en 1970, emploiera lui aussi le langage dans cette même fonction phatique. La conversation inaugurale entre Jack et Harry, très décousue, est une succession de clichés destinés à faire passer le temps dans l'univers clos de l'hôpital psychiatrique, ce « home » où rien n'arrive jamais.

Comme les personnages ont presque toujours le sentiment de ne pas se comprendre, de ne pas utiliser les mots dans la même acception, le dialogue est émaillé de questions à travers lesquelles ils essaient de s'accorder sur un même sens. Tel est le drame de Pierre, le héros de *L'Invasion* d'Adamov, qui meurt parce qu'il n'a pas réussi à mettre au clair le manuscrit que lui a légué son ami, à sa mort. Il n'est jamais sûr du sens des mots :

> Il n'y a pas encore longtemps, je ne pouvais même pas aller jusqu'au bout d'une phrase ; je me torturais pendant des heures avec les questions les plus simples. *(Détachant ses mots.)* Pourquoi dit-on : « Il arrive ? » Qui est-ce « il », que veut-il de moi ? Pourquoi dit-on « par » terre ; plutôt que « à » ou « sur » ? J'ai perdu trop de temps à réfléchir sur ces choses. *(Pause) ;* Ce qu'il me faut, ce n'est pas le sens des mots, c'est leur volume et leur corps mouvant.

> (*Théâtre I,* Gallimard, 1953, p. 86)

Ces personnages ont le sentiment d'employer une langue confuse pour eux-mêmes, incompréhensible pour les autres. Les protagonistes de *Tous ceux qui tombent,* de Beckett, ont l'impression d'avoir perdu les clés du langage :

> Tu sais, Maddy (dit Monsieur Rooney à sa femme) on dirait quelquefois que tu te bats avec une langue morte.

Hamm et Clov, dans *Fin de partie,* s'interrogent sans cesse sur les mots qu'ils emploient, mais c'est là encore un moyen de faire durer la conversation, de relancer le discours.

> J'emploie les mots que tu m'as appris (dit Clov à Hamm) ; s'ils ne veulent plus rien dire, apprends m'en d'autres. Ou laisse-moi me taire.

Aussi fonction phatique et fonction métalinguistique interfèrent-elles souvent dans les propos des personnages.

Jarry et Vitrac utilisaient déjà le langage comme un automatisme pour démontrer son absurdité. Mais ils ne prêtaient pas à leurs personnages ce désir, propre aux héros des années cinquante, de faire durer le contact et cette angoisse qu'il ne vienne à se rompre.

• *Les formes du dialogue.* Adamov, qui porte à la scène des personnages qui ne se comprennent pas, a le sentiment que le système traditionnel des répliques est inadéquat. « Je trouvai vexant, écrit-il en 1964, s'expliquant sur la genèse de *L'Invasion,* dans *Ici et maintenant* (Gallimard, 1964, p. 18-19), que moi qui avais si bien démontré l'impossibilité de toute conversation, je fusse obligé d'écrire, tout comme un autre, de simples dialogues. J'eus alors recours à un stratagème, oui ils parleront, chacun entendra ce que dira l'autre, mais l'autre ne dira pas ce qu'il aura à dire [...]. Je cherchai [...] des phrases clefs qui, apparemment, se rapporteraient à la vie quotidienne, mais au fond, signifieraient " tout autre chose " ». Son œuvre se caractérise par une série de faux dialogues. Tous les personnages de *La Parodie* soliloquent, chacun croyant s'adresser à son partenaire. Dans *Le Professeur Taranne,* nul n'écoute la tirade inaugurale du héros — dans laquelle il se justifie des accusations dont il est l'objet —, ni l'Inspecteur en chef ni le Policier. Le texte est volontairement ambigu ; Taranne s'adresse-t-il aux deux hommes qui lui font face, mais qui ne paraissent pas le voir, ou seulement à lui-même, pour se disculper à ses propres yeux ? Ce texte ne fonctionne ni comme un monologue, ni comme un aparté, puisque Taranne interpelle les deux personnages qui sont là, ni comme un vrai dialogue, puisque les deux récepteurs ne semblent pas percevoir le message.

Ionesco brise lui aussi la structure traditionnelle du dialogue. Dans *Les Chaises,* les deux protagonistes, hallucinés, conversent avec des personnages invisibles, si bien que le dialogue est émaillé de silences, ponctué de trous, pendant lesquels le Vieux et la Vieille écoutent le vide. Le dialogue prend une forme particulière dans *Le Nouveau Locataire,* où le héros ne répond que par « oui » ou par « non » aux bavardages de la Concierge, rongée par une curiosité débordante, puis par de simples monosyllabes aux questions des déménageurs qui ne savent où installer ses meubles. Seuls les personnages secondaires parlent ici, tandis que le héros s'enferme dans un mutisme quasi total. Ionesco systématise ce procédé d'écriture, en 1973, dans *Ce Formidable Bordel !,* pièce née de l'adaptation de son roman *Le Solitaire.* Le héros, presque muet, écoute, ou n'écoute pas, le discours des multiples personnages secondaires qui l'assaillent et qui, véritables moulins à paroles, débitent tour à tour leurs propos. De cette confrontation entre le silence et la parole vide naît la profondeur du personnage.

Les faux dialogues de Ionesco, d'Adamov et de Tardieu, où un personnage s'adresse à un partenaire qui, semblant méconnaître les règles de la communication, ne répond pas, tendent vers le monologue. Tantôt le héros, victime d'hallucinations, dialogue avec un être purement imaginaire, tantôt les personnages en présence, enfermés dans leur monde intérieur, ne peuvent communiquer. Chacun poursuit son idée et, croyant dialoguer, soliloque. Le discours que profère un personnage se perd alors dans l'obscurité, puisque le sens de ses propos n'est pas cautionné par la réponse de l'autre. Le personnage reste prisonnier de l'imaginaire, la clarté du langage ne pouvant naître que de l'instauration de l'ordre symbolique.

La distinction établie par Todorov, dans *Les Registres de la parole* (*Journal de psychologie*, 1967, n° 3, p. 265-278), entre le monologue, où l'accent est mis sur le locuteur, et le dialogue, où il est mis sur l'allocutaire, n'est plus pertinente dans le théâtre moderne, puisque, dans ce nouveau type de dialogue, l'accent est mis sur celui qui parle.

Les *monologues,* fréquents dans le théâtre contemporain, sont bien différents du monologue classique, dans lequel le héros, même s'il ne voit pas clair dans son cœur, analyse les différents éléments de la situation qui s'offre à lui. Ionesco parodie, dans *Macbett,* ce type de monologue, faisant soliloquer Macbett, plein de lassitude au sortir du combat, et prêtant, aussitôt après, les mêmes paroles à Banco. La répétition mécanique des deux monologues ridiculise les propos, tout en soulignant le caractère conventionnel du procédé.

Les dramaturges, au milieu du XXᵉ siècle, mettant en question l'unité de la personne en même temps que l'efficacité du langage, donnent au monologue une fonction nouvelle, celle de symboliser une double impossibilité du héros, se saisir lui-même et communiquer avec son semblable. Le monologue est le lieu où le personnage exprime une solitude extrême. Les monologues sont très longs chez Beckett et chez Ionesco. *Tueur sans gages* se clôt par la pathétique tirade de Bérenger, qui n'en finit plus de s'adresser au Tueur, réel ou halluciné, dont on ne perçoit que les ricanements, le priant de l'épargner. Le Tueur incarne la mort — mystère que l'homme questionne vainement —, vers laquelle s'avance tragiquement Bérenger.

Beckett utilise plus fréquemment encore le monologue. Tandis que le monologue du héros de Ionesco renferme une supplique à laquelle personne ne répond, celui du personnage beckettien traduit sa résignation à l'incommunicabilité. *Fin de partie* s'ouvre par deux longs monologues, celui de Clov, puis celui de Hamm, et se termine par un monologue de Hamm, dans une dissymétrie qui vient souligner l'enfermement de Hamm, éternel prisonnier du « refuge », et l'ambiguïté du départ de Clov. Beckett crée des personnages tellement torturés par la solitude que parfois le texte entier devient monologue : un seul personnage, Krapp dans *La Dernière Bande,* Winnie dans *Oh Les Beaux Jours,* occupe alors la scène. Ces êtres, prisonniers de l'espace et d'eux-mêmes, ne peuvent supporter leur situation qu'en brisant le silence dans un monologue où ils interrogent leurs souvenirs. Dans *Comédie,* une série de monologues alternés se succèdent, où chacun des trois protagonistes, ignorant la présence des deux autres, fait entendre sa voix, lorsque le projecteur lui extorque brutalement la parole, l'interrompant, tout aussi violemment, au milieu d'une phrase, voire d'un mot. *Le découpage en répliques est ici maintenu, mais il n'est plus générateur de dialogue.* Ces morts vivants ont perdu, depuis fort longtemps, tout espoir de communication. Chacun parle pour lui-même, aspirant au silence, du fond de la jarre dans laquelle il est enterré. L'Allemand Herbert Achternbusch, en 1979, utilisera, dans *Susn,* le monologue de la même façon que Beckett. Le texte est constitué par cinq longs monologues dans lesquels l'héroïne, dévorée par la solitude, s'interroge sur sa vie.

Beckett, par sa hardiesse, annonce les formes extrêmes qui seront utilisées, une décennie plus tard, par Peter Handke, qui abolit, dans ses *Pièces parlées,* en 1965, deux éléments constitutifs de la dramaturgie : le découpage en répliques et le personnage. En disloquant le premier, mais en sauvegardant le second, Beckett transforme la dramaturgie tout en restant à l'intérieur du fait théâtral. Handke, en revanche, crée une forme mixte, plus proche de l'essai, voire du poème, que du théâtre. Les comédiens se partagent à leur guixe le texte d'*Outrage au public* ou de *Prédiction.* Un acteur peut même le réciter seul, puisqu'il ne contient ni demandes ni réponses. Toutefois, l'adresse au public permet de sauvegarder le phénomène théâtral. « Nous ne faisons pas d'apartés, proclame le comédien d'*Outrage au public.* Nous n'avons rien à vous raconter. Il n'y a pas de dialogues. » (L'Arche, 1968, p. 26).

Dans tous ces monologues contemporains, les héros, enfermés dans une douloureuse solitude, apparaissent en quête d'eux-mêmes. Ils égrènent sans cesse des souvenirs incertains, dans une autobiographie lacunaire, essayant en vain de cerner leur existence, qui demeure toujours, pour eux, une énigme. S'ils interpellent quelqu'un, c'est pour appeler au secours un absent qui ne répond pas, c'est pour crier leur angoisse devant ce vide insoutenable.

Ces longs monologues occupent parfois toute la pièce dans quelques œuvres de Beckett ou d'Achternbusch. La plupart du temps, ils sont situés entre ces « faux dialogues » dans lesquels l'échange de répliques est très rapide. L'alternance de monologues interminables et de séries de répliques très courtes crée un rythme contrasté propre à Beckett, Ionesco, Adamov et Tardieu ; telle est l'originalité de leur langage dramatique. L'opposition entre la longueur des monologues, où s'exprime la solitude des personnages, et l'extrême brièveté des répliques dialoguées, parfois réduites à un mot, où les personnages cherchent à entretenir une communication minimale, prend valeur de symbole. Le héros, incapable de sortir de lui-même et d'établir un contact avec les autres personnages, ne peut que soliloquer. Le langage, loin d'être un moyen de communiquer, le renvoie à la solitude. L'angoisse de la séparation que connaissent tous les personnages de Beckett, et leur impossibilité à se quitter, la peur de la solitude qui mine les personnages de Ionesco, d'Adamov, de Tardieu, d'Achternbusch, leur héritier, et la rupture fatale qui les détruit inéluctablement viennent trouver un mode d'expression privilégié dans ce langage dramatique nouveau.

Ce qui caractérise ces auteurs dramatiques, c'est un rapport au langage bien particulier. Pour eux, le langage, toujours étranger à l'homme, est le lieu où se marque l'aliénation de leurs personnages, chez qui il ne fonctionne presque plus comme un lien social. En revanche, le pouvoir d'incantation que Genet et Vauthier accordent au langage fait de ces deux écrivains les derniers grands lyriques.

Cette mise en question du langage et la transformation du langage dramatique sont spécifiquement européennes. Elles sont étrangères au théâtre américain (à la première génération, celle de O'Neill, Tennessee Williams, Arthur Miller, ainsi qu'à la suivante, celle de Murray Schisgal, Edward Albee ou Leroi Jones) comme à Brecht. Ce dernier, assignant au théâtre une fonction didactique, croit en l'efficacité du langage. Ce professeur, qu'il met si souvent en scène dispense, à travers ses maximes, une vérité irréfutable. Le théâtre brechtien, le théâtre américain situent l'aliénation au niveau politico-social ou psychologique, tandis que Beckett, Ionesco, Adamov, Tardieu, Achternbush la placent au cœur du langage.

La modernité de ce théâtre des années cinquante soixante-dix, sa dimension philosophique, c'est de montrer la forme la plus profonde d'aliénation, celle de l'être au langage, celle qui constitue la structure même de la psyché dans son accès au symbolique, puisque l'homme ne peut se reconnaître que dans le langage. Ce type d'aliénation, jamais encore porté à la scène, ne pouvait s'exprimer qu'à travers un langage dramatique nouveau.

Un temps détraqué

● *Des personnages désorientés.* Le *temps spatialisé,* celui des horloges, est ici déstructuré. Giraudoux, malgré son classicisme, critiquait déjà, en 1937, dans *L'Impromptu de Paris,* le réalisme du Théâtre-Libre d'Antoine. « C'était joli, écrivait-il, le Théâtre-Libre ! On disait, il est cinq heures, et il y avait une vraie pendule qui sonnait cinq heures. La liberté d'une pendule, ça n'est quand même pas ça ! Si la pendule sonne deux cents heures, ça commence à être du théâtre. » (sc. i). Les *repères temporels* ont totalement disparu dans cette dramaturgie profondément irréaliste. Le réveil de *Fin de partie* n'a jamais marché, la pendule de *La Cantatrice chauve* « sonne tant qu'elle veut », le cadran de l'horloge de *La Parodie* ne porte pas d'aiguilles. Les personnages, qui ne maîtrisent pas le langage, sont inaptes à se repérer dans le temps. « Sommes-nous samedi ? Ne serait-on pas plutôt dimanche ? Ou lundi ? Ou vendredi ? » demande Estragon avec affolement, dans *En attendant Godot* (Ed. de Minuit, p. 22).

Le *« temps vécu »,* selon l'expression d'Eugène Minkowski, ou, en d'autres termes, la « durée » bergsonnienne, est détruit par l'oubli. Ces personnages sont dépossédés de leur passé. « Ce jour-là. *(Un temps.)* Quel jour-là ? », se demande, à maintes reprises, dans *Oh Les Beaux Jours,* Winnie, qui fouille en vain dans sa mémoire pour tisser une autobiographie toujours lacunaire. L'amnésie est due chez Beckett à la sénilité, chez Duras au caractère trompeur de la mémoire, chez Ionesco au sentiment de l'évanescence de toutes choses.

Cette désorientation temporelle dont les auteurs dramatiques affectent leurs personnages est en relation directe avec leur technique d'écriture, eux qui situent la contradiction au cœur du langage. *La parathèse, suite d'énoncés contradictoires, apparaît comme lé négation d'un ordre temporel au sein du langage.* « La parathèse, écrit Alexandre Kojève dans son *Essai d'une histoire raisonnée de la philosophie païenne*, aboutit donc au silence de la contradiction parce qu'elle ne peut, ni situer la thèse (ou le sens de ce qu'elle dit) avant ou après l'Antithèse (au sens de ce que dit celle-ci), ni se situer elle-même après ou avant celles-ci » (Gallimard, t. I, 1968, p. 76).

● *Abandon de la chronologie.* A l'inverse du roman, qui, depuis toute antiquité, bouleverse la chronologie, le théâtre, jusqu'au milieu du xxᵉ siècle, a presque toujours respecté l'ordre des événements. Une pièce comme *L'Illusion comique* de Corneille est une exception. Grâce au pouvoir du magicien, les événements représentés à la fin de la pièce, lorsque Clindor est devenu comédien, font suite à ceux du début, tandis que les mésaventures de Clindor, situées au milieu de la pièce, ont eu lieu antérieurement. Dans le théâtre contemporain, où, pour les personnages eux-mêmes, le temps est devenu une énigme, la notion de chronologie n'a plus la même signification. Aussi les auteurs dramatiques exploitent-ils les situations qui permettent retour en arrière ou anticipation. Ionesco, dans *Victimes du devoir,* utilise la situation de la cure psychanalytique, qui permet l'intrusion permanente du passé dans le présent. Adamov se sert, dans *La Politique des restes,* de la séance de reconstitution d'un meurtre au tribunal, pour que le passé du héros, lors de l'accusation, fasse irruption. Dans *Le Jardin des délices* d'Arrabal, le casque de Téloc lui permet, s'il appuie sur différents boutons, de voir le passé et l'avenir.

L'apparition de personnages rêvés ou nés d'une fantasmagorie est un moyen commode pour mêler les époques et brouiller la chronologie. Dans *Amédée* de Ionesco, Amédée et Madeleine se disputent constamment. Le temps, symbolisé par un cadavre qui ne cesse de grandir depuis le début de leurs quinze années de vie commune, a tué l'amour et pourri leur existence. Tandis que chacun est prisonnier de ses pensées, apparaissent deux comédiens, Amédée II et Madeleine II, qui ressemblent étonnamment aux deux protagonistes, mais qui sont de jeunes mariés. Amédée et Madeleine ne les remarquent pas. Le spectateur a l'impression d'assister à deux scènes simultanées. Les doubles jouent le rôle de personnages métonymiques, qui, nés des pensées des héros, se seraient détachés d'eux. Ils visualisent l'image du passé qu'ont intériorisée Amédée et Madeleine. Par un tel procédé, Ionesco fait pénétrer le spectateur dans la pensée de ses personnages tout autrement que par le moyen traditionnel du monologue. En outre, cette scène polysémique, qui permet de revenir quinze ans en arrière, fonctionne comme une analepse romanesque ou comme un *flash back* cinématographique.

Le changement de rôle est un autre moyen d'introduire le passé. Dans *Victimes du devoir,* le Policier-psychanalyste vient forcer l'intimité de Choubert pour qu'il retrouve son passé. Le Policier quitte à maintes reprises son rôle social pour adopter un rôle imaginaire. Choubert le prend pour son père, lui crie ses sentiments filiaux ambivalents d'amour et de haine, mais le Policier ne réagit pas. Pourtant une voix enregistrée, provenant d'un coin opposé de la pièce, celle du Policier, s'adresse à Choubert comme à son fils. Choubert, désespéré du silence du personnage qui est en face de lui, ne perçoit rien de ces paroles. Le personnage du Policier se scinde alors en deux éléments autonomes ; son corps joue un rôle, celui du Policier, — perçu toutefois par Choubert comme son père —, sa voix est investie d'une double fonction : c'est la sienne, mais elle ne semble pas lui appartenir, puisqu'elle est enregistrée et provient du côté de la scène opposé à celui où il se trouve, et qu'elle prononce des paroles que proférerait le père de Choubert. Ionesco suggère une autre possibilité scénographique. Le Policier peut lever la tête et parler sans bouger. Le divorce entre la voix et le corps est alors moins nettement souligné. Mais, dans les deux cas, comme dans le théâtre de poupées japonais, la voix et le corps fonctionnent comme deux éléments indépendants. Chez les Japonais, la voix est émise par le récitant présent sur scène, et le corps est représenté par la marionnette et par ses manipulateurs. Ici, voix et corps, tout en appartenant au même acteur, apparaissent comme deux entités séparées et émettent deux messages différents. Des solutions de ce type permettent aux auteurs dramatiques de donner vie au passé sans qu'ils soient assujettis à respecter une chronologie fictive, puisque ces scènes, qui ont une dimension fantasmatique, sont quasi intemporelles.

● *La répétition.* Le temps, lorsqu'il a perdu tout dynamisme, n'est plus perçu que sous le mode de la répétition. Dans certaines pièces, l'action est jouée plusieurs fois, avec quelques variantes. Dans *En Attendant Godot,* l'acte II répète le premier avec tant de similitude que les acteurs ont parfois peine à ne pas mélanger les répliques des deux actes. La répétition est simplement suggérée dans des pièces cycliques où l'action n'est jouée qu'une fois. Dans *La Leçon* de Ionesco, le Professeur tue l'Élève au cours de la pièce, mais ce paranoïaque, pris de frénésie meurtrière, en est à son quarantième assassinat. Ces meurtres sont figurés par la présence d'un tas de cartables dans un coin de la scène et évoqués par le bruit des cercueils que l'on cloue en coulisses. La pièce se termine comme elle a commencé, par l'arrivée de l'Élève, en tout point identique à l'Élève précédente. Les deux élèves doivent être jouées par la même actrice afin que la similitude soit manifeste. Ces structures de la représentation, répétitives ou cycliques, révèlent l'aliénation des personnages rivés au passé. Celles-ci marquent leur impossibilité à aller de l'avant, figurée chez Beckett par le « va-et-vient », mouvement en vase clos si représentatif de son univers qu'il a nommé un de ses « dramaticules » *Va-et-Vient.*

La notion de dénouement, qui implique la résolution du conflit par un événement nouveau, *disparaît dans ce type de pièces,* sauf si la mort vient mettre un terme à la répétition, ce qui est souvent le cas chez Ionesco ou Adamov. Les pièces de Beckett, elles, ne se dénouent jamais. Dans *Fin de partie,* le ressort dramatique revêt la forme d'une question, angoissante tout au long de la pièce : Clov parviendra-t-il à quitter Hamm, dont il partage l'existence depuis toujours ? Le final offre le spectacle d'un dénouement impossible. Clov, qui a annoncé à Hamm son départ, demeure immobile, en costume de voyage, ses valises à la main, sur le pas de la porte, les yeux rivés sur Hamm. Il ne peut que mimer son départ.

Une forme nouvelle de répétition est ainsi apparue au théâtre, qui n'enfante plus nécessairement le comique. Ces pièces sont venues limiter la portée des théories de Bergson sur le rire, pour qui la répétition est génératrice de comique. Cette compulsion morbide qui pousse les personnages à répéter toujours les mêmes gestes est une mise en scène de l'automatisme de répétition freudien. Les obstacles qui poussent le héros à réitérer toujours le même geste sont intérieurs. Ils sont inscrits sur le corps.

Rôle du corps

Les dramaturges des années cinquante, hantés par l'effondrement du langage, ont été amenés à saisir leur personnage ailleurs que dans son discours. Le corps est devenu le sujet de la pièce, lui qui n'était antérieurement qu'un médiateur, émetteur d'une voix, support du costume.

● *Le néosurréalisme de Ionesco.* Objet mystérieux, le corps hante Ionesco, qui l'occulte souvent par le vêtement noir, image de mort. C'est une énigme dont il formule la question à travers l'étrangeté de sa représentation. Héritier des Surréalistes, passionné de peinture moderne, il affuble certains de ses personnages de formes surprenantes — tel l'homme sans tête qui apparaît dans *Le Maître,* ou la Fille-Monsieur, au sexe indéterminable, dans *La Jeune Fille à marier.* Il les revêt de masques bizarres ou grotesques, à trois visages, à deux ou à trois nez, comme ceux que portent les fiancées dans *Jacques.* Il leur fait parfois subir de surprenantes métamorphoses. Dans *Rhinocéros,* seul Bérenger garde son corps d'homme. A la fin de la pièce, face aux monstres, il contemple son propre corps, que son altérité lui rend étranger, et hurle de terreur, épouvanté d'avoir perdu, en même temps que la possibilité de se reconnaître en son semblable, son identité. C'est de cette même perte simultanée de l'image du corps et de l'identité que traite Herbert Achternbusch dans *Ella,* en 1981, à travers l'angoissante transformation de son héroïne, qui, peu à peu, s'identifie à une volaille.

● *Le travestissement, un cérémonial chez Genet.* La quête de l'identité corporelle passe par le vêtement dans le théâtre de Genet. *Les Bonnes* commencent par une séance de déshabillage. Solange, en petite robe noire de domestique, aide Claire, dévêtue, à se parer. Chaque soir, les deux sœurs s'enferment dans une sorte de délire à deux, se prêtant à cette étrange « cérémonie » dans laquelle elles jouent les préparatifs du meurtre qu'elles ne parviennent pas à accomplir. L'une devient Madame, l'objet de leur haine, en revêtant ses robes, tandis que l'autre prend le rôle de sa sœur. Dans ce rituel, ce n'est point tant Madame qu'elles visent, c'est la violence du lien homosexuel qui les aliène l'une à l'autre qu'elles tentent d'endiguer. « Je n'en peux plus de notre ressemblance », s'écrie Solange. Prendre l'apparence de Madame, en lui empruntant ses effets, c'est entrevoir la possibilité de changer de corps et d'échapper à la relation en miroir, illusion qui s'avérera fatale. Dans *Le Balcon,* chaque client du « Grand Balcon » — bordel ou théâtre ? — tenu par Mme Irma, se déguise, endossant, grâce à l'habit, un rôle imaginaire, avec l'aide des filles qui se prêtent à l'exécution de ses fantasmes pervers. Ces hommes deviennent l'Évêque, le Juge, le Général, le Clochard, etc. Ils ne peuvent supporter, pendant le cérémonial qu'ils jouent, la vue de leur costume de ville, qui leur rappelle qu'ils sont autres. La pièce s'ouvre sur une scène de déshabillage, moment douloureux où l'être bascule d'une forme dans une autre. L'Évêque refuse de se laisser dévêtir, désirant prolonger le rituel auquel Mme Irma essaie de mettre un terme. Les personnages de Genet espèrent vainement échapper à leur corps par le leurre du travestissement.

● *La cruauté chez Beckett et chez Adamov.* Le corps crie le malheur et exhibe ses souffrances chez ces deux auteurs dramatiques. Hideux et repoussant, il est une ordure. Tantôt le nom du personnage le désigne comme tel ; c'est le cas de Krapp (= ordure, en allemand), dans *La Dernière Bande* de Beckett. Tantôt le corps-déchet pourrit dans des poubelles, comme ceux de Nagg et de Nell dans *Fin de partie,* ou est balayé par les employés du service d'assainissement, comme celui de N dans *La Parodie.* Dans cet acharnement dont ils font preuve à humilier le corps, à le mutiler, ces écrivains apparaissent comme les héritiers du « théâtre de la cruauté ». Ils illustrent chacun une des formes de la cruauté qu'Artaud a conçue.

C'est un monde de vieillards que met en scène Beckett, où les personnages aveugles, boiteux ou paralysés, voire culs-de-jatte, sont parvenus au terme de la « partie » qu'ils se sont jouée les uns aux autres toute leur vie. Le corps, moyen de chantage, est l'instrument d'une torture morale permanente, d'une « cruauté métaphysique ». Ces êtres sadomasochistes, que leurs infirmités rivent ensemble pour l'éternité, passent leur temps à se faire souffrir. Le corps vieilli, usé, malade est le lieu de l'aliénation à l'autre. Il porte avec ostentation les stigmates de sa dépendance. Tyran impitoyable, il torture l'âme.

C'est une « cruauté de sang » qui baigne l'œuvre d'Adamov et de ses successeurs. Le corps, chez lui, est victime d'une double persécution, individuelle et sociale, toujours funeste pour le héros, tel le Mutilé, qui perd successivement ses membres, dans *La Grande Et La Petite Manœuvre,* et, devenu cul-de-jatte, périt écrasé.

Le corps mutilé, image de mort, provoque, en réponse, l'agressivité de ceux qui lui font face. Ainsi le Schmürz, ce personnage des *Bâtisseurs d'empire,* de Boris Vian, répugnant et blessé, joue-t-il le rôle de bouc émissaire à qui tous lancent des regards de haine, donnent des coups, même s'ils essaient d'ignorer sa présence. L'héroïne de *La Visite de la vieille dame* (1955), de Dürrenmatt (Suisse qui écrit en allemand), qui a perdu une jambe et une main et qui porte des prothèses, suscite, elle aussi, la terreur des autres personnages. Le corps morcelé dont l'intégrité est illusoirement reconstituée est objet de répulsion, comme si les membres artificiels, loin de faire oublier la mutilation, en ascentuaient le caractère inhumain.

Chez Arrabal, les personnages exercent sauvagement leur sadisme sur le corps de leurs partenaires. Coups de fouet, femmes enchaînées, suppliciées, scènes de nécrophilie, tels sont les thèmes de prédilection d'Arrabal, chez qui horreur et violence apparaissent à la fois comme un exutoire fantasmatique et comme une volonté d'agresser le public.

Dans le théâtre antérieur, la haine se manifestait dans le discours des personnages, tandis qu'aujourd'hui elle s'exerce directement sur le corps. Elle ne reculait pas devant le meurtre, mais la mort, donnée le plus souvent en coulisses, était de l'ordre du diégétique ; la violence était médiatisée par le discours. Nous avons montré, dans *Langage et corps fantasmé dans le théâtre des années cinquante : Beckett, Ionesco, Adamov* (Corti, 1987), que, si le thème du corps apparaît au théâtre plutôt que dans une autre forme littéraire, c'est que « sa représentation médiatise ce problème insoluble, posé par Freud dans toute son œuvre : le corps pour le sujet demeure éternellement imaginaire. Comment peut-il appréhender ce corps, compagnon d'infortune, omniprésent, qui lui échappe toujours, qui est à la fois un contenant et une forme extérieure à l'être ? La situation théâtrale, avec toute l'ambiguïté qui la constitue, est particulièrement apte à symboliser ce problème, puisque le corps imaginaire du personnage ne peut être perçu qu'à travers le corps réel de l'acteur. » Le corps, dans le théâtre contemporain, est un avatar du destin, notion traditionnellement constitutive du genre tragique. Le destin est extérieur à l'homme dans la tragédie gréco-latine, où les dieux apparaissent comme les artisans impitoyables du *fatum*. S'installant au cœur de l'homme, il s'est intériorisé dans la tragédie classique, où c'est la passion qui le fonde. Le processus d'intériorisation a été conduit, depuis les années cinquante, jusque dans ses limites extrêmes. C'est un destin tout aussi fatal qui déchire l'être, mais il s'est dépouillé de la grandeur inhérente à la tragédie. « S'inscrivant sur le corps, il revêt une forme grotesque. Tandis que le sujet de la tragédie c'est le rapport de l'homme avec les forces des dieux ou de la passion, c'est la lutte qui souvent, certes, détruit le héros mais le grandit, le sujet de ces œuvres contemporaines, c'est le rapport de l'homme à son corps, le combat dérisoire qui le diminue et le déchoit » (p. 252).

La mise en espace du corps

● *Un espace emblématique*. Le traitement de la scène, dans cette dramaturgie, est étroitement subordonné à celui du corps. L'espace prolonge le corps du personnage et ne fait qu'un avec lui. Un mamelon emprisonne Winnie, l'héroïne de *Oh Les Beaux Jours*, jusqu'à la taille à l'acte I, jusqu'au cou à l'acte II. Représenté comme un corps malade, l'espace souffre et meurt en même temps que le héros. La salle du trône, dans *Le Roi se meurt* de Ionesco, reflète à tout instant l'état de santé du roi, ses crises successives, et elle disparaît avec lui. Ses tremblements se confondent avec ceux du cœur du personnage. L'espace scénique présente, on le voit, les mêmes stigmates que le corps. Il porte, en outre, les marques de la folie des personnages. Il reflète leur idée fixe. Le « refuge » dans lequel vivent Hamm et Clov, où les objets ne marchent plus, où la nourriture est sur le point de disparaître, contient des traces de leur délire de fin du monde. La chambre de *L'Invasion* d'Adamov, envahie par les papiers épars que le héros ne parvient pas à classer, figure son impossibilité à saisir sa propre identité, à mettre de l'ordre dans son esprit. Les murs du salon bourgeois de l'Académicien, dans *La Lacune* de Ionesco, couverts de titres et de diplômes, illustrent le désir insatiable de gloire du héros et la compulsion qui est la sienne à afficher sa valeur. Ionesco systématise le procédé, projetant toujours sur l'espace scénique phobies et angoisses de ses personnages. L'espace, dans la dramaturgie des années cinquante, est un mode de représentation du monde intérieur, si bien que le personnage est à rechercher en deux lieux, dans un corps, mais aussi sur l'espace scénique.

● *Le modèle de la danse*. La danse, qui n'a pas besoin du support de la parole, et qui a fait siennes les découvertes picturales dès leur apparition au début du XXᵉ siècle, a précédé le théâtre dans ses audaces. De 1917 (date de la création de *Parade*) à 1935 environ, les chorégraphes tentent, parallèlement en France et en Allemagne, des expériences avant-gardistes qui se caractérisent par une géométrisation des formes, et particulièrement du corps humain, devenu pur signe. Oskar Schlemmer présente en 1922, au Bauhaus, le « ballet d'objets », dans lequel il utilise des masques impersonnels et donne au corps humain une allure mécanique. En 1926, c'est *La Danse des boîtes,* en 1927, *La Danse des bâtons.* Léger réalise, en 1924, *Le Ballet mécanique,* en collaboration avec le cinéaste américain Dudley Murphy, film sans personnage, qui apparaît comme une danse d'objets et d'accessoires de fête foraine en permanence déformés par des jeux de miroir. Dans *Les Mariés de la tour Eiffel,* de Cocteau, créé en 1926 par les Ballets suédois de Rolf de Maré, les personnages, qui portent des masques énormes et dont la voix est diffusée par un phonographe, semblent désincarnés comme le seront certains personnages de Tardieu.

Cette géométrisation et cet irréalisme des formes ont sensibilisé les auteurs et le public à un nouveau mode de jeu et à une vision du corps radicalement différente. A partir des années cinquante, en effet, nombreux sont les dramaturges qui se réfèrent au modèle de la danse. Arrabal, en 1957, dans son « orchestration théâtrale » *Dieu tenté par les mathématiques,* fera alterner des scènes de ballet d'objets (balles, dés, corps pivotants, etc.) avec des scènes de mime. Dès les années soixante, les échanges entre le ballet et le théâtre deviennent fréquents. Certains dramaturges se mettent à écrire des arguments pour ballet : Arrabal donne *Strip-Tease de la jalousie,* en 1964 ; Ionesco crée *Le Jeune Homme à marier,* en 1965, pour la télévision danoise, avec une chorégraphie de Flemming Flindt, puis *Apprendre à marcher,* réalisé avec la chorégraphie de Deryck Mendel.

Ce qui séduit les auteurs dramatiques dans l'art de la danse, c'est la mise en espace du corps, c'est-à-dire son essence même, telle que Valéry la définit, lorsqu'il s'écrie, dans *L'Ame et la danse :* « Le corps [...] voilà qu'il ne peut plus se contenir dans l'étendue ! Où se mettre ? Où devenir ? Cet Un veut jouer à Tout. » C'est précisément parce que les dramaturges, depuis 1950, confient à l'espace un rôle primordial, que le modèle de la danse leur est apparu fécond. Espace corporel, espace scénique fonctionnent dorénavant comme le prolongement l'un de l'autre. Comme dans la chorégraphie, les déplacements des personnages sur le plateau, leurs gestes dessinent leurs relations, antérieurement exprimées dans la tirade. La danse, particulièrement apte à traduire, sous un mode emblématique, les relations de groupe, n'est jamais, dans le théâtre moderne, ni simplement ornement ni transposition directe d'une scène réaliste, comme l'étaient le bal chez les Capulet ou celui du *Mariage de Figaro.* Ainsi, dans *Jacques,* Ionesco figure-t-il par une danse le motif, fréquent dans son œuvre, de l'encerclement : « Robert père, Robert mère, se dandine(nt) en une sorte de danse ridicule, pénible, en une ronde molle autour du héros. »

Weingarten souhaite que, pour la mise en scène de *Alice. Dans les jardins du Luxembourg,* « chacune de ces deux parties de ce spectacle (soit) une danse, la gravitation d'un personnage en mouvement autour d'un autre personnage immobile ». Le Cubain Eduardo Manet, qui a écrit la majeure partie de son œuvre en français, dans *Lady Strass* (1967), s'inspire du « pas de trois » pour régler l'évolution de ses personnages.

Les auteurs dramatiques ont souvent recours à la danse pour symboliser des moments de paroxysme au sein du couple, grand bonheur ou profonde souffrance. La valse — plus rarement le tango, le charleston ou le rock and roll — est presque toujours liée à la joie. Dans *Les Amants du métro,* Tardieu utilise divers types de mouvements pour coder des degrés de communication entre les personnages. Ceux-ci ont des gestes aisés lorsqu'ils parviennent à communiquer, raides s'ils ne le peuvent presque plus, ou même ils s'immobilisent. La scène d'amour, elle, est figurée par une valse, dont la souplesse et la fluidité sont signes d'entente parfaite. Dans *Les Veuves,* cette « tapisserie lyrique » de Billet-doux, qui date de 1975, les héroïnes retrouvent toutes, lorsqu'elles valsent avec le vieil oncle, une gaieté juvénile. Chez Arrabal, où la danse est souvent utilisée dans le rituel sadomasochiste, la scène dansée est la transposition d'une scène érotique, dans *Concert dans un œuf,* par exemple.

Lorsque la danse apparaît dans des moments où le drame de l'incommunicabilité est particulièrement douloureux, il est rare que les dramaturges précisent la nature de la danse, laissant alors une certaine liberté d'improvisation au metteur en scène. Deux tableaux de *La Parodie* d'Adamov se passent dans un dancing. Au tableau III, le décalage permanent entre la musique et la danse souligne le fait que ces êtres ne vibrent jamais au même diapason. Au tableau XI, où la musique a disparu, personne ne parvient à danser. Le Journaliste mime sa solitude, se mettant à tourner sur lui-même comme un derviche. La danse marque l'échec de la communication, au même titre que le langage. Beckett, dans *En attendant Godot,* utilise la danse sans le support de la musique, dans le fameux numéro que donne Lucky à Vladimir et à Estragon. Pozzo le décrit ainsi :

> Autrefois, il dansait la farandole, l'almée, le branle, la gigue, le fandango et même le hornpipe. Il bondissait. Mais il ne fait plus que ça. Savez-vous comment il l'appelle ?
>
> ESTRAGON. — La mort du lampiste.
>
> VLADIMIR. — Le cancer des vieillards.
>
> POZZO. — La danse du filet. Il se croit empêtré dans un filet.
>
> VLADIMIR *(avec des tortillements d'esthète).* — Il y a quelque chose.
>
> (P. 65-66)

Cette danse cahotique véhicule l'aliénation, tout comme le fameux monologue qui lui fait suite enferme, par sa déstructuration, le personnage dans les rets de la folie.

Dans le théâtre de Duras, résolument classique, la danse, fréquemment évoquée dans le dialogue, et toujours intimement liée au souvenir amoureux, est un élément transposé de l'univers romanesque, mais non un trait théâtral. Les paroles de l'homme à la femme, dans *Les Eaux et forêts,* en sont un exemple probant : « Vous aviez vingt ans. J'avais vingt ans et je dansais à la perfection les tangos argentins. Je vous aimais tant que j'en mourais. » (*Théâtre I,* p. 31).

On ne saurait alléguer la thématique de Duras pour rendre compte du fait que la danse n'existe que comme élément diégétique. Chez Beckett, dans *Oh les beaux jours,* où l'héroïne est enterrée vivante et où la danse ne peut exister que dans la remémoration, son évocation dans le dialogue s'accompagne d'une ébauche de gestes. Winnie écoute une valse, en serrant sa boîte à musique des deux mains contre sa poitrine. « Peu à peu une expression heureuse. Elle se balance au rythme », note Beckett.

En partie grâce au modèle que lui offrait le ballet, le théâtre, jouant sur le volume du corps et le traitant sous un mode irréaliste, a redécouvert son pouvoir expressif, projetant dans l'espace les relations du corps à l'autre et à lui-même.

Le dramaturge s'arroge aujourd'hui le plaisir de narrer, qui était réservé jusqu'ici au seul romancier. L'importance des didascalies, dans le théâtre contemporain, concurrence celle du dialogue.

● Les didascalies jouissent parfois d'une certaine autonomie. Genet, dans *Les Paravents,* à la fin de chaque tableau, donne un long commentaire de sa conception du jeu, s'expliquant aussi bien sur les mobiles des personnages que sur les gestes qu'ils doivent impérativement exécuter, sur leurs costumes et leur maquillage, analysant également la progression dramatique, la structuration de l'espace scénique, etc.

● Vauthier accorde tant de place aux indications scéniques qu'il transcrit le texte de *Capitaine Bada* sur deux colonnes, la partie gauche de la page étant réservée aux indications scéniques, dans lesquelles il règle les déplacements des personnages, leurs gestes, leurs inflexions de voix. Il élucide la psychologie de ses personnages. Parfois même, il insère des didascalies supplémentaires dans la colonne de droite destinée au dialogue, affirmant ainsi que, malgré la double médiatisation du discours théâtral, l'auteur est présent partout dans son texte.

Rauque et gourmand dans ses affres.
« Tous les chevaux lâchés. »

— BADA : Mais avant tout, dis-moi bien, Alice, dis-moi ce que tu veux de moi. Dis-moi une bonne fois ce que tu attends de moi. C'est-à-dire ce que tu comptes trouver en moi [...].

Bousculée mais suave.

— ALICE : L'amour, mon aimé. L'amour, rien que l'amour.

Crescendo.
Désordre des gestes.

— BADA : Mais comme valeur, comme... comme richesse ! crois-tu que je réussirai ? [...]
— ALICE : Oh ! certainement.
— BADA : Mais les odes, la poésie, les élégies. Tout ce dont j'avais rêvé, crois-tu que je pourrai également... que je vais créer, m'épanouir ? Que je deviendrai un créateur, pour créer ! créer ! [...]

Il se frappe la poitrine à la façon des orangs-outans.

Bada s'éloigne de plusieurs pas.

— ALICE : Mais je t'aiderai. Je t'aiderai. Kikiboum. Le soir, quand toute la maison dormira, je t'aiderai sous la lampe.

Violent.

— BADA, *bondissant, la prend par le poignet :* Allons ! viens que je t'épouse !

(Gallimard, 1966, p. 38).

● *Le mimodrame ou le triomphe du discours didascalique.* Cette primauté donnée au corps, dont la représentation apparaît comme le thème majeur de ces œuvres, est à l'origine de la transformation de l'écriture dramatique. *Le discours didascalique, destiné à décrire le corps et les gestes par lesquels il se manifeste, occupe une place tout aussi importante que celui des personnages. Parfois même, dans les mimodrames, formes où la parole disparaît, il constitue à lui seul le texte.* La naissance du mimodrame est venue réaliser un des désirs profonds d'Artaud : opérer un renversement au sein de la dramaturgie en attribuant au corps la première place.

Les personnages muets des deux *Acte sans paroles* de Beckett, créés en 1957 et en 1960, sont des pantins pitoyables, aux gestes raides et mécaniques, et dont le corps, lieu d'une aliénation fatale, apparaît réifié. Arrabal, en 1960, dans *Les Quatre Cubes,* met en scène lui aussi des personnages qui accomplissent leurs gestes avec une extrême minutie, automates qui se confondent avec les objets qu'ils manipulent et qui finissent par les engloutir. Dans ces œuvres, le corps, qui ne peut communiquer ses angoisses, ses souffrances que par le geste, apparaît comme une forme insolite, vulnérable et fragile, perdue au milieu d'objets tout-puissants.

L'écriture dramatique se cherche actuellement du côté du scénario. Beckett avec *Film,* Vauthier avec *Les Abysses,* Ionesco avec *La Colère,* puis *La Vase,* ont d'ailleurs écrit tous trois des scénarios de films dont le style est fort proche de celui des mimodrames.

CONCLUSION

La notion de genre, fortement ébranlée dès le drame bourgeois, a perdu toute pertinence au théâtre depuis la fin du XIXe siècle. Ionesco s'amuse, dans sa façon de désigner ses premières pièces, à montrer le peu de cas qu'il en fait. *La Cantatrice chauve* est une « anti-pièce », *La Leçon* un « drame comique », *Jacques* une « comédie naturaliste », *Les Chaises* une « farce tragique », *Victimes du devoir* un « pseudo-drame ». La disparition de ces catégories, qui établissaient un mode de classification entre les œuvre dramatiques, a entraîné, depuis quelques décennies, une transformation dans la mise en scène des œuvres du passé, dans l'écriture dramatique et dans la critique théâtrale.

Les œuvres dramatiques des années cinquante, celles de Beckett et de Ionesco surtout, ont sensibilisé le public à un passage constant du comique au tragique. Ionesco déclare, dans *Notes et contre-notes,* qu'il a tenté « d'opposer le comique au tragique pour les réunir dans une synthèse [...] théâtrale nouvelle. Mais [...] ces deux éléments ne se fondent pas l'un dans l'autre, ils coexistent, se repoussent l'un l'autre en permanence ; se mettent en relief l'un par l'autre ; se critiquent, se nient. » Lui qui a longuement réfléchi sur les rapports étroits qu'entretiennent comique et tragique, il donne parfois aux comédiens le conseil de jouer à contre-texte. Pour la mise en scène de *La Leçon,* il demande, dans *Notes et contre-notes* :

> Sur un texte burlesque, un jeu dramatique,
> Sur un texte dramatique, un jeu burlesque.

Un rire nouveau est apparu, qui n'est pas le rire salubre et bienfaisant, mais qui résonne sur des gouffres d'angoisse. C'est ce qui fait écrire à Genet, dans son dixième tableau des *Paravents* : « Je crois que la tragédie peut être décrite comme ceci : un rire énorme que brise un sanglot qui renvoie au rire originel, c'est-à-dire à la pensée de la mort. »

Notre époque, qui juxtapose sans cesse des tons contrastés, jette *un regard nouveau sur les œuvres du passé*. Actuellement, le traitement de la comédie, où il est possible de privilégier des éléments farcesques, mais où le ton peut aussi frôler le tragique, dépend de la lecture du metteur en scène. « Chaque siècle a eu sa marotte », comme le dit Marivaux dans *La Première Surprise de l'amour* (I, II) ; le nôtre en a de multiples. Alceste, avec son « noir chagrin », est-il un personnage comique ? Rousseau, dans sa *Lettre à d'Alembert sur les spectacles,* répondait résolument non à une telle question. L'idéologie dominante d'une époque et la subjectivité personnelle dictent bon nombre de partis pris de mise en scène. La tragédie, genre corseté dans des règles strictes, ne permet pas la même souplesse d'interprétation que la comédie ou le drame. Aussi sa représentation soulève-t-elle un certain nombre de problèmes, actuellement, pour les metteurs en scène, tributaires, malgré eux, du goût de notre temps. Dans *Romulus le Grand,* cette parodie de drame historique (1964) que Dürrenmatt qualifie de « comédie historique en marge de l'histoire », l'empereur Romulus conseille à sa fille Rhéa, qui répète le rôle d'Antigone dans un cours d'art dramatique : « Ne perds pas ton temps sur ces vieux textes tristes ! Mets-toi à la comédie, cela nous va beaucoup mieux. » Dürrenmatt suggère, à travers les propos de son personnage, qu'il est particulièrement délicat de jouer la tragédie en une époque qui ne croit plus en la grandeur et qui traite le sérieux sous le mode de la dérision. « Au point où nous en sommes, ajoute Romulus, au dernier quart d'heure, personne n'entend plus que la comédie. »

Après cet effacement des genres dramatiques, ne sommes-nous pas en train de vivre la disparition de la notion même de texte théâtral, dans les œuvres les plus récentes ? Il n'est plus possible, aujourd'hui, d'avoir un point de vue aussi tranché que celui que Pirandello prêtait au Directeur de théâtre, dans *Six Personnages en quête d'auteur* :

> LE DIRECTEUR. — Mais tout cela, *c'est du roman !*
> LE FILS, *méprisant*. — Mais oui, *de la littérature !* [...]
> LE PÈRE. — Qu'est-ce que tu racontes avec ta littérature ? C'est de la vie, monsieur ! De la passion !
> LE DIRECTEUR. — Possible ! *Mais ce n'est pas du théâtre !*

La frontière entre théâtre et roman s'amenuise actuellement. *L'écriture dramatique contemporaine se rapproche parfois de l'écriture romanesque.* L'hypertrophie du discours didascalique y a introduit bon nombre d'éléments narratifs. Le système des répliques n'apparaît plus nécessairement comme le trait pertinent susceptible de définir le texte de théâtre, puisque le dialogue tend parfois à disparaître. Les metteurs en scène, aujourd'hui, « mettent en voix » des textes romanesques, les découpant en répliques et faisant disparaître les termes introducteurs du discours afin d'obtenir un dialogue, voire leur laissant leur forme. Ce qui confère toujours au théâtre sa spécificité, c'est la scène, grâce à laquelle le texte, quel qu'il soit, est mis en espace.

Ce bouleversement qui s'est accompli depuis les années cinquante permet d'expliquer *l'évolution de la critique théâtrale.* Jusqu'à une période relativement récente, elle ne se distinguait guère de la critique littéraire, se bornant à analyser les qualités littéraires du texte. Les travaux de Scherer sur la *dramaturgie* (1950), puis de Larthomas sur les formes du langage dramatique (1972), ont ouvert une ère nouvelle, soulignant l'inscription de la mise en scène dans l'écriture dramatique. Parallèlement, depuis les recherches de Denis Bablet et de Jean Jacquot, qui ont commencé, en 1970, la série des *Voies de la création théâtrale* (Éd. du CNRS), un courant critique, fortement marqué par la sémiologie, se tourne vers l'*étude des mises en scène.* L'examen des potentialités de mise en scène du *texte* ou la sémiologie de la *représentation* constituent deux modes d'approche convergents du fait théâtral.

Rappel chronologique des textes majeurs sur l'esthétique théâtrale

1657	F.H. D'AUBIGNAC,	*La Pratique du théâtre.*
1660	P. CORNEILLE,	*Trois Discours.*
1663	MOLIÈRE,	*La Critique de « L'École des femmes ».*
		L'Impromptu de Versailles.
1674	N. BOILEAU,	*L'Art poétique.*
1757	D. DIDEROT,	*Entretiens sur « Le Fils naturel »* suivi des *Entretiens avec Dorval.*
1758		*Discours sur la poésie dramatique.*
1767	P.A. DE BEAUMARCHAIS,	*Essai sur le genre dramatique sérieux.*
1773	L.S. MERCIER,	*Du Théâtre, ou Nouvel Essai sur l'art dramatique.*
1777	D. DIDEROT,	*Paradoxe sur le comédien.*
1823-25	STENDHAL,	*Racine et Shakespeare.*
1827	V. HUGO,	*« Préface » de Cromwell.*
1829	A. VIGNY,	*Lettre à Lord*** sur la soirée du 24 octobre 1829 et sur un système dramatique.*
1864	V. HUGO,	*William Shakespeare.*
1881	É. ZOLA,	*Le Naturalisme au théâtre.*
1896	A. JARRY,	*De L'Inutilité du théâtre au théâtre.*
1938	A. ARTAUD,	*Le Théâtre et son double.*
1918-54	B. BRECHT,	*Écrits sur le théâtre.*
1966	E. IONESCO,	*Notes et contre-notes.*
1966	P. HANDKE,	*Outrage au public.*

Bibliographie sommaire

Le lecteur ne trouvera pas ici d'ouvrages consacrés à un auteur dramatique particulier, sauf si l'étude touche à des problèmes dramaturgiques généraux.

ABIRACHED Robert, *La Crise du personnage dans le théâtre moderne,* Grasset, 1978.

ARISTOTE, *Poétique,* Les Belles Lettres, 1961, 3ᵉ éd.

ARTAUD Antonin, *Le Théâtre et son double,* Gallimard/Idées, 1966.

BEAUMARCHAIS P.A. de, *Essai sur le genre dramatique sérieux,* in *Théâtre complet,* Gallimard/Pléiade, 1957.

BENSKY Roger-Daniel, *Recherches sur les structures et la symbolique de la marionnette,* Nizet, 1971.

BOILEAU Nicolas, *Art Poétique,* ch. 3, in *Œuvres,* Garnier, 1961, pp. 159-188.

BRECHT Bertolt, *Écrits sur le théâtre,* t. 1 et 2, L'Arche, 1972.

CORNEILLE Pierre, *Trois Discours,* in *Œuvres complètes,* Le Seuil, 1963, pp. 821-846.

DIDEROT Denis, *Troisième Entretien sur « Le Fils naturel », Discours sur la poésie dramatique, Paradoxe sur le comédien,* in *Œuvres esthétiques,* Garnier, 1959.

DORT Bernard, *Théâtre réel. Essais de critique 1967-1970,* Le Seuil, 1971.

HANDKE Peter, *Outrage au public,* L'Arche, 1968.

HELBO André, *Sémiologie de la représentation, Théâtre, Télévision, Bande dessinée.* (Études présentées par A. Helbo), Bruxelles, Ed. Complexe, 1975.

HORACE, *Epître aux Pisons* ou *Art poétique,* in *Epîtres,* Les Belles Lettres, 1964, livre 2, pp. 181-226.

HUBERT Marie-Claude, *Langage et corps fantasmé dans le théâtre des années cinquante. Beckett, Ionesco, Adamov,* Corti, 1987.

HUGO Victor, « Préface » de *Cromwell,* in Le Club Français du livre, t. 3, 1970.

IONESCO Eugène, *Notes et contre-notes,* Gallimard/Idées, 1966.

ISSACHAROFF Michael, *Le Spectacle du discours,* Corti, 1985.

JACQUOT Jean, (Études réunies et présentées par J. Jacquot), *Les Tragédies de Sénèque et le théâtre de la Renaissance,* C.N.R.S., (Le Chœur des Muses), 1964. *Le Théâtre moderne,* t. 1 et 2, C.N.R.S. (Le Chœur des Muses), 1965, 1967. (Études réunies et présentées par J. Jacquot et D. Bablet), *Les Voies de la création théâtrale,* t. 1, 1970, et t. sq.

JANSEN Steen, « Esquisse d'une théorie de la forme dramatique », *Langages* 12, 1968, pp. 71-93.

LARTHOMAS Pierre, *Le Langage dramatique, sa nature, ses procédés,* A. Colin, 1972.

PAVIS Patrice, *Dictionnaire du théâtre,* Ed. sociales, 2ᵉ éd., 1987.

Poétique, n° 8, 1971.

PRZYBOS Julia, *L'Entreprise mélodramatique,* Corti, 1987.

ROBICHEZ Jacques, *Le Symbolisme au théâtre, Lugné-Poë et les débuts de l'Œuvre*, L'Arche, 1957.

SCHERER Jacques, *La Dramaturgie classique en France,* Nizet, 1966. *Racine et/ou la cérémonie,* P.U.F. (Littératures modernes), 1982.

SOURIAU Étienne, *Les 200 000 Situations dramatiques,* Flammarion, 1950, Bibliothèque d'Esthétique.

STENDHAL, *Racine et Shakespeare,* Garnier-Flammarion, 1970.

UBERSFELD Anne, *Lire le théâtre I*, Ed. sociales (Classiques du peuple), 1978. *Lire le théâtre II,* Ed. sociales, 1981. *Le Roi et le bouffon, (Étude sur le Théâtre de Hugo)*, Corti, 1974.

ZOLA Émile, *Le Naturalisme au théâtre,* [fait suite au *Roman expérimental*], Charpentier et Cie Editeurs, 1887, 6e ed., pp. 109-156.

Nous signalons quelques revues consacrées au théâtre :
Cahiers Renaud-Barrault
Cahiers Théâtre-Louvain
L'Art du théâtre
L'Avant-Scène Théâtre
Organon (C.E.R.T.C., Université Lyon II)
Revue d'Histoire du théâtre
Travail théâtral

Index rerum

Acte, entracte : 19-21, 38, 55, 58, 60, 63, 65, 75, 76-78, 88, 96, 113, 115, 117, 118, 120, 121, 137.
Action : 14-15, 16, 18, 19, 20, 37, 38, 42, 55-78, 80, 84-85, 88, 91, 92, 95, 97, 100, 105, 106, 111, 113, 118, 122, 133, 134, 136, 137, 143, 147, 150, 151.
— principale/secondaire : 57, 122, 134.
— simple/complexe : 60-62, 122.
Aparté : 22, 38, 79, 159, 161.

Baroque : 13, 53-55, 65, 136.
Bienséances : 74, 97.

Catastrophe : 63, 66, 68-69, 98, 129.
Catharsis : 101-104.
Chœur, coryphée : 8, 10, 19-20, 60, 151.
Classicisme : 14, 51-104, 126, 145.
Comédie : 27, 41, 44, 53-104, 106-110, 113, 114, 123, 173, 174.
— à ariettes : 114.
— à vaudevilles : 114.
— -ballet : 20, 49, 63, 114.
— héroïque : 85.
Commedia dell'arte : 83, 148.
Comedia : 51.
Confident(e) : 58, 59, 79-80, 89, 91.
Costume : 10, 45, 76, 78, 106, 115, 134, 170.

Décor : 18, 33, 74-75, 78, 96, 115, 117, 121, 122, 136, 138, 140, 142, 143-144, 147, 148, 151, 155.
— à mansions : 47.
— sonore : 17.
Déclamation : 5, 8, 10, 24, 30, 106, 114, 117, 131.
Dénouement : 59, 60, 65-69, 90, 98, 119, 131, 150, 164.
Deus ex machina : 67.
Dialogue : 7-10, 16, 17, 40, 45, 49, 58, 59, 75, 88, 91, 92, 94, 96, 115, 118, 141, 145, 148, 150, 155, 157, 161, 170, 174.
— rapporté : 21.
Didascalies (didascalique) : 16-17, 86, 131, 146, 155, 170, 171, 174.
Dilemme : 59, 61-63, 79, 135.
Distanciation : 150-152.
Dit : 33, 39.
Drame : 23-27, 33, 34, 46, 47, 58, 59, 63, 66, 84, 85, 88, 104, 105-132, 137, 141, 142, 146, 150, 155, 173, 174.
— bourgeois : 105-117, 120, 121, 122, 173.
— romantique : 105, 106, 117, 119-132, 140.

Épisode : 19, 20, 56, 58, 134.
Espace : 121, 138-140, 174.
— dramaturgique : 18, 74-76.
— scénique : 18, 74-75, 143-144, 154, 167-169, 170.
Exposition : 15, 37, 57, 58-60, 79, 88, 113.
Expressionnisme (iste) : 133, 136-138, 140, 145, 153, 156.

Farce : 27, 33, 34, 40-44, 47, 48, 49, 75, 81, 82-84, 142, 144, 173.

Table

Table 183

Table 185

Table des encadrés

Collection CURSUS

Dans la même collection :

ACHEVÉ D'IMPRIMER
SUR LES PRESSES DE
L'IMPRIMERIE CHIRAT
42540 ST-JUST-LA-PENDUE
EN MARS 1991
D.L. Mars 1991 N° 5919
N° D'ÉDITEUR 9957

IMPRIMÉ EN FRANCE